Games4Girls

Marion Bloem

GAMES4GIRLS

Roman

UITGEVERIJ DE ARBEIDERSPERS
AMSTERDAM · ANTWERPEN

Omslagillustratie: Marion Bloem
Omslagontwerp: Nico Richter

ISBN 90 295 0404 8 / NUGI 300

Voor Natasja

Over de dood werd bij ons thuis niet gesproken, want er stierven er te veel. Jarenlang heb ik gedacht dat het katholieke kerkhof achter de camping van onze familie was. Ik danste over de graven van mijn tantes. Mijn voor- en achternaam kon ik al schrijven en spellen op mijn vijfde – toen mijn vader nog gezond leek – en ik verheugde me erop dat de naam *Zohra van Dam* op een dag naast die van mijn oma in een van de marmeren zerken gegraveerd zou staan.

Ik heb de dood altijd uitgedaagd. Voor mij was hij niet abstract. Hij was evenmin een skelet in een zwarte cape met een hoge hoed op en een zeis dreigend zwaaiend in zijn hand.

Hij was er in kleur. Ik zag het licht rond iemands gezicht in grauw lila veranderen, en was niet verbaasd om naderhand te horen dat hij of zij, meestal een zij, gestorven was.

Misschien is alles niet precies gebeurd zoals ik hieronder beschrijf. Waar mijn herinneringen vervagen zorgt mijn verbeelding voor dramatische feiten om het ontbreken van imposante details op te vangen. Wellicht ga ik te ver met het romantiseren van onze hechte vriendschap. Maar het is die vriendschap die mij tien jaar geleden de kracht gaf om in mijn eentje verder te gaan. De overdrijvingen, de overdaad aan dramatiek, de zelfverheerlijking, al dat afwijkende in mijn gedrag en mijn denkwijze kunnen misschien worden toegeschreven aan een zeldzame mysterieuze ziekte, die net als raciale kenmerken op genetische wijze is overgedragen.

De katharis: Ik zoek steun bij een neon *Fata morgana*, maar in mijn poging om het medaillon van mijn gestorven kat te redden bungel ik door een foute inschatting van de draagkracht van het woord alleen nog aan de letter A – die mijn gewicht niet lijkt te houden.

Eigenlijk sterf ik al zonder dat ik val. Mijn vriendinnen zijn machteloos.

Katten hebben negen levens, zeggen ze. De mijne liet me na haar eerste in de steek. Geen idee waar en met wie ze die andere acht heeft doorgebracht.

KICK4ALL

Doodgaan is niet moeilijk. Voortsukkelen evenmin. Leven was het doel dat de middelen heiligde.

Men noemde mij altijd een voorbeeld van vitaliteit. Alsof ik een symbool van energie was. Een rondhuppelende metafoor voor bezieling. Niemand zag wat ik verstopte.

WWW.XOHRA.NL/ANGST

Denk niet dat ik wacht totdat er lila licht in mijn spiegelgezicht gaat schijnen.

Ik ben een schichtig hert met een litteken dat niet heelt, maar mijn silhouet pretendeert onverschrokkenheid. Het beeld dat ikzelf zie is niet wat de ander ziet. Mijn zicht is troebel. Dat moet ik nu onderkennen. Vroeger was ik ervan overtuigd dat mijn beeld helder was. De enige juiste waarneming. De enige leefbare realiteit was de wereld die ik met mijn vriendinnen schiep.

Synergie noemen ze dat. Als onze vriendschap gekenmerkt werd door het een of ander dan was het door het onmiskenbare effect van onze drie karakters op elkaar. De meeslepende kracht die volwassenen de stuipen op het lijf joeg, en die ons deed geloven dat we de wereld de baas waren. Wij waren de godinnen van de grond waar wij onze voeten neerzetten.

Natuurlijk is het niet altijd zo geweest. Het is ergens begonnen. Alles heeft een verhaal. Er was eens...

Ik zoek de woorden.

Mijn leven begon op de donkere zolderkamer van mijn vader. Vóórdat ik naast hem met een wasknijper door de bakken met ontwikkelaar mocht roeren bestond ik alleen nog maar. Hij leerde mij wat het is om samen meer te zijn dan de optelsom van de effecten van ons afzonderlijk gedrag. Ik haatte hem toen hij mij verried door zijn opzwepende levenslessen niet meer samen met mij waar te maken.

Misschien was ik, zoals men vaak zei, inderdaad de aanstichtster van de meisjesbende die het dorp H. van '75 tot '88 terroriseerde. Dankzij mijn vader. Ondanks mijn vader. Ter ere van mijn vader.

FEMATES

In de winter, als de hagel tegen de ruiten sloeg, draaiden we de thermostaat van de centrale verwarming naar de uiterste stand, spreidden onze badlakens uit op de vloer, en gingen er in onze bikini's op liggen. Terwijl we elkaar met antizonnebrandcrème insmeerden deelden we onze dromen, diepste verlangens, wensen voor later, en onze afkeer van bijna alles uit ons dagelijks bestaan. We likten aan denkbeeldige ijsjes.

Schrijven is een middel om de ander je eigen visie op te dringen. Het is een poging de ander zodanig met woorden te verleiden dat hij jouw schets van de wereld niet alleen accepteert maar ook liefheeft. Ik besef nu pas, nu ik met twee vingers het toetsenbord van mijn tekstverwerker bespeel, dat de herinneringen die ik koester zouden kunnen leiden tot veroordeling.

Zal ik wel of niet vertellen hoe we de broertjes toegang tot onze wereld verboden?

Die scharminkelige huilebalk die zich onder mijn moeders

zomerjurk verschool, en mijn avonturen verklikte is nu, hier op Zonnehof, meer steun dan een broer hoeft te zijn.

Wat er van de andere broertjes geworden is weet ik niet en de tegenwoordige tijd wil ik eigenlijk ook niet onderzoeken. Ik koester de tijd van opwinding en opzwepende dynamiek. De gouden tijd van onze vriendschap, toen wij de bovenmenselijke kracht bezaten om de werkelijkheid te doen verbleken naast onze eigen creatie van een wereld waarin wij, met kroontjes van karton en crêpepapier, genadeloos regeerden.

Mijn wereld is door weinigen liefgehad. Het is de wereld van mij en mijn vriendinnen. Als ik het over mijzelf wil hebben moet ik eerst mijn vriendinnen presenteren.

Volgens Van Dale is vriendschap een betrekking van personen tot elkaar. Vager kan het niet. Als ik geen gebrek aan tijd had zou ik graag Het Groot Woordenboek van de Nederlandse Taal herschrijven, en scherper afgebakende betekenissen geven aan de meer dan drie kilo woorden op mijn boekenplank. Betrekkingen onderhield ik met veel meer mensen dan Nouchka en Sonja, maar diepe onverwoestbare vriendschapsgevoelens bezat ik alleen voor hen.

Om die reden besloten we elkaar, toen we achttien jaar oud waren, 'femates' te noemen. Sonja had het bedacht. Die had nog meer van die woorden.

Crystalk, een verhelderend gesprek tussen vrienden waarbij je honderd procent eerlijk bent en het vertrouwen er moet zijn dat alles wat je zegt bedoeld is om verder te komen, en niet om te scoren. Af en toe hielden we crystalks.

Nouchka kwam aanzetten met misyoubabing. Daaronder verstond zij masturberen met degene die je liefhebt in gedachten. Volgens haar was dat essentieel anders dan masturberen met een pornoblad voor je op tafel, of jezelf uit verveling klaarvingeren boven de woordenlijst Latijn. Zij vond misyoubaben een romantische aangelegenheid, terwijl ik alles wat naar seks rook vunzig vond. Mensen die behoefte aan seks hadden vond ik gestoord. Ook, of misschien zelfs juist, toen ik al achttien was. Waarom?

Ga naar www.Xohra.nl

Het woord femates was door Sonja uitgevonden omdat ze hartsvriendinnen te onnozel vond. Gewoon vriendinnen was niet toereikend. Het woord moest iets uitdrukken van ons maatjesgevoel en de eeuwige trouw die we elkaar op ons twaalfde beloofd hadden.

Nouchka vond femates te lesbisch klinken en zag er niet veel in, maar zoals bijna altijd gaf zij zich gewonnen. Ogenschijnlijk, denk ik. Maar daarover later meer.

Wij maakten onze eigen woorden wanneer we meenden dat de bestaande te vaag waren en niet uitdrukten wat wij er precies mee bedoelden. Ook veranderden we namen wanneer we die niet meer toepasselijk vonden.

We verzonnen namen voor onze kinderen, later, als we moeder zouden zijn, en schreven er een schoolschriftje mee vol.

Nomen est Omen stond er op het etiket. We wilden kinderen, maar niet trouwen. En de zwangerschap gingen we overslaan omdat onze kinderen in laboratoria zouden worden ontwikkeld. Drie keer per week op bezoek bij onze groeiende embryo's die in kunstmatige baarmoeders door de beste artsen werden omringd vonden we voldoende inzet als aanstaande moeder.

Wij waren geen masochisten om met wanstaltige buiken rond te lopen, en zware barensweeën met bloed, zweet en tranen te doorstaan om schreiende kinderen in de uitgestrekte armen van hun trotse vaders te werpen. Wij werden moderne vrouwen en vertrouwden volledig op de moderne technologie en wetenschap.

'Dokter, er zit een rare moedervlek op haar billetje. Kunt u daar iets aan doen? En die flaporen, die kunnen we nu toch alvast wat bijsturen?'

Twaalf jaar oud hadden wij onze kinderachtige namen gewijzigd in namen die met meer waardigheid de tand des tijds zouden kunnen doorstaan. Nouchka werd Nous Qua. Haar familienaam Van Wijngaarde verving ze door Qua omdat haar vader zich niet meer om haar bekommerde. Na de geboorte van Nouchka's blanke broertje was Sherman van Wijngaarde beledigd teruggekeerd naar zijn geboorte-eiland in de Cariben.

Alhoewel Nouchka's ouders hun vrije seksuele opvattingen in onze provinciale woonwijk ruimschoots etaleerden, kon haar vader toch niet verwerken dat de door hem getolereerde vrijvreemd-partijen van Els zegevierden in een bolle baby die met blauwe ogen, wit vlashaar en een doorzichtige bleke huid op geen enkele wijze op hem leek. Hij meende dat het percentage zaad dat hij bij Els deponeerde de hoogste kans moest geven op een kind van zijn bloed, en dat Els door een kaaskop te baren, aantoonde dat ze relatief te weinig met Sherman naar bed was geweest.

Sherman was niet dom, hij had chemie gestudeerd, en na drie jaar lang hoge cijfers haakte hij af – dit pleit voor zijn intelligentie – omdat hij zijn leven niet in een laboratorium wilde doorbrengen, geen van de andere studies de moeite waard vond – wat eveneens van een scherp inzicht in de wetenschap in het algemeen getuigt – en liever de hele dag liep te blowen. Dat was wat hem en Els overigens verbond, de liefde voor de shit.

Els leek van Shermans vertrek nauwelijks enig verdriet te hebben. Hij bracht weinig geld binnen en maakte veel op. Dag in dag uit liep hij rond met een super 8-camera, en filmde alles wat los- en vastzat, zolang het maar van het vrouwelijk geslacht was.

Hij was zijn tijd vooruit. Jaren later, in onze tienertijd, zagen we dat Shermans opnames trend waren geworden; het camerawerk van de meest populaire videoclips leek van Shermans hand te zijn. Zodra er benen, borsten, billen, kutten in beeld kwamen riepen we met ons drietjes: 'Sherman.'

Sommigen beweren dat zij zich niks uit hun kleutertijd kunnen herinneren. Ik heb echter een ijzersterk maar zeer selectief geheugen. Mijn eerste verliefdheid is als van gisteren. Niet op een leeftijdgenoot. Ik begeerde mijn oom.

Mijn oom Vincent. De broer van mijn moeder die na de dood van oma zijn draai niet kon vinden. Hij besloot het klooster in te gaan, maar de test die de hoofdbroeder hem in opdracht van de Heer voorlegde, doorstond hij niet. Van de ene op de andere dag verdween hij zonder verklaring uit mijn leven. Diep verraad. Ik was tien of negen toen mijn moeder vertelde dat hij vijf jaar eerder zelfmoord pleegde. Ze hadden me al die jaren zelfs niet gezegd dat hij dood was. Hij was gewoon ineens spoorloos. Zijn naam was Schaamte.

Ik kwam met mijn hoofd tot de onderrand van de keukentafel toen oom Vincent mij optilde en mij hoog de lucht in wierp. Precies als mijn vader, toen ik hem nog geen Rien noemde. Maar mijn vader zette me daarna op de grond, waarna ik rondtolde, alles wazig werd, ik wankelde, me expres liet vallen en pas weer overeind krabbelde als mijn vader alweer in zijn leunstoel de krant zat te lezen.

Oom Vincent zette me na het zweven op zijn schouder en liet mij daarbij los alsof het hem niet kon schelen dat ik van duizeligheid vallen zou. Mijn kleuterarmen zochten houvast bij zijn hoofd. Mijn vingers aan zijn oren. Hij rook anders, had stoppeltjes, was donker. Zijn haar voelde stug. Handen als van een vrouw.

Hadden ze maar gewoon gezegd dat hij niet meer leefde, dan had ik in al die jaren, toen Rien niet meer bij ons thuis woonde, niet telkens gehoopt dat hij, op de momenten dat ik snakte naar een stoere vader, zou opduiken. De wens dat ik iedereen kon voorhouden dat oom Vincent mijn echte vader was, spookte elke minuut van de dag door mijn opgewonden kinderhoofd.

Veel herinneringen uit mijn kleutertijd koester ik als gedroogde klavertjesvier tussen de bloemrijke avonturen van later. Een aantal zijn tamelijk taai en stevig. Sommige ervaringen komen telkens terug in mijn slaap. Ik ben vaak kleuter in mijn slaap. Soms ben ik mezelf niet maar een van mijn vriendinnen en zie ik mezelf naast de ander staan. Kwetsbaar. Ongerust. Of vol bewondering.

De omgeving is die van mijn jeugd en toch anders. Gestileerder. Zoals een film waarin de art-direction te ver is doorgevoerd. Met gekunstelde zonnestralen wordt een onderdeel of een enkel voorwerp markant belicht. Bij een eventuele droomanalyse van Jung, Freud of weet ik welke psychiaters ze nog meer dat soort verklarende kennis toedichten, zou zo'n uitgelicht voorwerp speciale betekenis krijgen. Maar ik doe niet aan die flauwekul. Dromen zijn belevenissen, en dat is alles. Iedereen die probeert om meer waarde te hechten aan de ervaringen die hij slapend opdoet, slaat roestige spijkers op laag water mis.

Ik droom nu telkens dat ik val. Ik weet niet of het iets te maken heeft met het spel dat ik nu bijna af heb, of met de herinneringen die als brokstukken bovenkomen. Soms val ik in een eindeloze afgrond. Meestal echter heel gewoon van een of ander dak. Er komt geen einde aan de diepte. 'k Word wakker in de val.

Het vertrek van Sherman is als een tatoeage op mijn netvlies achtergebleven.

Els stond in de deuropening met haar blonde twee weken oude monstertje op de arm. De taxi ronkte. Shermans bagage lag al in de achterbak, maar instappen lukte hem niet. Nouchka hing jammerend aan zijn benen, en weigerde hem los te laten. Sonja hielp haar door eveneens met haar volle gewicht – maar ze woog niet veel – aan zijn broekspijp te hangen. Ik had grip op zijn handbagage, en omklemde zijn super 8-camera, die hem min of meer wurgde door mijn getrek aan het hengsel dat hij, zoals de toeristen, om zijn nek had hangen.

Eigenlijk was hij een elegante charmante man, Sherman, en

hij wilde ons niet met grof geweld van zich afschudden. Schreeuwen deed hij niet. Hij had een warme diepe stem, en boos hadden we hem nooit meegemaakt. Joyce en Judith kwamen op het hysterisch gehuil van Nouchka aangesneld, maar grepen niet in omdat ze, gedreven door hun moederinstinct, solidair waren met Nouchka, en het wreed vonden van Sherman dat hij de benen nam.

Sherman leek te buigen. Hij bukte zich in elk geval letterlijk. Als in overgave ging hij door de knieën. Een poging om zich van de camera te ontdoen, bleek later, maar op dat moment zagen wij dit gebaar alledrie als kapseizen. Ik liet het hengsel los. Nouchka en Sonja, overtuigd dat Sherman zich gewonnen gaf, lieten op hun beurt Sherman zijn broekspijpen los. Snel en soepel als een slang stapte Sherman in de taxi, en sloot het portier direct achter zich.

Nouchka, te verbouwereerd om weer een keel op te zetten, staarde hem met betraande ogen en een klaar-om-het-op-een-schreeuwen-te-zetten-mond door het glas aan. Sherman opende zijn raampje, stak zijn hoofd erdoor om Nouchka troostend toe te spreken, en haar een kus op de wang te drukken. Daar maakte ik onverhoeds misbruik van door opnieuw naar zijn cameratas te grijpen, en met geweld aan het hengsel te trekken. Ik had het hengsel vast alsof ik een paard in wilde galop bereed. Bereid om hem met camera en al door het open raam van de taxi te sleuren zette ik me met mijn beide voeten af tegen het portier. Als een waterskiër strekte ik mijn benen, waardoor het hengsel van de cameratas Sherman de strot afkneep.

Nouchka zette opnieuw een keel op. Judith en Joyce trokken mij bij de auto vandaan uit angst dat de taxi zou wegrijden, en ik een smak op de grond zou maken. Maar ik liet het leren hengsel niet los. Sherman kuchte heftig, snakkend naar adem. De taxichauffeur deed niets. De motor ronkte, dat was alles.

Met de hulp van Joyce ontdeed Sherman zich zo goed en zo kwaad als het ging van de cameratas. Judith, die het bijna lukte om het hengsel uit mijn vingers los te trekken, beet ik stevig in haar slanke hand, zodat ze zich met een schreeuw terugtrok.

Sherman overhandigde de cameratas die ik nog steeds aan het hengsel vasthield aan de huilende Nouchka.

'Hier,' zei hij, 'mag jij hebben van papa als je niet meer huilt, en heel lief bent.'

Nouchka's grote zwarte natte ogen begonnen te stralen.

Joyce zei – voor haar doen – streng: 'Sherman, wat moet een kind van vijf met een filmcamera!'

'En je mag zo vaak als je wilt bij mij logeren,' zei Sherman meer om Joyce dan om Nouchka voor zich te winnen.

Sonja kreeg een briljante ingeving. Ze pakte Sherman bij de mouw van de arm die uit het raampje hing, en zei: 'Mogen Zohra en ik dan ook mee?'

'Ja, ja,' zei Sherman goedmoedig. De paarse gloed in zijn gezicht was inmiddels weggevaagd.

'Beloof je dat?' zei Sonja,

'Ja, ja, ik beloof het,' zei Sherman met een zucht die sterk genoeg was om zijn arm weer aan Sonja te ontrukken.

Nouchka stak spontaan haar hoofd door het open portier-raam en gaf hem als blijk van waardering voor deze belofte een kus op zijn mond.

De taxi zoefde weg. Ik ruik nog de uitlaatgassen die lang daarna in de stille straat bleven hangen terwijl wij poseerden voor de camera, en elkaar om beurten filmden.

'Doe je er wel voorzichtig mee,' zei Els.

'Dat moet ikzelf weten,' antwoordde Nouchka. 'Hij is van mij.'

Nouchka's scherpe tong intrigeerde mij. Na het vertrek van Sherman deed Nouchka er met de dag een schepje brutaliteit bovenop. Zo beleefd als ze tegen mijn moeder was, zo onbe-schoft was ze tegen Els. Alsof ze Els, die haar in de steek had gelaten door een wit kind te baren, en daarmee haar vader te schande zette, voor straf van haar af wilde houden.

Els, als reactie daarop, bazuinde rond dat ze Nouchka als

een last ervoer, een dochter die ze liever niet had gehad, een dochter die het haar onmogelijk maakte om een man aan zich te binden omdat Nouchka met haar streken elke, zelfs de meest gepassioneerde man uiteindelijk toch verjoeg.

Elke zomer moest Nouchka, of ze wilde of niet, naar de Cariben van haar moeder, waar ze vooral met haar oma, en eigenlijk nauwelijks met haar vader optrok. Wij mochten nooit mee, tot onze grote verbazing en verontwaardiging.

Wij hebben talrijke momenten uit onze prille jeugd schots, scheef en zonder censuur op celluloid vastgelegd.

Van haar moeders minnaar uit Parijs, die zoals zoveel jonge en oudere mannen die Els' walhalla langer of korter binnentraden, drie maanden lang tevergeefs de rol van vader op zich probeerde te nemen, had ze gehoord dat NOUS in het Frans WIJ betekende. Door zichzelf Nous te noemen drukte ze haar verbond met ons uit.

Ze wilde geen ik meer zijn, maar volledig opgaan in ons drietjes. Haar behoefte om ergens bij te horen werd in haar nieuwe naam optimaal uitgedrukt.

Sonja meende haar Koreaanse afkomst in Son-Ya zichtbaar te maken. Ze dacht zichzelf van de goegemeente te onderscheiden door een dwarsstreepje. Na jarenlange schaamte voor haar anderszijn probeerde ze zich vanaf het begin van haar puberteit juist als De Ander te profileren. Zij deed afstand van Neerman, haar geschonken familienaam. Door deze afwijzing distantieerde zij zich van haar broertje die niet zoals zij geadopteerd was, maar als het wonderkind van haar adoptiemoeder werd gezien, omdat hij zich, ondanks de overtuiging van artsen dat Judith onvruchtbaar was, zich toch de nodige negen maanden in haar baarmoeder had weten te nestelen, en nadien alle aandacht in het gezin opeiste.

Ikzelf wilde slechts één ding, en dat was leiding geven, heldin zijn voor mijn vriendinnen, alle normen en waarden van anderen trotseren, en heersen over de wereld die ikzelf verzon.

Omdat Nouchka en Sonja hun familienaam geschrapt hadden, hield ik niet meer vast aan mijn melige wijziging van Van Dam in Verdamme. Het was eigenlijk ook te voor de hand liggend om mijn vaders familienaam op die wijze te verbuigen.

Mijn meisjesnaam, naar een of andere Griekse heldin volgens mijn moeder, en daarom in mijn ogen niet bezwaarlijk, leek mij evenwel aanzienlijk heldhaftiger als de z vervangen werd door een x.

Nous Qua, Son-Ya en Xohra zwoeren elkaar op een woensdagmiddag, na een strooptocht op de naburige camping met namaakcollectebussen, eeuwige vriendschap en trouw in spel en geheimen.

Dat hadden we in een film gezien. Tot in den dood, hoorde je erbij te zeggen, zei Nouchka, maar dat wilde ik niet.

'Geen smet over onze vriendschap,' was mijn antwoord.

Ze spraken mij zelden tegen. Ik gebruikte resoluut volwassen termen als mij iets niet zinde. Taalgebruik, wist ik, is een wapen waar maar weinigen tegen in verzet durven. Het doet er niet toe als je zelf niet precies weet wat je zegt, als je er maar bij kijkt alsof je het duidelijk meent, alsof je over jouw woorden – hoe onbegrijpelijk ze ook mogen klinken – dagenlang hebt nagedacht.

Ze kwamen vanzelf, de grotemensenzinnen. Misschien flarden uit televisiejournaals, dankzij een fotografisch geheugen in mijn hersenpan gemetseld, of langs genetische weg verzameld in een groepje cellen dat als zware artillerie in mijn cortex zat opgeslagen om in situaties van dreigende kwetsbaarheid als preventieve aanval op iedereen en alles te worden afgevuurd.

Ik toverde woorden uit mijn mond die ikzelf vaak niet begreep. Soms leek het of de woorden onderhevig waren aan een soort zwaartekracht. Een stop die eruit getrokken was waardoor ze bleven stromen. Totdat de balans terug was, de mogelijk tot instabiliteit leidende situatie geneutraliseerd, en we verder konden gaan met meeslepend en hartstochtelijk leven, zelfs vergeten dat er even tevoren een korte, voor een onbezonnen leven heel gevaarlijke pauze was geweest.

Met het Zwitsers zakmes van mijn broertje maakte ik diepe kerven in onze pols, en we smeerden het bloed over elkaars en over ons eigen gezicht. Bij Sonja wilde het bloeden niet stoppen. Uiteindelijk, toen mijn moeder thuiskwam van het reisbureau *Horizon*, waar ze vooral reisjes naar volle hete stranden verkocht, ging ze met de ambulance naar het ziekenhuis. Ik kreeg de schuld. Niet geheel onterecht. Maar Sonja bleef tegen iedereen herhalen dat ze het mes er zelf zo diep had ingezet.

Of het mijn eigen herinnering is of die van mijn vriendinnen aan mij weet ik niet.

Het is iets waar ik nooit aan durf te denken. De pijn in mijn maag, alsof darmen en lever van plek verwisselen, het gevoel dat je krijgt op een te hoge schommel, of als je van een te steile glijbaan gaat, het gevoel van de achtbaan, van een hikkend vliegtuig, of van een helikopter die de luchtdrukverschillen niet aan kan: dat gevoel of je gewichtloos bent.

Ik zweef hoog boven kruisen, keer op keer steek ik boven de haag van het kerkhof uit, en daarachter staan Sonja en Nouchka naar mij te zwaaien. Rien, die nog sterke handen heeft, vangt mij telkens weer op, en werpt mij elke keer hoger de lucht in.

Mijn moeder is nooit bang dat ik zal vallen. Ook niet dat hij me door zijn vingers zal laten glippen, of misgrijpt. Ze geloofde net als ik in zijn oneindige mannelijkheid. Ik wist niet beter, want ik was een peuter, of een kleuter, een onnozel kind.

Zij is vijfentwintig en opzettelijk blind terwijl haar handen een zelfgemaakt kruis – twee latjes met elkaar verbonden door vliegergaren – diep in de aarde steken. Ze kijkt niet op, maar gaat onverstoord verder met het planten van viooltjes op de zandberg tussen het vele marmer, graniet en grind. Ze schept zwarte aarde uit een plastic zak en vermengt het met het goudgele zand waaronder mijn vaders laatste zus geborgen ligt. Ze hebben nog geen steen op haar graf gelegd. Dat komt nog. 'Later, als de grond hard is,' zegt Joyce, mijn ogenschijnlijk stoïcijnse moeder. Een Javaans gezicht verhult westerse haast en ongeduld. Een mooie vrouw, zeggen ze, maar ik had liever een gewone gehad, een zoals de tante die gestorven was.

Mijn vriendinnen kijken van ver toe. Jaloers, denk ik, omdat zij niet zo'n leuke sterke vader hebben.

Toen ik nog kleuter was had ook ik een grenzeloos vertrouwen in zijn geestelijk, zedelijk en fysiek vermogen.

XOHRA.NL
IK WIL GEVONDEN WORDEN

De volgorde van de herinneringen is willekeurig. Was Vincent weg voordat de laatste tante stierf? Was Rien nog vader toen oom Vincent mij op de schouder nam?

Wanneer werden Nouchka en Sonja belangrijker dan de donkere kamer op zolder? Heb ik echt de babyfoto's van mijzelf helpen ontwikkelen? Wat is herinnering, en wat heb ik bedacht aan de hand van de foto's die in de doorzonwoningen van onze ouders rondslingerden? Wat is een onderdeel van mijn niet te stuiten fantasie?

Ontbossing. Belandde de leraar aardrijkskunde – ik noem hem Mozart omdat hij in de gangen van het oude schoolgebouw altijd 'Eine kleine Nachtmusik' liep te neuriën – dankzij mij in Zonnehof, op een andere afdeling dan mijn vader? Hij leek op Rien. Hij had geen groene ogen, en geen donkerbruin haar. Hij had van dat boerenhondenhaar met blauwe priemkijkers. Hij was mager, en had niets atletisch, terwijl mijn vader – als vader – een soort Tarzan was. Maar hij had dezelfde handen. Ik vroeg om een andere plaats toen ik zag hoe hij in zijn handen wreef, en vervolgens twee vingers knakte. Ik zat vooraan, naast Nouchka, en verdroeg de aanblik van zijn vierkante televisie-nagels niet. Nagels in de vorm van een beeldscherm. De knokkels waren ook identiek. Te vertrouwde handen. Zijn pink stond iets naar buiten, net als bij Rien.

'Het lijkt wel of je verkikkerd op hem bent,' zei Nouchka, 'zoals je hem plaagt, en zoals je bloost als hij je ergens op betrapt.'

Nouchka observeerde haar omgeving consequent aan de hand van criteria die volkomen opgehangen waren aan de mate van seksuele aantrekkingskracht tussen mensen. Mensen met een zekere sensuele uitstraling werden doorgaans hoog gewaardeerd, tenzij ze die eigenschap als gereedschap hanteerden. Dan ging het cijfer van waardering drievoudig naar beneden. Nouchka wees ons al op jonge leeftijd op het verschil tussen een mooie en een lelijke kont. Een welgevormd wulps achterwerk deed Nouchka's ogen oplichten, en Nouchka knikte zo'n dame liefdevol toe. Maar als de dame in kwestie er te veel mee wiegde werd ze door Nouchka als stom wijf afgedaan. Mozart had een lekkere strakke kont, volgens Nouchka, en was een van de weinige mannen boven de dertig die zichzelf niet bespottelijk maakte in een spijkerbroek.

Ik lette niet op zijn onderkant. Zijn handen, zijn mond, de volle onderlip kon ik niet vermijden. En zijn geur. Ik ruik hem nog. Als ik mijn ogen sluit ruik ik de mengeling van een bos na lichte regen.

Sonja beoordeelde mensen op basis van hun intelligentie. Zij vond Mozart, die veel gereisd had en ook Korea, het land van haar biologische ouders had bezocht, uitzonderlijk knap. 'Hij kan boeiend vertellen,' fluisterde ze tijdens de les in mijn oor, 'ik vind hem echt iets voor jou. Ik kan me helemaal voorstellen dat jullie samen getrouwd zouden zijn.'

Mocht ik heimelijk, zo heimelijk dat ik het zelf niet door had, verliefd zijn geweest, vanaf dat moment werd Mozart Irak, en ik Iran, hij een Waal en ik een Vlaming, hij moslem, ik joods of een zware calvinist. Ik ging over elk onderwerp dat hij te berde bracht in discussie. Ik schold hem uit voor softie als zijn maatschappelijke betrokkenheid in zijn hartstochtelijke vertelkracht tot uiting kwam, stelde cynische vragen als Sonja in zijn voorbeelden opging of als Nouchka in zijn ogen leek te kruipen op zoek naar onderdak voor haar veel te vroege erfelijke behoefte aan wellust.

Dat idealisme van hem stond me niet aan. Zijn Greenpeacelidmaatschap. Het weinige huiswerk. Zijn goede bedoelingen. Hij was te warm, te vriendelijk, trok geen grenzen, had een te mooie lach.

De behoefte om hem uit te dagen was een obsessie die leidde tot grote creativiteit. Bando Verde noemde ik het indianenopperhoofd dat we in de Amazone voor onze spreekbeurt hadden geïnterviewd, terwijl ik nog nooit buiten Europa was geweest. Joyce ging met ons naar ofwel Spanje of Italië omdat ze op die reizen korting kreeg.

Vanaf mijn tiende zat ik echter met de zaklantaarn en een Engels-Nederlands woordenboek in bed de *National Geographic* te spellen, en droomde van tochten door een onheilzaam berggebied of door een ondoordringbaar oerwoud.

Ik had onze gezamenlijke spreekbeurt op papier gezet. Om beurten zouden we enkele zinnen voorlezen, maar ik raakte in de ban van mijn eigen verhaal en vergat dat Sonja en Nouchka net zo goed iets vertellen moesten. Al pratend beleefde ik de tocht door de Braziliaanse jungle die ik de dagen tevoren uit mijn duim gezogen had. Foto's uit de *National Geographic* had ik bewerkt, lelijker gemaakt en in vakantiekiekjes omgetoverd doordat ik ons drietjes met onschuldige gezichten tussen de struiken had geplakt. Ik was goed in vervalsen. Dat had ik van mijn vader, zei mijn moeder.

We hadden een negen voor die spreekbeurt. Mozart vroeg het adres van de indianenstam omdat hij naar Zuid-Amerika op vakantie zou gaan. Toen werd Sonja bang dat hij ons zou naaien voor het eindexamen, zij was gehecht aan hoge cijfers, en ze wilde hem vertellen dat alles fake was geweest.

Ik had het litteken op mijn vinger aan de klas getoond, wat even kritiek was. Die ongelovige gezichten. Totdat Mozart het voor mij opnam en zei dat er in de Amazone inderdaad piranha's waren die mensen aanvielen, en dat veel mensen er een hand of een voet zijn kwijtgeraakt en dat ik van geluk mocht spreken dat mijn vinger er nog aan zat.

Na een paar nachten slecht slapen omdat Sonja aan mijn kop bleef zeuren dat hij ons alleen maar in de val probeerde te lokken en allang doorhad dat we hem wat op de mouw hadden gespeld, besloot ik te bekennen.

Hij stond tegen de deurpost geleund en staarde naar buiten. Ik ging recht voor hem staan, en zei: 'Mijnheer, ik moet u wat zeggen.'

Toen ik zijn weke glimlach zag ben ik in de plaats van een bekentenis spontaan een speech gaan houden over het belang van actie voeren voor Bando Verde. Overal hing ik zelfgemaakte affiches op en ik verzamelde handtekeningen in onze strijd tegen de ontbossing.

Van het geld zijn Sonja, Nouchka en ik toen samen kort naar Rome op vakantie geweest. Liftend. Het geld was genoeg om de dure camping buiten de stad, flessen chianti, en de bus naar het warme benauwde centrum van te betalen. Vlak bij de Piazza Navona stalen we een brommertje van iemand die de motor liet lopen terwijl hij aan het urineren was. Daarop hebben we net zo lang rondgereden, met ons drieën tegelijk, ik aan het stuur, totdat de benzine op was. Met een bonkend hart, gillend, gierend, telkens haastig zijstraatjes in schietend als we de eigenaar in het verkeer meenden te herkennen. Onze leukste vakantie, die gestolen trip van zeven dagen.

We kregen er plezier in om mensen te scheppen. De volgende was de dichter Pierre van Dongen, en rondom hem creëerden we een hype. Sonja werd opnieuw bezorgd. Mozart was toen al opgenomen in Zonnehof. De leraar Nederlands die door ons op de hoogte werd gebracht van het bestaan van deze grote dichter heette Valken, en ik noemde hem daarom de *Big*. Een naam die niet bij hem paste, want hij had niets van een varken, maar leek eerder op een fotomodel. Een fatje vonden we. En iemand die zich ernstig zorgen maakte dat wij een jonge talentvolle dichter op het spoor waren die hij nog niet gelezen had.

We zouden naar twee lezingen van deze dichter zijn geweest en hadden er uitvoerig verslag van gedaan in een uitgebreide scriptie. Op de markt van A. had Nouchka een voorbijganger gefotografeerd en ik had die man een ander jasje, andere haarkleur, en een snor gegeven en er een acceptabele foto van gemaakt.

Zijn verzamelde poëzie, een pak van veertig gedichten, waaronder zes sonnetten, hadden we zelf in elkaar geflanst.

Sonja vreesde dat ze ons mondeling examen niet mee zouden tellen als ze er naderhand achter kwamen dat er helemaal geen Pierre van Dongen bestond en dat we zijn poëzie zelf geschreven hadden.

We publiceerden zijn gedichten in de schoolkrant en maakten andere meisjes jaloers door te zeggen dat Pierre ons op zijn kamertje had uitgenodigd en dat we wodka met ijs te drinken kregen. We beschreven de kamer zoals het interieur in *De uitvreter* van Nescio, het lot tartend, want we konden ervan uitgaan dat ze dit dunste boekje van de verplichte literatuurlijst in elk geval gelezen hadden.

Nouchka had met hem getongd, zei ik, wat iedereen behalve één meisje geloofde. Dat eigenwijs stuk onbenul beweerde gehoord te hebben dat Pierre van Dongen homoseksueel was. Dat was de grootste beloning, dat Pierre van Dongen een eigen leven ging leiden waaraan wij nauwelijks nog iets hoefden toe te voegen.

Toch hebben we het vlak voor het mondeling bekend. Sonja hield er niet over op en kon zich daardoor niet goed op de andere vakken concentreren. Ze was een beetje een streber, wilde altijd met hoge cijfers voor de dag komen om daarmee te bewijzen dat Koreanen niet achterlijk zijn. Lastig als je de reputatie van een totale bevolkingsgroep op je schouders neemt, vooral als je eigenlijk zelf niet eens weet wat het voor volk is omdat je er wegging toen je een baby van nog geen vijftien maanden was.

De Big lachte erom. Hij vond het een goeie grap, en zei dat het heel bijzonder was dat drie meisjes samen zulke mooie mannelijke gedichten konden schrijven want dichten was eigenlijk een heel eenzaam proces, en tegengesteld aan sociale interactie, vooral als de gedichten zo gevoelig waren als deze. Hij vroeg geïnteresseerd of we er veel plezier in hadden toen we ermee bezig waren, en of iedereen evenveel aandeel in het proces had gehad.

Nouchka en Sonja vielen mij toen af, en beweerden dat vooral ik de gedichten in elkaar had geflanst terwijl ik zonder hen niet meer dan vier zinnen van de veertig gedichten uit mijn pen gekregen zou hebben. Het was de samenwerking, de vibratie tussen ons, de opwinding dat we een hype aan het creëren waren die de dichtregels deden ontstaan.

De acht voor onze scriptie over Pierre van Dongen bleef staan. Het pak gedichten heb ik nog. Joyce had het met al mijn tekeningen en fotocollages in een grote kist op zolder bewaard, tussen de plastic fotobakken en de onder het stof geraakte afdrukapparatuur.

Er zijn culturen waar de kinderen tot een bepaalde leeftijd de naam van hun moeder dragen, en pas op latere leeftijd ceremonieel zelf kiezen hoe ze willen heten.

Joyce zei dat haar Javaanse moeder haar in een droom waarschuwde dat Zohra een te zware naam voor mij kon zijn omdat je met een naam je kind een bestemming geeft die het misschien later niet aan blijkt te kunnen. Als ik weer eens de baas speelde over mijn broertje en in haar ogen te veel mijn eigen gang ging, gaf Joyce zichzelf daarvan de schuld. Had ze mij maar niet zo'n zware naam moeten geven.

Mijn lot heeft echter niks met mijn moeder, maar alles met mijn vader te maken.

Een naam kan niet zwaar genoeg zijn. Het is de naam waaruit je je wilskracht put. Zonder de x had ik misschien al eerder opgegeven.

De super 8-filmpjes die we als kleuters met de camera van Sherman gemaakt hebben zag ik tien jaar geleden voor het laatst. Voor een deel concurreerden de beelden met mijn herinneringen. Nu ik al zo lang die oude beelden niet meer heb kunnen bekijken heb ik vaak geprobeerd om me de momenten te herinneren die we niet op video of film hebben vastgelegd.

Als we niet op pad gingen, bekeken we telkens opnieuw onze lievelingsopnamen. De herhaling van de beelden die we zelf creëerden hebben mijn geheugen beïnvloed. Misschien heb ik daarom meer gewone herinneringen aan mijn kleutertijd, vóórdat we in het bezit waren van Shermans super 8-camera, dan daarna, toen we filmpjes maakten die Sonja's vader zonder morren voor ons liet ontwikkelen. Toen de filmcamera stukging legden we alles vast met de videocamera die Sonja en ik op de camping uit een tent gestolen hadden. Die verstopten we op zolder totdat Nouchka van haar vakantie op de Cariben terugkwam, zodat zij net kon doen of ze die videocamera van haar vader cadeau gekregen had.

Els en Sherman waren al jaren niet meer on speaking terms, dus waren we ervan overtuigd dat onze ouders er nooit achter kwamen dat wij het ding onrechtmatig verkregen hadden.

Noch op de super 8-filmpjes noch op de videobanden staat iets van onze gewone dagelijkse beslommeringen. Was er wel eens een rustpauze, een moment van verveling, een moment zonder extase?

De dagen waarop er iets veranderde, die dagen zijn meestal niet vastgelegd. Sonja en Nouchka leken die dagen anders te registreren dan ik, terwijl die dagen voor hen hetzelfde belangwekkende effect hadden waar het onze verbintenis betrof.

De dag waarop wij op onze proefwerkblaadjes onze nieuwe namen schreven was er een van, maar er gingen veel belangrijkere dagen aan vooraf.

Gestoord waren we alledrie... Zo waren we niet geboren, zo werden we, door omstandigheden die voor elk van ons verschillend waren, maar sterke overeenkomsten vertoonden. Onze gekte was wat ons verbond.

Sonja, die sinds de eerste stap die ze buiten de deur van het huis van Rob en Judith zette geconfronteerd werd met provinciaaltjes die niet gewend waren aan spleetogen, was niet mijn beste vriendin geworden als Judith niet op wonderbaarlijke wijze op een dag toch zwanger werd, en Sonja met een broertje opzadelde.

Joyce was ook zwanger, en Els volgde kort daarop. Drie jongetjes die wij het leven zuur maakten voordat zij het nog veel meer voor ons zouden gaan verpesten.

Toeval komt ongelegen. Als toeval op een prettig moment komt is het meestal geen toeval maar opzet.

Wij veroordeelden onze moeders voor het ter wereld brengen van jongetjes die ons vanaf dat moment bij alles in de weg zouden lopen.

Onze ouders, behalve Rien, kwamen van buiten deze provincie. Rien is geboren en getogen in deze omgeving waar toeristen, arme boeren en nieuwbouwbewoners over dezelfde paden lopen, maar elkaars bestaan volkomen negeren.

Judith en Rob zijn Vlamingen. Hoe ze hier verzeild geraakt zijn is me een raadsel, maar duidelijk is dat Judith hier nooit heeft kunnen aarden, en dat Rob zo zijn eigen manier had om zich ergens thuis te voelen.

Alle liefde die Judith aan Rob niet kwijt kon stortte ze op haar bloedeigen baby. Sonja was tot haar vierde jaar niks te-kortgekomen, maar tijdens Judiths zwangerschap, toen de smetvrees al in lichte mate Judiths leven in de war stuurde, werd Sonja voor de tweede keer aan haar lot overgelaten. Rob was in opleiding in een ziekenhuis in A. om te leren hoe hij mensen kon verdoven als hun blindedarm verwijderd moest worden, en was er daardoor bijna nooit.

Mijn herinnering: Sonja is door de haastige Judith op het plein van de kleuterschool afgezet. Sonja, kleiner en tengerder dan haar leeftijdgenoten, struikelt per ongeluk over een kasteel in de zandbak, en een kaaskop scheldt haar uit voor 'indapinda poepchinees'. In haar poging op te staan trapt Sonja op een ander zandtorentje, en krijgt drie vloekende jongens over zich heen. Ik meng me ertussen, en sla een van de jongens op zijn gezicht.

Ik weet niet of Sonja en ik elkaar al kenden, of we al met elkaar speelden, of dat het daarna allemaal langzaamaan begon.

Het ligt niet in mijn bedoeling onszelf vrij te pleiten. Mensen struikelen over elkaars kastelen, of ze nu van zand of van lucht zijn. We lopen elkaar voor de voeten. Ongewild trappen we el-kaars heilige huisje in. Het medaillon waarin mijn vaders mys-terieuze gebeden met verpulverde bloemblaadjes waren ge-propt was voor anderen niet meer dan een raar aanhangsel van een kitscherige kattenhalsband.

Sonja schreef me in haar lange brief van enkele jaren geleden: 'Ik was een taaie exotische eetbare paddestoel zonder smaak, Nouchka was een rijpe glanzende rode tomaat om in te hap-pen, jij was het geklutste ei, de mixer jouw turbulente emotio-nele ingewikkelde geschiedenis met je vader, de koekenpan was

H., en onze afkeer van onze ouders was de hete boter waarin de lekkerste omelet ter wereld gebakken werd: onze niet te evenaren vriendschap.'

Toen we zestien waren, in Rome, 's avonds laat op de camping, te opgewonden om te slapen omdat we nog maar net liftend aangekomen waren maar te lui om meteen al de stad in te gaan, vertelden we elkaar onze allervroegste herinneringen die met ons drietjes hadden uit te staan.

Ik kwam met de zandbak op de proppen. Dat we daarna alle-drie straf kregen, en ik opgesloten werd in het koffiekamertje en door een gat in de ruit naar buiten ben geklommen. En dat we ons vervolgens verstopten in de bezemkast en de juf ons niet kon vinden.

Sonja koesterde het moment dat ik haar troostte toen ze ge-vallen was, en een jongen die haar uitschold voor huilebalk in elkaar heb geslagen. Dat ik in het koffiekamertje werd opgeslo-ten, zei ze, was niet op de kleuterschool, maar op de lagere school. En volgens haar had ik zelf de ruit ingeslagen, was er-doorheen gekropen, en haalde mijn arm daarbij open. Van die bezemkast herinnerde zij zich niks, maar Nouchka wel.

Nouchka dacht dat wij voor straf in de bezemkast waren op-gesloten, maar dat is uitgesloten. Er stonden allerlei schoon-maakmiddelen in, en als kleuters mochten we niet eens naar die kast wijzen. Hij zat op slot, en hoe we erbinnen zijn geko-men weet ik niet. Misschien had ik de sleutel in het koffiek-kamertje zien liggen. Volgens Sonja was er geen koffiekamertje op de kleuterschool. Nouchka herinnerde zich die vechtpartij ook nog wel, maar volgens haar vond die plaats in de blokken-hoek, en heb ik twéé jongens elk een bloedneus geslagen. De jongens gingen vrijuit en wij moesten alledrie in een hoek van de gang staan, voor straf.

Volgens Nouchka ging ik altijd op de vuist als Sonja voor spleetoog uitgescholden werd. Ik weet alleen van die ene keer in de zandbak, en van een andere keer, later, toen we een jaar of veertien waren. Volgens mij vocht ik nooit met mijn handen. Mijn woorden waren scherp genoeg.

Ze herinnert zich ook dat ik via verwarmingsbuizen naar boven klom en vanaf het plafond naar hen zwaaide.

Ik klom graag. Of er verwarmingsbuizen in de kleuterschool waren via welke ik naar boven klauterde kan ik niet achterhalen, want de kleuterschool is tien jaar geleden gesloopt en op die plek wonen nu twintig gezinnen.

Volgens Joyce hing ik altijd overal in de gordijnen. Ze ontdekten me ook eens boven in een kerk, in een van de sierpilaren. Dat ging vooraf aan de begrafenis van een tante, de jongste zus van mijn vader. Dat verhaal is zo vaak verteld dat ik het me denk te herinneren. Er ontbreken echter belangrijke details. Hoe voelde de pilaar tegen mijn lichaam? Hoe omklemde ik de pilaar? Wat had ik aan?

Mijn vader vond het prachtig dat ik overal in klom. Dat weet ik zeker. Ik riep: 'Papa Tarzan, me Jane.' En ik liet me naar beneden vallen als hij in mijn richting keek, ongeacht waar hij stond. Hij ving me altijd op. (Toen hij nog vader was.)

Bewijs (door Sherman gefilmd): Hij komt achter de grasmachine vandaan rennen als ik van ons schuurtje spring. (Het fragment heb ik ontelbare malen bekeken.) De grasmachine rijdt in zijn eentje over ons kleine gazon en hij vangt mij – net op tijd – op en rolt samen met mij achterover over de grond. Ik ben drie of zo. Joyce is woedend. Ze verbiedt me dat ooit nog eens te doen, dat zie je aan haar blik, haar wijsvinger, en haar bewegende mond, maar mijn vader lacht trots. Zijn ogen stralen. Alles staat op super 8.

In Zonnehof was ik langs de regenpijp het dak op geklommen. De kracht zat in mijn armen. Naarmate Rien slapper werd, werd ik sterker.

Nouchka's eerste herinnering aan ons drietjes is dat zij en Sonja mijn vader en mij achter de haag van het kerkhof gadeslaan, hoe hij mij hoog opwerpt in de lucht, steeds hoger. Sonja beaamde dat zij zich dat moment ook herinnerde. Ze hadden samen staan kijken, zeiden ze.

Opeens.

Opeens had ik genoeg van dat gepraat over vroeger, en stelde voor om erop uit te gaan, nu we toch niet konden slapen in die kleine tent terwijl we nota bene in Rome waren. Dat was de nacht dat we een fles chianti leegdronken en een brommertje stalen. Onze eerste gezamenlijke vakantie in het buitenland.

Thuis was voor ons niet het huis van onze ouders, maar zoals wij de kamers van het huis naar onze hand zetten als de ouders ons lieten.

Thuis was ook:
1. de camping het hele jaar door
2. het zwembad in de zomermaanden
3. de boerderij van Bart
4. de nieuwbouwprojecten
5. het recreatieterrein in aanbouw

Met al die caravans, bungalowtenten, trekkerstentjes, de campingwinkel, en het meertje waar wij rondscharrelden was de naburige camping als een speelgoeddorp. We verwisselden barbecues en wachtten achter struiken met de videocamera om te registreren wat er gebeurde. We sjouwden een televisie uit een bungalowtent en zetten deze in een tweepersoonstentje. We hingen vies ondergoed uit een trekkerstentje tussen de schone lakens van een caravan.

Ook maakten we een bult in een slaapzak om te zien of de vrijgezellendame zou schrikken als ze dacht dat iemand in haar tent te slapen lag.

Onze acties groeiden in baldadigheid. Waar we in ons eentje een rood hoofd van zouden krijgen, dat deden we gedrieën zonder blikken of blozen. Weekhartigheid paste niet bij ons.

Als een van ons drietjes aarzelde omdat we de grenzen van fatsoen overschreden, overbluften de andere twee haar in koor met de opmerking: 'No mercy.'
En dan waren we vanzelf weer eensgezind.

In onze ogen waren onze daden een logisch gevolg van de omstandigheden. Waarom hadden die mensen op hun vakantie meer spullen in hun bungalowtent staan dan Els in haar hele huis? Ze vroegen erom dat wij ons oog lieten vallen op hun tentinterieur en uit balorigheid het meubilair versleepten. Twee straalkachels, een televisie, drie tafels, en een haardroogkap. We spraken schande van de overdadige luxe en het gebrek aan sportiviteit om met zoveel troep op vakantie te gaan.

Er was sprake van een hittegolf. Alle campinggasten lagen aan de rand van het zwembad te zonnen. Nu we de zweetdruppels over onze rug voelden stromen terwijl we met kloppend hart de ritsen van de grote verlaten bungalowtent opentrokken waren kachels en haardrogers meer dan overbodig. Zonder enige zorg om de enkele toerist die voor zijn tent was blijven hangen, droegen we de spullen naar de grote boom die een centrale plek op het kampeerterrein innam omdat de ijsverkoper en de patatboer daar op vaste tijden ook altijd parkeerden.

De twee straalkachels en de haardroger waren op deze strategisch interessante plek als een conceptuele kunstinstallatie tentoongesteld. Aan een spijker in de boomstam hing een grote spiegel die door Nouchka uit een caravan was verwijderd (ze had via een open raampje ingebroken). Op een gevonden kartonnetje schreef ik met een viltstift uit de campingwinkel: De straatkapper.

Ongeduldig lagen we achter de bosjes te wachten op de reacties van de toeristen als ze naar de camping terugkeerden, en geconfronteerd met de voorwerpen die volgens onze visie op een camping niet thuishoorden, in lachen zouden uitbarsten.

Els deed niet aan meubels. Er was alleen een soort zitkuil met veel kussens, en een bar bij de keuken. Het bleef mij mijn hele jeugd door verbazen dat Els in dezelfde doorzonwoning als die van Joyce en Judith een totaal andere wereld wist te creëren. Tientallen tapijten en kussens. Het rook er zoals nergens. Marihuana, wierook en Indiase parfum. Ze was een eenzame hippie, omringd door relikwieën uit een tijd dat ze onmiskenbaar intens en uitbundig had geleefd. Hella zei dat ze een heks was, met al die luchtjes in haar woning. Maar Els was niet slecht, ze was uit een andere tijd.

Hella maakte van ons driemeidschap niet langer dan een maand een viermeidschap. Ze dook opeens op en verdween net zo plotseling.

Er zijn van die ogenschijnlijk onschuldige stoffen, die als je ze bij elkaar brengt een chemische reactie veroorzaken die tot een explosie leidt. Apart waren wij gewetensvol, braaf, oplettend, goedgezind, vriendelijk, behulpzaam, bereidwillig, precies zoals een moeder haar dochter graag ziet. Samen waren we heftiger dan water en ongebluste kalk.

Hella besprong Nouchka van achteren toen we na school nietsvermoedend wegslenterden en plannen smeedden voor de middag en de avond.

Reden: Els was met Hella's vader naar bed geweest terwijl Hella's moeder in het ziekenhuis lag om te bevallen van een baby.

Terwijl andere meisjes de manen van hun pony borstelden, een galopje uitprobeerden in de manege, of naar Pippi Langkous op televisie keken, hadden wij te kampen met problemen die onze ouders hadden veroorzaakt.

Met betrekking tot ons filmpje *Liefde in een steriele ruimte* voel ik geen greintje schuld. Het was een kunstfilm van drie, nee vier jonge pubers die hun onvrede ten opzichte van hun ouders afreageerden. Als een stomme film is hij misschien minder cru. De geluiden die we op de achtergrond maakten hebben de zaak behoorlijk verergerd.

Ik zie ons nog zitten. Nouchka deed het sensueel gehijg, daar was ze goed in. Sonja deed de baby, dat zachte kermen van een pasgeboren baby, niet van dat voor de hand liggende geschreeuw.

Ik denk wel eens aan andere momenten en vraag me af wat ons bezielde. Maar dat met Hella en de verjaardag van Els, dat moesten we gewoon doen. Daar was geen ontsnappen aan.

Heel lang heb ik gedacht dat ik aan Rien geen herinneringen had.

Het is zoals een lade die te vol is om hem nog open te trekken. Als je met geweld trekt, duwt en schudt vallen er aan de achterkant spullen in de la eronder, en raken andere laden klem. Achter het bureau op de grond vind je spullen waarop je niet had gerekend. Als je de volle la er met hulp van een ander – een stevige ruk – toch uit krijgt ligt er ineens een stapel troep voor je op de grond en valt de lade, die natuurlijk doorschiet, op je teen en spring je gillend van de pijn de kamer rond.

Ik wilde de la dichthouden. Dat snapt een hond. Maar van honden houd ik niet. Die zijn me te afhankelijk. Ik vind ze wel grappig als ze jong zijn, ongehoorzaam, en de boel overhoop halen, maar als ze later gedwee wachten totdat ze worden uitgelaten, en in de houding zitten op commando – pootjes krom – heb ik geen respect voor die beestensoort.

Katten zijn bijzonder. Ze hebben negen levens. Ze gaan en komen, ze klitten niet.

Sonja en ik waren als zusjes, denk ik. Ik weet niet wat het is om een zusje te hebben, maar ik stel me er zoiets bij voor. Dat je bijna elke dag van je leven samen hebt doorgebracht.

Voor Nouchka is het anders. Zij logeerde elke zomer een paar maanden bij haar oma op de Cariben. Ze leidde twee gescheiden levens. Het leven bij die lieve oma, de liefste van de wereld volgens Nouchka, die ze altijd de eerste weken dat ze thuis was miste, om wie ze huilde, en naar wie ze terug wilde, en het leven met ons tweetjes.

Toen ik nog dag in dag uit met Nouchka en Sonja het uiterste uit elke seconde haalde, dacht ik dat ik geen herinneringen had aan de jaren vóórdat zij de dagen met mij deelden. Toen ik onze vriendschap verbrak – door er als een dief in de nacht vandoor te gaan – herinnerde ik me stukje bij beetje fragmenten van de tijd ervóór.

Er is een leven vóór, een leven met, en ten slotte een leven zonder femates dat bij ons zonder-afscheid-afscheid begint.

GAMES4GIRLS.NL

Ik heb mijn eigen vader in elkaar gezet!

Eindelijk is het me gelukt om de structuur te laten kloppen. Mijn vader, met alle eigenschappen zoals hij die had, hetzelfde uiterlijk, dezelfde lach, echter niet gehinderd door genetische bepaaldheid, is volledig samen te stellen uit het palet dat ik beschikbaar stel. De naam moet je zelf bedenken. De mijne krijgt een andere, de naam Rien is te beladen.

Ik kan niet nalaten te denken wat Nouchka zou doen. Zou ze Sherman proberen te construeren? Het palet is uitgebreid genoeg om elke man ter wereld als vader de strijd in te gooien. Maar een vader als Sherman kies je niet uit vrije wil.

In Sonja kan ik me nog minder verplaatsen. Zelfs al is je kind ziek, geestelijk verminkt, slecht van karakter, het blijft je kind, dat verkoop je niet aan een ander. Toch zal ze misschien proberen om haar biologische vader na te bootsen met behulp

35

van mijn uitgebreid palet. Het uiterlijk is nog het minst moeilijke. We denken dat hij een zwarte Amerikaan was uit Arkansas of Dallas. Wat voor karakter heb je, als je je kind niet accepteert?

Wie ben je als je een kind maakt bij een kind en nooit meer iets van je laat horen?

Ze weet niets van haar biologische ouders, of bijna niets. Haar moeder was vijftien, was gezegd, en de ouders van dat kind hadden haar verstoten vanwege de donkere baby. Er was een papiertje met een naam en andere gegevens en een foto van haar moeder, maar Judith had dat weggegooid. Per ongeluk, beweerde ze. Toen ze de vieze kleertjes waste was het per abuis met het vuile goed in de wasmachine terechtgekomen, en daarna was er niets meer van over. Alles was verteerd.

Bewijs: Geen bewijs. Sonja, Nouchka en ik deden de foto-wasmachineproef. Judiths verjaardagsfoto in de broekzak van Sonja's spijkerbroek, in vier stukjes gevouwen, werd in de wasmachine meegedraaid op drie verschillende temperaturen: 40 graden Celsius, 60 graden Celsius, en 90 graden Celsius. Haar portret was niet mooi meer, maar nog steeds het bewaren waard als je van degene die op de foto staat zou houden. Na het vaststellen van de beperkte schade is Judith in acht stukjes gescheurd en weggegooid.

Haar krulhaar en haar donkere huid, de getrokken ogen in combinatie met die overdreven volle lippen schijnen te wijzen op geslachtsverkeer tussen iemand van het zwarte met het gele ras. Sonja was twaalf toen ze voor de klas werd gehaald als voorbeeld van een kruising tussen twee rassen.

'Wij zijn alledrie van gemengd ras,' zei Nouchka niet zonder trots.

Van Dale zegt (kort samengevat):
ras: (het; -sen) [1717 < Fr. race < It. razza] 1 groep van mensen of van een soort van dieren of planten die gekenmerkt wordt door bep. vaste erfelijke eigenschappen 2 groep van mensen of van een soort van dieren, die zich volgens andere dan strikt biologische criteria gezamenlijk onderscheiden van andere exemplaren van hun soort 3 elk van de soort waarin de levende wezens te verdelen zijn 4 (zonder lidw.) oorspronkelijkheid, voortreffelijkheid van optreden die iem. onderscheidt van de massa en als kenmerk van goede afstamming wordt gewaardeerd 5 dier behorend tot een zuivere teelgroep

Sonja was zoals niemand, hoorde nergens, vond zichzelf lelijk, maar geloofde ons als we zeiden dat ze prachtig was zolang als we het riepen. Zodra onze stemmen wegstierven, als ze weer alleen in bed lag, voelde ze zich nutteloos, lelijk en overbodig.

Een andere betekenis van ras, zegt Van Dale, is: volk van het laagste allooi.
(Maar ras kan ook zijn: vierschachtig gekeperde stof, meestal uit grove wol geweven. Of gewoon snel.)

TOEVLUCHT TOT INTERNET

Zomaar een beetje zwerven op het web. Doelloos, en toch niet. De gewoonte ontstond toen ik op zoek ging naar gegevens over *Pick disease* en aanverwante ziektes. Toen er niks nieuws meer te ontdekken viel, en nieuwe onderzoeksresultaten uitbleven, ben ik verdergegaan met clicken, gewoon woorden die op mijn weg kwamen, namen die me aanspraken, of juist niet.

De hoop iets te vinden wat me verrast of verblijdt. Iets van leven te ontdekken, iets wat me ontroert.

Het is net alsof je door een woonwijk in onze gemeente wandelt en bij de rijtjeshuizen naar binnen gluurt. Al die huiskamers met televisies aan, de schemerlampjes, en de gordijnen uitnodigend open. Vanbuiten zien de huizen er gezellig uit. Toch weet je dat je je dood zou vervelen als je zelf op een van die driezitssofa's zou zitten.

Wij slenterden vaak over straat en loerden overal naar binnen om het huiselijke leven te bestuderen. We wilden ervan leren hoe we naturel moesten acteren! Dat had ik bedacht. Ik zag altijd overal een acteeroefening in. Ik had geen keus, want alleen zo hield ik ze in mijn ban. Hun ambitie om filmster en beroemd te worden was de mijne niet.

(Vrees. Ik scheet mijn broek vol. Ik pieste mijn pyjama nat. Kippenvel van enkels tot oren. Paniek. Koortsig. Radeloos. Wanhopig dat onze vriendschap aan een dun draadje van gemeenschappelijke ambitie hing.

Een koordje dat zou breken als we niet zouden slagen om die droom waar te maken.)

Als ik op bezoek ga bij de Nederlandse sites is het alsof ik door Nederland slenter, en alsof de mensen expres een beetje in het licht gaan zitten zodat ik ze goed kan bekijken.

Ik zag ze nergens zitten. Mijn femates. De naam van Wijngaarde en de naam Neerman met allerlei variaties ingetypt. Met hulp van diverse zoekmachines ben ik in allerlei werelden beland, maar niet in die van mijn jeugdvriendinnen. Nous Qua leverde niets op, en evenmin Son-Ya.

Aan games4girls kunnen ze niet voorbij, maar Xohra is pas echt onontkoombaar. Ik weet niet of zij toen met mij voor hun plezier door de straten van H. slenterden, of dat ze het alleen maar deden omdat ze geloofden in wat ik zei.

Als ze me vinden. Als4x.nl. Dan was onze vriendschap meer dan alleen een functionele.

Ik heb een moeder samengesteld om je vingers bij af te likken. Ze is meer een perfecte vrouw dan dat ze op een moeder lijkt. Ze heeft niks van Joyce. De afzonderlijke delen kloppen, maar het totaal lijkt niet op mijn moeder. Onduidelijk waar het hem in zit. Ze heeft meer weg van een carrièredame, terwijl mijn moeder alles behalve dat is of is geweest. Tenzij haar ambitie om mij en Dimitri een ondanks alles vrolijk leventje te bezorgen als een carrière kan worden beschouwd.

Ik moet een belangrijk element van haar karakter hebben laten liggen. Of ik heb een karaktertrek ingebracht die ze misschien niet echt heeft, maar die ik denk dat ze heeft.

Zoals die Schele in Zonnehof die mijn portret telkens opnieuw tekende. Elke broeder of verpleegster, elke patiënt leek als twee druppels water op zijn potloodschets, maar zijn portretten van mij vertoonden met mij weinig gelijkenis. Hij was zelf evenmin tevreden en probeerde het telkens opnieuw. Het was niet aanwijsbaar waarom het gezicht dat mijn neus, mijn kaaklijn, mijn mond, mijn voorhoofd, en mijn ogen had gekregen toch totaal niet op mij leek. De een zei dit, de ander dat.

'Sommigen zijn niet te vangen,' zei de Schele, en toen gaf hij het op.

Er is nog een lange weg te gaan, maar het spel kan bijna beginnen.

De kat creëert een puinhoop. Dit spel kun je niet netjes doen. Aan welke lade je ook trekt, spullen glijden op de grond, laden vallen uit elkaar. Precies zoals vroeger bij ons thuis.

Joyce is veranderd. Ze woont samen met Fred, een Indische man, en is netjes geworden. Alles op zijn plek. Veel glazen kasten. Niks op tafel. Nergens stof. Nergens vuile bekers.

De belangrijkste kamer van het spel waar die kat alles overhoop haalt, is zoals de sfeer waarin ik ben grootgebracht. Joyce kwam altijd tijd tekort. Haar baan bij het reisbureau, Rien die ze elke dag in Zonnehof moest bezoeken, haar behoefte aan sociaal contact, haar hekel aan de huishouding maar vooral haar behoefte om ons onbezorgd te laten opgroeien en haar gebrek aan overzicht maakten van onze woning een vrolijke grabbelton.

Als je een deken optilde, een kast of een kist opende, altijd leek er weer iets achter te ontdekken. Boodschappentassen met pakken bedorven melk lagen onder een gevallen jas. Dubbeltjes lagen tussen knopen in asbakken. Schoenen in emmers. En soms vonden we een portemonnee terug tussen in elkaar geschoven boodschappentassen achter de garderobekast.

Er kwam nooit een eind aan de voorraad spullen. We vonden een keer in de zomer een onuitgepakt sinterklaascadeautje tussen de tijdschriften. Een boekenbon, verpakt in een leeg sigarenkistje met een gedicht voor Joyce. Het cadeautje moet er twee jaar lang hebben gelegen, en de bon kon niet meer worden ingeleverd.

Ik heb de kamer identiek aan de huiskamer van Joyce gemaakt. Het wandmeubel, haar salontafel met hetzelfde kleedje erover, de Indonesische houtsnijwerken die ze van haar moeder geërfd had, de papiertroep overal, alle damesbladen opgestapeld, overal schoenen, een hamer en spijkers tussen postpapier, her en der grammofoonplaten slingerend, de cactus in bloei door droogte.

Zoals de kat alles uit de laden trekt zo snuffelden wij met ons drietjes overal rond en gebruikten alles wat we vonden om ons spelplezier te vergroten.

Ik ben dagenlang bezig geweest met de animatie van de kat die over het dak van ons huizenblok sluipt, hoe het beest een hoge rug opzet tegen het vliegtuig dat laag overvliegt, hoe het zich langs de regenpijp laat glijden, en de gevaarlijke stap maakt naar mijn open slaapkamerraam. Ik was terug in H., weer kind, en weer één van drie onafscheidelijke vriendinnen.

Er zijn ter zake doende en niet ter zake doende herinneringen. Er zijn evenwel ook herinneringen die zijdelings van belang blijken te zijn.

De naaktloper op de camping. Die man die pontificaal naar ons toegedraaid ging zitten met zijn badjas open.
'Kijk die man met die winterpeen,' zei ik.
Er bestond bij mij geen twijfel dat het hier om een grote roze wortel ging.
Sonja en Nouchka trokken me mee. Maar ik was gefascineerd en wilde weten wat die man daar met die peen op zijn schoot deed.
Op sommige punten was ik naïef. Mijn naïviteit was onvoorspelbaar. Ik had geen flauw benul op welk gebied ik nog onwetend was, voelde opeens – te laat – dat men mij op iets betrapte zonder dat ikzelf doorhad waarop. Een onverdraaglijk moment, te voelen, te weten dat men denkt: ze snapt het niet, kijk haar nou, ze snapt het niet.
Ik verachtte mijn eigen onervarenheid en haatte het als ik door de mand leek te vallen doordat mijn maagdelijke onschuld, een deugd of ondeugd met welke ik niet behept wilde zijn, zich aan de wereld openbaarde.

Sonja en Nouchka wisten dat ze confrontaties met mij het beste uit de weg konden gaan. Er waren verscheidene onderwerpen taboe. Maar zouden ze mij daarop hebben gewezen, dan zou ik het oprecht hebben ontkend. Een andere vorm van kinderlijke onschuld die ook wel een blinde vlek wordt genoemd.
Moeilijk te geloven dat iemand die haar vriendinnen verleidt tot het drinken van meer dan tien cocktails op een dag, tot het snuiven van cocaïne en tot het stelen van autoradio's, en het bestelen van rijke dronken mannen, onschuldig is.
Het bewijs volgt. Ik zoek naar woorden, niet naar rechtvaardiging.

De brief van Sonja, alweer enkele jaren geleden, en de brief van Nouchka, vlak nadat ik er opeens als een haas vandoor ben gegaan, hebben me gewezen op mijn buitenissig vermogen om lastige emoties uit de weg te gaan. Ik heb hun brieven niet beantwoord. Die van Nouchka bewaarde ik jarenlang gesloten, en opende ik pas toen ik de brief van Sonja ontving.

Het afscheid dat geen echt afscheid was opende de weg naar mijn eerste volwassen liefde voor een man. Geen grote. Een voorbijganger. Maar de eerste die ik binnenliet in Xohra's hel en hemelrijk.

Sonja zag ik lopen met haar moeder in het winkelcentrum van H. toen ik met mijn broertje naar de opticien ging om zonnebrillen te kopen. Het was de eerste keer dat ik samen met Dimitri de deur uit ging. We hadden niks nodig. Alles was in huis, maar we wilden de straat op. Ik keek naar hem zoals ik naar een vreemde keek. Toen stelde ik voor: 'Zullen we naar de begraafplaats gaan?'
Zijn antwoord was zonder aarzelen: 'Ja.'
Een opgetogen antwoord.

We namen de bus naar H. Maar opeens stond het mij tegen om de graven te bezoeken. Niet om een speciale reden. Het was gewoon te warm om zwetend tussen de dood door te wandelen. Sinds Riens begrafenis was ik er nooit geweest. Het was die ene keer tenslotte ook geen feest geweest. En wat heb je daar te zoeken? Stenen heb ik genoeg verzameld, en grind vind je overal tegenwoordig.
Joyce gaat evenmin. Geen tijd nu, een volgende keer graag, zegt ze, als Dimitri vraagt of ze hem wil vergezellen. Hij gaat wel eens kijken, en neemt dan een schoonmaakmiddel mee, een spons, en een oude lap om het marmer op te wrijven.
Zonder uitleg wijzigde ik de koers. Dimitri kuchte zachtjes, maar volgde me gedwee. Terwijl we naast elkaar liepen, zwij-

gend, en ik hem stiekem van opzij bekeek, besloot ik dat we samen dezelfde zonnebrillen moesten kopen. Als twee leden van een Italiaanse maffia wilde ik met hem door het dorp paraderen.

Een extreme bril. Gucci. Hij betaalde. (Ik stond rood.) Van zijn studiegeld, want dat had hij net binnengekregen.

Hij droeg een wit overhemd, en ik had hem nog niet eerder in wit gezien in al die jaren. Hij leek op oom Vincent. Ik zag dat hij mooi was, misschien wel homo. Een raar moment.

Met de zonnebrillen op zijn we gaan liften. Zonder doel, niet doelloos. We hadden zin in ruig. Dat had ik al lang niet gedaan, zomaar zoeken naar waar het beest in mij zichzelf kan zijn. Ik wilde vrijheid proeven, even onverantwoordelijk spelen, had maandenlang alleen aan games4girls gewerkt. Niks gedronken, niks gerookt, niks gesnoven.

Sinds de drastische breuk met mijn vriendinnen zijn hij en ik wat een broer en zus moeten zijn. Maar het was nog niet gelijkwaardig. Hij wachtte af, alsof hij altijd weer een klap of rotopmerking verwachtte. Maar na die zonnebrillendag waren we volkomen eensgezind. Hij was niet meer bang. Ik wilde niet meer overtroeven.

Ze zag er stralend uit, Sonja. Was zorgzaam voor haar moeder. Zij zag mij niet. Ik trok Dimitri de andere kant op. Was nog niet klaar voor een weerzien. Dat was een maand voordat haar brief bij Joyce op de vloermat lag. De brief had er weken over gedaan om mij te bereiken, via de nieuwe bewoners van mijn jeugdadres, en vervolgens nog via de twee adressen erna waar Joyce ook had gewoond voordat ze introk bij Fred, in een stad niet ver van mijn jeugddorp vandaan, maar wel ver genoeg om niemand van vroeger te ontmoeten.

Wij zouden actrice worden. Wereldberoemde zangeressen. Of best betaald fotomodel. Sonja en Nouchka werden sinds hun kleutertijd gedreven door de behoefte ooit als grote sterren bij iedereen in ons dorp, diep ontzag in te boezemen. Wij zouden bekender, machtiger, rijker, beter worden dan onze voorbeelden op televisie en in weekbladen.

Zij geloofden in mij als degene die dat voor ons drietjes voor elkaar zou krijgen, en ik geloofde door hun blinde vertrouwen bijna rotsvast in mezelf.

We spraken in afkortingen opdat onze broertjes er niets van begrepen. Nouchka werd b.b.f. of w.b.z. Sonja werd w.b.d. of b.b.f., en ik werd n.o.d.12.

Tien jaar oud, toen mijn vader aan het einde van de herfst naar Zonnehof moest en we sinterklaas zonder zijn aanwezigheid vierden, besloot ik dat ik niet ouder dan twaalf wilde worden.

Als ze me vroegen wat n.o.d.12 betekende, zei ik spottend: 'Dat jullie dat niet weten!'

Ze waren gewend dat ik dingen zei om te shockeren. Ik wist tantes precies dat te zeggen waardoor ze hun van hopeloos medelijden doortrokken toontje onmiddellijk wijzigden in een kille stilte die een grote dosis irritatie verried.

Mijn woorden zorgden ervoor dat Joyce tijdens visites liever had dat ik met mijn vriendinnen buiten speelde, en dat ze het zelfs niet erg meer vond dat ik aanvankelijk nog maar drie keer per week, en op een dag helemaal niet meer bij mijn vader op ziekenbezoek ging.

Mijn woorden werden er alleen nog maar heldhaftiger en striemender door. Mijn taalgebruik was de zweep waarmee ik de ongetemde leeuwen en tijgers in de te kleine arena van mijn gekwetste aura van me afsloeg.

Dierentemmers worden dapper gevonden, maar ze zijn hazen in een hok.

Het eentonige leven van onze ouders werd dramatischer dan de Amerikaanse soaps die wij niet wilden missen. Wij speelden hen na. We verzamelden onze op het alledaagse leven gebaseerde favoriete zinsneden. Nouchka was het beste in 't imiteren van Els. Sonja had 't er moeilijker mee om haar ouders belachelijk te maken, maar als ze eenmaal de stap had gezet wist ze van geen ophouden.

Ik kan me niet herinneren dat ik Joyce wel eens heb nagebootst. Ik denk dat de anderen dat niet zouden hebben toegestaan. Ze waren dol op mijn moeder. Joyce was de ideale moeder van wie alles mocht, en die geen vlieg kwaad deed.

Dat ideaalbeeld, denk ik, heb ik niet willen doorprikken totdat Joyce zelf de ballon kapotstak. Maar zelfs toen was er niemand boos op haar. Alle woede richtte zich op Judith, degene die eigenlijk slachtoffer was.

Als ik terugkijk is het net of ik die eerste periode nadat ik bij ze ben weggerend in diepzee heb doorgebracht, met een oneindige zuurstoffles en geen geluiden. In plaats van vissen vreemde wezens om me heen die zich mens noemden.

Toen ik aan die neonletters van dat hotel hing om het halskettinkje van mijn gestorven kat te pakken, en door een foute inschatting van de draagkracht van de constructie alleen nog aan de letter A bungelde, die mijn gewicht niet leek te houden, ben ik eigenlijk al gestorven zonder dat ik viel.

Welke idioot geeft zijn hotel de naam *Fata morgana*?

Er is altijd storm met zware bliksem, noodweer, als ik van die avond droom, maar of het werkelijk onweerde weet ik niet. Misschien was ik nat van de douche die aanstond in de badkamer voordat ik het raam uit sprong. Ik weet niet of het regende. Ik word altijd zwetend wakker. Straaltjes transpiratie lopen over mijn rug en langs mijn benen.

Vanaf het balkon steekt Nouchka haar armen tussen de spijlen om mij op te trekken, maar ik negeer haar hulp.

Ik was te bang om bang te kunnen zijn.

Met hem was er geen reden om te twijfelen. Springen was veilig omdat hij beneden stond. Een gebouw van zevenhoog, of een van tienhoog, misschien maar vierhoog, en als ik op een geparkeerde wagen terechtgekomen was had ik het wellicht overleefd.

Hij kon toveren. Hij had toverspullen in flessen die hij leeggoot in plastic bakken, en daarin mocht ik roeren. Het witte slappe toverkarton dat hij in oranje enveloppen en dozen bewaarde – papier dat bang was voor licht – duwde ik met de wasknijpers onder water. Zij vond het te gevaarlijk voor kleine peuters, zei ze, dat spul was giftig, slecht om in te ademen, gevaarlijk als je morste. Maar van hem mocht ik erbij zijn. Ik was zijn assistent. Zohra de tovenaarsleerling.

'Zohra kan dat,' zei hij beslist, 'zij is niet zoals gewone kinderen.'

Met een bezwerende stem deden wij onze spreuken. Zijn stem was laag, en ik probeerde ook zo'n zware donkere stem. Die paste beter bij het donker van de zolder. Zijn zolder, toen nog. Later werd de zolder terrein voor iedereen. Mijn broertje mocht er met die andere domme broertjes tekeergaan, zonder respect voor de toverkracht die Rien op zolder in die flessen vergeten was. Domme treintjes die in de rondte reden. Een knopje indrukken, verder niks, en dat heette spelen. Spel voor debielen, zeiden wij.

'Hocus-pocusfotos pas... fotoospas ik wou dat het wit wat zwarter was. Hocus-pocus... ja, daar komt het... Het wordt mama. Ik zie mama!'

Hij moedigde mij aan: 'We moeten doorgaan, we zijn er nog niet. Kom, Zohra, zeg de spreuk: "Hocus-pocus pilatus pas, ik wou dat mama met Zohra was..."'

Mijn babygezicht. In dromen zie ik altijd mijn babygezicht in het wit steeds grijzer en dan donker worden. De wenkbrauwen, de neusgaten, en het haar het eerst. Onze gezichten onder bewegend giftig water.

Nouchka en Sonja slopen de trap op, klopten eerst zacht en beleefd, maar steeds luider, en bonkten uiteindelijk op de houten vloer. Er was geen deur. Hij had ons van het licht afgezonderd met zware zwarte gordijnen van rubber of ander ondoordringbaar buigzaam materiaal.

Ik negeerde het gebonk. Dan riepen ze mijn naam.

'Zohra, kom je, Zohra kom je buiten spelen?'

Mijn antwoord was: 'Ik heb geen tijd.'

Toen was de vriendschap nog geen overlevingsstrategie.

Ik was pas vijf, of vier, en had mijn vader.

We hadden het al wekenlang over de beloofde excursie naar het Sprookjespark de Efteling. Eerst zouden alle ouders meegaan. De vriend van Els haakte als eerste af, en de vader van Sonja moest opeens dienstdoen in het ziekenhuis. Precies weet ik het niet, want ik was vijf, maar zo denk ik dat het ging.

Mijn vader was de enige man van ons gezelschap. Trots dat hij het niet af liet weten, hing ik om zijn nek terwijl hij zat te dommelen. Joyce reed. Mijn vader viel in een diepe slaap. We waren met twee auto's.

Ik schudde hem wakker, duwde zijn luie lichaam uit de wagen. Klom zoals vaak op zijn rug, zat op zijn schouders toen we in de rij bij de ingang stonden. Mijn vriendinnen trokken aan mij. Tikkertje. Maar ik zat hoog op zijn rug, voelde me heldin, zoals mijn naam gebood.

De broertjes waren lastig. Ze waren altijd lastig, ook als ze stil waren, want dan kregen ze de borst of de fles, moesten een schone luier, of werden gedragen.

Opeens zet hij mij neer. Hij laat mij langs zijn rechterarm glijden. Door te zakken, ver door zijn knieën, raken mijn voeten de grond. Met zijn diepe zware stem kriebelt hij in mijn oor: 'Papa moet even sigaretten kopen.'

'Mag ik mee?'

'Nee, pas jij op onze plek in de rij,' zegt hij. Weg. Weg is hij.

Mijn vader is weg, en is nooit meer echt mijn vader. Maar dat weet ik dan nog niet.

Joyce en Judith zien mij staan, alleen in de rij tussen vreemde families die dringen, en sluiten zich bij mij aan. Els roept de meisjes.
'We zijn bijna aan de beurt,' zegt Els, 'bij elkaar blijven.'

We staan bij het loket. Hij is nog niet terug. We stappen niet uit de rij. We kopen zijn kaartje, maar gaan nog niet naar binnen, wachten buiten. De grote wijzer van de klok is bijna rond geweest.
Ik klim omhoog langs de regenpijp. Voor overzicht. Een boze vrouw trekt mij aan mijn benen hardhandig naar beneden. Klimmen is verboden.
'Ze zoekt haar vader,' legt Joyce uit.
Maar de dame is alweer omgedraaid. Joyce zei het als troost. Zo is ze. Ze houdt niet van verdriet.

'Waar blijft papa nou?' vraag ik.
Joyce pakt mijn hand. Ik maak mijn hand weer uit de hare los.
Nouchka zeurt: 'Wanneer gaan we nou naar binnen?'
Mijn antwoord is een reprimande: 'We wachten op mijn vader.'
Joyce zegt, weer met een lieve stem, haar altijd lieve stem: 'Papa komt straks wel. We gaan naar binnen.'
Judith slaat de arm om mijn moeder heen.
Joyce fluistert: 'Dat is al de derde keer.'

'Ik ga papa zoeken,' roep ik, schreeuw ik, mijn stem hees, mijn keel dicht, geen geluid, mijn voeten lood. 'Het is maar een droom,' zegt mijn moeder, 'slaap maar verder, je hebt alleen maar gedroomd, draai je kussen om.'

Een reconstructie.
Zoals ik keer op keer dacht dat het was.
Over dit alles nagedacht.
Hoe alles is gebeurd.
Zoals ik construeer.
Reconstrueer.
Of ik herinner.
Wat is gebeurd.
Zoals het is gebeurd.

'Ik ga papa zoeken,' zeg ik. Ruk me los.
Nee nog niet. Ik sta er nog, en wacht.
De stem van Joyce verraadt ongerustheid: 'Nee, jij blijft bij ons. Ik wil jou niet ook nog kwijtraken.'
'Hij kan toch zelf een kaartje kopen,' zegt Els.
'Waar blijft hij?' zucht Joyce, niet boos, nooit boos. Bijna nooit. Wel vaak ongeduldig. 'We gaan naar binnen,' zegt ze, 'papa komt zo.'
Ik weiger, maar ze trekt aan mijn arm. 'Kom mee.'
Een laatste blik achterom. De menigte mensen. Te veel mensen. En dan ontwaar ik zijn bruin suède jasje, zijn spijkerbroek, het fototoestel dat nonchalant aan het hengsel over zijn schouder hangt.

Ik ruk me los.

Ik ren, ren, ren, bespring hem vanachter, hang aan zijn jasje, zijn onwillige lichaam, dat anders voelt, anders ruikt.
Hij staat niet onmiddellijk stil zoals anders als ik vanachter op zijn rug spring om als een aap langs zijn benen en rug op zijn nek te klauteren. Zijn handen grijpen niet achterom als steun, hij zakt niet licht door zijn knieën zodat ik, terwijl hij zogenaamd langzaam doorloopt, hogerop kan, tot boven op zijn schouders.
Hij draait zich abrupt om. Hardhandig. Waardoor ik bijna

val. In zijn beweging zit verbazing en ergernis, misschien wel haat. Ik ben pas vijf maar voel de woede die dit lichaam beweegt.

Nouchka en Sonja hebben mij nog niet ingehaald, maar zijn getuige. Een vreemde. Het jasje is niet eens hetzelfde. De spijkerbroek te nieuw.

Ik ren hard weg voor de ogen van de vreemde en voor die van mijn vriendinnen, mijn hartsvriendinnen, want hier begint ons driemeidschap.

Zij weten net als ik dat dit nooit is gebeurd.

Zolang we elkaar maar luid joelend achternarenden, spookje speelden, hysterisch griezelend elkaar of anderen aan het schrikken maakten, in elke hond een gemene wolf, en achter elke snauwerige dame een boze fee zochten, het amusementspark op stelten zetten, en alles wat verboden was probeerden, zolang dacht ik niet aan wat ik niet meer wilde weten.

Als ik stilstond ging mijn blik, als vanzelf dwalen over de menigte. Op zoek.

Nooit meer stilstaan als mijn ogen prikken, nooit meer stilstaan als mijn keel stokt.

Blijven rennen totdat je buiten adem bent, Zohra van Dam.

Het is de extase die doet vergeten. Het is de kick die heelt.

Herinneringen hebben geen cijfers, geen wijzers, geen centimeters, en ontspringen de dictatuur van zonsopkomst en zonsondergang. Dagen duren korter dan uren als ze zonder betekenis zijn. Uren worden jaren als je wacht.

Opeens stond hij voor het keukenraam. Dimitri, in zijn kinderstoel aan de ontbijttafel, dronk met mijn hulp zijn fles leeg. Joyce was aan de telefoon met Judith of met Els, over hem, dat was zo als ze fluisterde. Dat ze nog steeds niets had gehoord. Er waren geen ongelukken gebeurd waar Rien van Dam bij betrokken was geweest.

'...De politie weet van niks... Ik neem Dimitri mee naar mijn werk, da's geen probleem... Nee hoor, hoeft niet, lief van je...'

Hard getrommel op glas.

'O wacht even... Daar is ie... ik bel je terug.' (Ze legt de telefoon neer.)

Het vrolijke onschuldige gezicht van Rien, met verwarde haren en ongeschoren, verschijnt voor het keukenraam. Hij drukt zijn gezicht tegen het glas. Zijn neus wordt plat en roder, zijn mond dik en groot. Hij lijkt een vis.

'Papa,' roep ik.

Het woord blijdschap wordt te pas en te onpas gebruikt. Eigenlijk zouden mensen die nooit diepe ongerustheid ervaren hebben het woord 'blij' niet mogen gebruiken; het woord kent zijn betekenis dankzij de tegengestelde gemoedstoestand die je alle levenslust ontneemt. Zonder hartzeer geen opgetogen hart. Geen opgetogen hart als er geen hartzeer aan vooraf is gegaan.

Joyce haalt de keukendeur van het slot. Ik sleep de baby mee. Met moeite. Joyce pakt Dimitri van mij over. Rien tilt mij op en zwaait mij in het rond. Hij ruikt naar buiten. En hij ruikt naar de plaksel op de kleuterschool. De geur van lijm komt uit zijn mond.

Uit de zakken van zijn suède jasje trekt hij cadeautjes. Ik zie geen fototoestel. Zijn spijkerbroek is vol modder.

Joyce zegt vriendelijk en zacht maar met strenge ogen: 'Waar heb jij al die tijd uitgehangen?'

Rien zet mij op de stoel, en stopt een cadeautje in mijn handen.

'Kijk eens wat ik voor jullie heb meegebracht!'

Joyce vraagt: 'Hoe kon je me zomaar laten zitten?'

Rien pakt Joyce bij haar blote armen en kijkt haar diep in haar ogen.

'Joyce, wat kijk je boos! Ik was met vrienden.'

Zij zwijgt. Ik vraag: 'Wat voor vrienden?'

Joyce geeft Dimitri de fles die al leeg is.

Rien loopt naar de radio en zoekt een zender, zoekt en zoekt en vindt muziek. Draait het volume open.

Hij lacht: 'Uit Brazilië. Ik heb de samba gedanst.'

Rien neuriet mee met de drukke muziek, een vreemde taal, en pakt Joyce om te dansen, maar deze wurmt zich los uit zijn greep, pakt de baby die scheef in het zitje hangt, en verschoont hem op de keukentafel tussen de open jam, pindakaas en plakjes kaas. De poepluier ligt open naast de botervloot.

Hij tilt mij op, mijn vader, en danst met mij de keuken rond, wild, en zwaait mij door de lucht. We draaien in de rondte. Gekke onverwachtse bewegingen. Van hoog naar laag. Met mij nog in zijn armen springt hij op de stoel, over naar het aanrecht, en terug op de grond. Hij zingt erbij. We bewegen wild. Vlak langs mijn moeder.

Mijn vader is terug. Hij was de weg vast kwijtgeraakt, maar is weer terug. Stom van Joyce dat ze zo kattig doet, ze moet blij zijn net als ik, en met hem dansen. Ik strek mijn armen naar haar uit. Dans met ons mama, dans met ons, met Dimitri erbij. Wij met ons vieren.

Met de verschoonde baby op de arm, draait ze van ons weg, ruimt de tafel af, en kijkt vanuit haar ooghoeken bedroefd naar Rien, die opgaat in de samba, en niet merkt dat zij niet blij is zoals wij.

Opnieuw wordt er op het raam geklopt. Nouchka en Sonja trekken de keukendeur wijd open, en staan in de deuropening. Els achter hen.

Joyce zet de muziek zacht. 'Zohra, je moet naar school.'

Ik weet zeker dat ik het vroeg: 'Mag ik vandaag voor één keertje thuisblijven omdat papa weer terug is?'

Daarna is het dansen niet leuk meer. Els is weg met mijn vriendinnen. Joyce vertrekt haastig en neemt Dimitri mee. Ze kijkt mij aan en zegt: 'Ik kan je nog wel wegbrengen, als je wilt.'

Ik schud nee. Ik blijf bij hem.

Ze zoent hem niet, ze groet hem niet, ze gaat zomaar weg. Hij doet zijn modderschoenen uit, en zakt weg in de stoel. De radio zingt nog.

Waar ik het niet meer weet is angst. (Hij hinkte een beetje, ook toen hij danste.) Hij staart naar zijn handen. Ik kruip op schoot.

'Papa is even moe,' zegt hij. 'Haal mijn pantoffels even.'

Rien slaapt in de stoel bij het raam.

Ik bel Joyce op haar reisbureau, lees het nummer van het blocnotepapiertje op de ijskast dat onder het magneetje is geschoven.

'Papa slaapt, mag ik naar school?'

Joyce zegt: 'Dat kan nu niet meer. Je wilde thuisblijven.'

De radio zacht, hard, en dan uit. Hij beweegt niet. Is onderuitgezakt. Zijn pantoffels staan nog precies zoals ik ze voor hem had neergezet, naast de stoel, zijn voeten in vieze sokken rusten op de bank.

Ik trek aan zijn arm. 'Papa, kom, we gaan Tarzan spelen.'

'Zohra,' zegt Rien. Hij heeft een brede grijns op zijn gezicht. De warme blik in zijn ogen geeft mij hoop, maar de oogleden vallen weer neer. Hij gromt en rochelt als een boze hond, en valt opnieuw in slaap. Ik ben gaan toveren op zijn zolder, heb de flesjes leeggegoten in de bakken en zoveel mogelijk papier in het giftig vocht gedompeld. Ik heb alle toverspreuken die ik kon bedenken gemompeld, opgezegd, en luid geschreeuwd, maar zijn gezicht noch mijn gezicht, noch enig gezicht kwam tevoorschijn.

'Mama, we gaan een film maken.'

Trots toonden we Shermans super 8-camera. Ik weet niet of Sherman wegging voor of na het bezoek aan het park met Doornroosje, het vliegend tapijt en de stenen dwergen. Er zit geen volgorde in mijn herinneringen. Mijn leeftijd meet ik af aan de hoogte van de tafel ten opzichte van mijn of Dimitri's kin in het beeld dat ik tegen wil en dank koester.

Joyce deelde altijd ijsjes uit. Het vriesvak zat vol ijsjes van diverse soort.

'We worden later beroemd,' zei Nouchka.

Joyce aaide haar krullenbol. 'Ja, jullie worden beroemd.'

Sonja wilde eigenlijk later dokter worden, net als haar vader, maar liet haar wens snel varen toen ik herhaalde wat ik Rien had horen zeggen op een nacht tegen Joyce in hun slaapkamer toen ik hen vanaf de overloop afluisterde.

'Ik wil dat je gaat,' zei Joyce.

'Geen denken aan.'

'Geef me één geldige reden waarom je niet zou gaan.'

Mijn vaders antwoord was afdoende, dus moest het ook afdoende voor mijn vriendinnen zijn.

'Dokters brengen doodsberichten,' zei ik tegen Sonja, zonder te weten wat hij ermee had bedoeld.

We filmden elkaar als dokter, verpleegster en patiënte. We wisselden de rollen af, maar ik weigerde steevast om patiënt te zijn.

'Later word ik actrice,' zei Sonja, toen Rob ons filmpje had ontwikkeld en Joyce het resultaat op de ijskast had geprojecteerd.

'Nog een keer,' juichte Nouchka.

Ons eerste filmpje speelde Joyce eindeloos veel keren voor ons af. Mijn vader was hem weer gevlogen. We gingen niet weg, voor het geval hij zonder sleutel opeens voor de deur zou staan. We mochten alles. Niks was verboden. We speelden toen ook voor het eerst Tropisch Onbewoond Eilandje met de verwarming hoog, en badlakens op de grond.

Rien loopt mank, en ietwat gebogen, met oud schroot in zijn armen, het pad van de voortuin op.

Ik ben al gewend dat hij er soms opeens niet is, en dagen later binnenkomt alsof hij niet is weggeweest.

'Ga je een hut voor ons bouwen, Rien?'

Hij bromt: 'Nee, niet aankomen. Dit is goud waard.'

Achter hem sjokt een drietal zwervers. Een vrouw met vies ongekamd haar, en vele lagen versleten kleding. Twee mannen met ongewassen kleding aan. Joyce rent naar buiten.

'Waar kom je vandaan, Rien? Waar zat je?' Ze verbergt haar ongerustheid niet.

'We hebben voornaam bezoek, Joyce. Ze komen bij ons wonen.'

Joyce kijkt naar Els die ook naar buiten is gelopen.

'Waar moet ik ze laten slapen, Rien?' De stem van Joyce klinkt als altijd lief, maar niet meer geduldig.

'Ze kunnen in ons bed. Wij gaan wel in de huiskamer,' zegt Rien.

Els gaat voor de vreemde mensen staan zodat ze niet achter Rien het huis in kunnen glippen.

'Zal ik de...?'

Joyce fluistert iets in haar oor, en Els maakt ruimte voor de vreemden.

'Nee Els, laat maar, ik ben al blij dat hij veilig thuis is,' zegt ze dan hard, zodat ik en de anderen haar goed kunnen horen.

Die nacht hoor ik gestommel op zolder. In de slaapkamer van mijn ouders is het rustig, Joyce ligt er alleen.

Ik sluip. De zoldertrap kraakt. Het zware zwarte gordijn van onze donkere kamer is voor een deel kapotgescheurd en weggehangen aan een spijker.

In het hok, half onder de tafel waarop wij altijd toveren, slapen de vreemden met hun kleren aan. Rien zit in een rare houding geleund tegen de ontwikkelbakken die slordig tegen de wand zijn neergezet. En hij slaapt ook. Ze snurken allevier. De dame die haar gymschoenen niet heeft uitgedaan piept als ze ademhaalt.

Ik trek aan zijn mouw. 'Papa.'

Hij wordt wakker. 'Zohra,' zegt hij.

Zijn stem klinkt blij, zijn gezicht zie ik niet goed in het donker.

'Blijven die mensen hier wonen?'

'Ja, lieverd, gezellig toch,' zegt Rien en hij valt meteen weer in slaap. Zijn lichaam zakt weg.

Opnieuw trek ik hem aan zijn mouw.

'Papa..., papa...' En dan zonder zorg de anderen ook te wekken: 'Paaaapaa!'

Ik schreeuw, denk ik, het moet luid en fel zijn geweest.

Hij wordt weer wakker. Omhelst me. Ik voel zijn klamme huid.

'Zohra, papa is moe,' zegt hij. Ik zie alleen zijn oogwit in het donker. Mijn stem klinkt vol verwijt: 'Als die mensen hier gaan wonen kunnen we niet meer toveren.'

Rien vraagt wazig: 'Toveren?'

De draad tussen de herinneringen is afwezig. Waarom een kralenketting rijgen van doffe gebarsten parels?

Wat ik heb overgeslagen is wat er voorafging aan het nachtelijk gesprek tussen mijn ouders in hun slaapkamer. Ik gluurde door de smalle kier van de zo goed als gesloten slaapkamerdeur. Ik had al geslapen, en was wakker geworden van een verontrustend geluid uit de kamer van mijn ouders. Mijn vader huilde als een kind in mijn moeders blote armen. 'Ik ben bang,' kreunde hij, 'wat moet ik doen?'

De rest heb ik al beschreven.

Zijn laatste zin over dokters en doodsberichten had een andere toon. Die was als van een Tarzan-vader. Ik moest me verstoppen in de handdoekenkast want anders had hij mij op de overloop betrapt. Met grote luidruchtige krachtige stappen verdween hij uit huis, en bij de voordeur liep hij alweer te zingen, een liedje in een vreemde taal.

Het schoolreisje was eerder, denk ik. Eerder dan het Sprookjespark. Of misschien toch later. Doet het er iets toe? Ik ontwar de kluwen, de klontering van herinneringen die zich hebben samengebald in vrees.

Elk kind zit bij zijn moeder of vader achterop. Rien heeft een nieuwe fiets. Zeven versnellingen. Hij rijdt sneller dan de anderen. Nouchka zwaait. Els fietst traag. Sonja zit achterop bij Rob en let niet op. Ik zit rechtop, fier, wij rijden iedereen voorbij. Het open veld in. Koeien in de wei. Veel wind door mijn haren. Stemmen ver weg.

Mijn vader is de sterkste, zingt het in mijn hoofd.

Er is alleen maar trots. Er is geen wolkje aan de strakke hemel. We hebben veel vaart. De stemmen helemaal weg. Het is te stil. Als ik achteromkijk zie ik niemand. Winnen is alleen maar leuk als je de verliezers nog kunt zien.

Waarom fietst hij zo hard?

Ik kijk naar de lucht. Rien neuriet een liedje dat ik niet ken. Er groeien wolken als schaapjes in het blauw.

'Gaan we wel naar de dierentuin?' wil ik vragen. Maar mijn mond heeft nog niet gepraat als de fiets raar gaat slingeren. We raken van de weg af. Vallen op de grond. Ik rol uit het mandje. Mijn hoofd op het asfalt.

Het landschap is vlak en ruw en eenzaam. Nergens een fietser te bekennen. Riens nieuwe fiets ligt in de greppel met een draaiend achterwiel. Het mandje los op zijn kop op de weg. Rien roerloos in de berm, starend naar de wolken. Opeens krimpt hij in elkaar, en beweegt met rare schokjes.

Mijn lip bloedt. Een scherpe pijnscheut in mijn hoofd. Mijn rechterknie en mijn rechterarm zijn geschaafd. Kleine vlekjes bloed groeien. Om mij heen een te veel aan horizon.

Ik had veel plezier in het tekenen van de mannentorso's, mannenhoofden, verschillende neuzen en oren. Een nachtkastje zit stampvol schedels, van kalend tot en met krulhaar of lang haar en diverse korte herenkapsels. Klikken, en de lade valt open, met een diepe bonk, gevolgd door een hoge echo. Het deurtje open en de talrijke schedels rollen over de grond.

Een grote kist herbergt de torso's met brede en afhangende schouders, armen met of zonder biceps, schriele of gespierde torso's met of zonder borsthaar... De hoge wandkast staat vol met voetbalbenen, magere benen, dikke benen...

Er zijn zeven soorten mannen, en ik ben zeven keer op een van de zeven soorten verliefd geweest. De eerste man was lang en tenger. Ik schoot tijdens het vrijen telkens in de lach om zijn dunne kuiten. Hij zal zijn eigen benen onmiddellijk herkennen als hij het spel ooit speelt. Toch denk ik niet aan de mannen in mijn leven, als ik me voorstel wie er zich straks online mee zal vermaken.

Altijd zie ik de meisjes voor me, Sonja verbeten, met haar tanden bijna door haar lip, Nouchka met openhangende mond, en soms haar tong eruit, als ze er volledig in opgaat.

Het tekenen van herenkleding vond ik aanvankelijk niet leuk. Om kleding voor mannen heb ik nooit gegeven. Maar als ik me probeer voor te stellen hoe de hangbuikjes en kromme ruggetjes de trui die ik teken vorm zullen geven wordt het alsnog een wereld waarin ik geheel verdwijnen kan.

Een 'apothekerskast' herbergt karakters, hobby's en talenten.

Die heb ik vormgegeven als bezielende geesten die uit flessen komen, flessen zoals waar het ontwikkelaar van mijn vader in bewaard werd, en geesten zoals Alladin uit de fles, soms heel macaber, soms nichterig, of vraatzuchtig, afhankelijk van de aard van de eigenschap.

Een dergelijke ladenkast stond er niet bij ons thuis, die apothekerskast wijkt sterk af van het interieur van Joyce, maar ik moest de karakters, hobby's en talenten ergens kwijt. De kast is zoals ik me hem herinner bij de dierenarts waar ik met Nouchka en Sonja had ingebroken. Maar daarover nu nog niet. Ik loop te ver vooruit.

Bij het ontwerpen van het systeem waar ik het spel aan ophang heeft Dimitri me geholpen. Hij is daar beter in dan ik. Techniek is aan hem goed besteed. Nooit gedacht dat we nog eens iets intensief samen zouden doen. Als we samen achter de computer zitten is het net of ik met mijn vader aan het toveren ben zoals vroeger toen ik kleuter was.

'Was ik maar door jou geadopteerd!' zei Sonja. Dat zei ze vaak tegen Joyce. Jaren later bekende ze mij dat ze altijd gedacht had dat God zich had vergist en dat ik eigenlijk het kind van Judith was – door een duivels toeval in de verkeerde baarmoeder terechtgekomen – en zij bij Joyce bezorgd had moeten worden. Ze had veel wijn op toen ze het vertelde. En ik veel whisky on the rocks.

'Je slaapt hier toch al elk weekend. Da's toch mooi?' troostte Joyce.

'Morgen slaapt Nouchka hier,' zei ik, want ik droeg er zorg voor dat ik de ene vriendin niet voortrok boven de ander.

'Dat weet ik nog niet. Iedere avond logees... dat is te druk voor papa,' zei Joyce aarzelend.

Ik was niet gewend dat ze ergens nee op zei. Haar natte afdruk van haar welterustenzoen veegde ik demonstratief met het laken af.

Joyce zoende me opnieuw, kietelde me onder mijn oksels. Ik wist dat ik – met mijn adem in – de kriebel kon weerstaan. Dat deed ze altijd, kietelen of grapjes maken als ze geen argumenten had om haar regels te staven.

'Waarom mochten die vreemde mensen dan wel hier blijven slapen? Ik adopteer gewoon een andere vader,' zei ik bits.

Dit geschut in de achterlinie van mijn hersenpan kwam vooral in werking om de lachstuip te onderdrukken, die niet meer dan een fysieke reactie op Joyces kietelende handen was.

Joyce trok abrupt haar handen terug.

'Dat is niet erg lief van je, Zohra, wat je daar zegt.'

'Papa is niet leuk meer. Hij doet stom,' trachtte ik mijn misschien wat onverhoedse aanval te verdedigen. Het was mijn oprechte mening gebaseerd op observaties van jaren, en misschien was het niet de eerste keer dat ik het tegen mijn moeder zei.

Joyces stem trilde toen ze zei: 'Papa is ziek, Zohra.'

Ook als hij het was, wilde ik deze mededeling niet horen. Ik wilde haar bevende mond niet zien. Ze moest weg, ze moest weg uit de kamer. Ik stelde geen prijs op haar zwakte.

(Evenmin wenste ikzelf medelijden, ooit, van wie dan ook, zelfs niet van mijn vriendinnen.)

Hij was niet ziek. Het was niet waar. Het was niet eerlijk. Woede.

Verontwaardiging vulde als ongekauwde boterhammen met pindakaas mijn keel. Ik wilde eigenlijk luidkeels schreeuwen, de muren breken met mijn stem, maar mijn woorden sneden de centimeters tussen mij en mijn moeder kort en vinnig in twee: 'Waarom ligt hij dan niet in bed?'

Ik was pas zes, of zeven. Echt niet ouder.

In stiekeme delen van mijn hersenen zaten zinnen van voorvaderen die elke kans om hun verbeten stem te laten horen aangrepen. Die verbositeit is meer dan erfelijkheid, meer dan cultuur, het is voortgeplante frustratie over voorbestemde levens die veel te kort zijn geweest. Kortom: machteloosheid en verantwoording van een kind over haar lot en dat van haar voorouders.

Mijn hand draaide gewoontegetrouw de thermostaat van de verwarming naar de uiterste stand. Ik was in het dressoir geklommen om erbij te kunnen. Verkleed als showgirls, een strip-

tease dansend op Judiths salontafel, waarbij we onze kledingstukken door de kamer slingerden, zongen we luidkeels mee
met de muziek.

Judith kwam de huiskamer binnen, draaide het volume laag,
raakte door de hitte bevangen, trok haar jasje en vest uit, zette
de muziek zachter, en duwde Sonja als eerste, toen Nouchka,
en tot slot mij van de salontafel.

In haar poging mij met al haar kracht op de grond te krijgen, hing haar bezwete oksel precies boven mijn neus.

Ik vroeg: 'Gebruik jij deodorant?'

Judith liet mij onmiddellijk los, en rook onder haar oksel. Ik
stond nog op tafel.

Zo had ik het echter niet bedoeld, wilde ik haar uitleggen.
Haar natte oksel had me alleen maar op een idee gebracht.
Mijn tong en lippen leken met cement dichtgesmeerd. Sommige zinnen komen vanzelf uit je mond, en andere weet je niet te
vinden. De nabijheid van haar oksel deed mij denken aan de
deodorantroller van Nouchka die ze van haar oma in de Cariben gekregen had, om deze te gebruiken als microfoon. Dat
was alles. Maar Judith dacht door mijn spontane inval dat de
lucht van een viskraam om haar heen cirkelde. Ze pakte haar
toilettasje, zocht haastig, en vond een bus deodorant waarmee
ze in haar oksels sprayde.

'Nee, ik bedoelde... Heb je geen roller?' Met deze simpele
zin, die misschien neutraal en simpel lijkt, maar mij veel moeite
kostte, dacht ik mijn excuses te hebben aangeboden.

Op Judiths gezicht stond verbijstering. In haar ogen las ik: ik
veracht dat kind. Ik wilde dat ik dit kind met deze spuitbus net
zo snel en geluidloos uit de weg kon ruimen als vliegen en
muggen en vlooien om zeep te helpen zijn.

(Judith had overal een spuitbus voor. Haar gootsteenkast-
je was gevuld met middelen om plantenluizen, kattenvlooien,
kruipende en lopende insecten, mieren, muggen, vliegende insecten, slakken, groene vliegen, zilvervisjes, huismijt, schimmel
– bedenk het en het is te doden – voorgoed met een beetje spui-

61

ten uit haar leven te bannen.)

Ze greep naar een doosje pillen, en nam vier capsules in. Ik keek toe.

Judiths pillen fascineerden mij.

Sonja juichte: 'Ja, die heb je mama. Ik pak hem wel.'

De volumeknop was intussen door Nouchka alweer omhooggedraaid, en ze danste opnieuw op de salontafel. Judith sloot haar ogen. Niet lang. Drie, vier tellen. Toen vloog ze op. De volumeknop ging weer omlaag. Ze probeerde de huiskamer, die, dat geef ik toe, er niet meer uitzag zoals voordat wij er binnenkwamen, te herstellen. Wij, onder de indruk van haar plotselinge drift, hielpen haar, onhandig, want waar de kussens en de krukjes en de kleedjes precies hoorden wisten we niet meer. Zuchtend draaide Judith zich plotseling resoluut om, en verdween naar de keuken, net op het moment dat Sonja met een stralend gezicht en drie merken deodorantrollers de kamer binnenkwam.

Nouchka lachte triomfantelijk, en draaide de volumeknop opnieuw voluit.

Sonja vroeg mij: 'Welke wil je?'

'Alledrie,' antwoordde Nouchka.

Met elk een roller in onze hand zongen we luidkeels 'The Dancing Queen' toen Rien – hij liep mank – opeens in de kamer stond.

'Zohra, kom mee.'

Door de opwinding van ons spel, en door Judiths interventie was ik vergeten dat Rien naar mij zou kunnen komen zoeken.

Joyce had een briefje voor me neergelegd dat ik die middag thuis moest blijven omdat Rien met mij weg wilde. Reden voor mij om juist het huis te ontvluchten en te spelen bij Judith, die minder dan Joyce bestand was tegen onze hoe-word-ik-later-actrice-spelletjes.

Ik ontweek zijn reikende hand, sprong van de bank, draaide

van hem weg, en danste als een bezetene. Rien bukte zich, raapte mijn kleren van de grond, en probeerde mij in mijn blouse te sjorren. Ik bewoog uit het ritme door mijn non-verbaal verweer.

'Ik heb geen tijd. Zie je niet dat ik bezig ben!' snauwde ik.

Ik keek niet naar die man die zijn evenwicht bijna niet kon houden, met zijn gehijg en dat opgeblazen hoofd. Nouchka en Sonja stopten met dansen. Ze stonden roerloos, zwijgend, keken toe hoe hij mijn schoenen van de grond opraapte en daarbij steun zocht bij de schoorsteenmantel van de open haard.

Ik rukte mijn schoenen en kleren uit zijn handen en rende ermee naar de gang. In de wc kleedde ik mij aan, mokkend, vloekend als een volwassene. Toen ik eruit kwam stond hij naast de spiegel die mijn boosheid reflecteerde.

Hij reikt naar mijn hand. Ik grijp de zijne, denk ik, of juist niet, dat weet ik niet meer. Ik schaam me dat ik zijn hand vastgrijp, maar ik schaam me ook als ik me herinner dat ik zijn hand meedogenloos negeer.

Gedwee volg ik hem naar buiten.

Bij de bushalte staarden we voor ons uit, elk in eigen gedachten. We deden beiden tegelijk een stap naar voren op het geluid van de naderende bus die echter de bus niet bleek te zijn, maar een vrachtwagen vol varkens die vroegtijdig afremde voor rood licht verderop. Op hetzelfde moment keken we op en hadden onze vergissing simultaan in de gaten. Onze blikken kruisten. Onze gezamenlijke lach was wat door de Van Dale geluk wordt genoemd.

We deelden weer meer dan een verleden.

Na die gezamenlijke lach ging ik opnieuw in protest: 'Waarom moet ik altijd mee?'

Hij zuchtte, en legde zijn hand in mijn nek.

Het was niet de eerste keer dat ik hem daarnaartoe vergezelde, maar ik herinner me alleen deze. We voegden ons op het achtertuinpad van doorzonwoningen in een rij tussen geestelijke en lichamelijke gehandicapten, en talrijke qua uiterlijk nogal afwijkende mensen. Ik wandelde erlangs om te kijken waar de rij begon. Er was één jongetje, een mongool, maar verder waren er geen kinderen. We wachtten om een schuurtje in te gaan. De huizen waren ongeveer zoals de huizen waar wij woonden. Niet zo oud als de boerderijen, niet nieuw zoals de huizen die nog maar net waren gebouwd, en dichter op elkaar dan ons huizenblok, met smallere paden.

Het mongooltje liep net als ik buiten de rij. Ik observeerde de jongen, die op een aapje leek zoals hij wandelde. Hij liep van de rij weg naar een tuin met een open hekje en daarachter een schuur die de deur op een kier had staan. In de tuin zat een dame te lezen. In de zandbak speelde een kind.

De mongool werd niet opgemerkt. Zonder aarzelen glipte hij, op de voet gevolgd door mij, in het schuurtje. Hij kroop er over de grond alsof hij er regelmatig kwam en de weg kende. Onder een grote stellage die diende om kussens en tuinstoelen in te bergen, verdween hij in zijn geheel. Het was er pikkedonker.

In het uiterste hoekje onder de stellage, op een deken, ontwaarde ik een kat met jongen. Ik lag met mijn buik op de grond, net als de mongool. De katjes waren zwart-wit gevlekt. Eentje was aanzienlijk witter dan de andere, had alleen wat vlekjes bij zijn pootjes en schuin over de helft van zijn gezichtje, als een zeerover. Oogjes dichtgeknepen. De mongool pakte de zeerover, knuffelde het beestje heftig.

Opgetogen vertelde ik Rien van de jonge katjes.
    'Mag ik er eentje?' vroeg ik.
    Hij verliet de rij, en vergezelde mij naar de tuin van de kat met jongen.

De vrouw met het boek in de tuin zei dat ze nog te jong waren, en voegde eraan toe dat ze al waren beloofd aan vrienden en over tien dagen werden afgehaald. Een volgende keer misschien?

Rien was terug in de rij toen ik de dame vroeg: 'Mag ik nog een keertje kijken?' De mongool was erbij toen we opnieuw onder de stellage kropen. Hij pakte het zeeroverskatje weer bij de moeder vandaan en reikte mij het katje aan.

De mongool hoorde bij een vrouw met een vermoeide blik. Haar wallen hingen als paarse zakjes onder haar ogen. Ze omarmde de mongool innig, en nam hem terug naar de rij, waar de schuurdeur voor hen werd geopend. Ik gluurde er naar binnen, rook vlammen en wierook zoals Els die brandde.

'Hoort zij bij u?' vroeg de man bij de deur.

De vrouw schudde nee. Ze sloten mij buiten.

Rien en ik moesten lang wachten voordat we de schuur, die ingericht was als een tempel, binnengingen. Een merkwaardige donkere kapel leek het. Niets herinnerde eraan dat we in een schuur van een moderne woonwijk waren beland.

In het midden van de donkere ruimte stond een heiligenbeeld, dat omringd werd door bloemen, brandende druipende kaarsen en opgestapelde etenswaren. Rien knielde neer voor het beeld. Het was een soort Maria met een blinddoek voor. En in haar hand die leek te wenken, had iemand een brandende sigaret gedrukt. Rien stopte briefjes van vijfentwintig in een melkbus zo groot als ik.

Een dame in een groot wit gewaad kneep met haar handen zeven tot op de steel afgeknipte bloemen fijn, en friemelde met de kapotte bloemblaadjes totdat ze waren versnipperd.

Van een hoge stapel kleine papiertjes die op een kleine tafel stond pakte ze een rechthoekig papiertje, een slappe foto leek wel, en stopte deze in haar mond.

Ze kauwde erop en spuugde het daarna terug in haar hand,

streek het resultaat weer glad, en gebruikte de beschadigde foto om de weinige bloemblaadjes die niet op de grond gevallen waren en geen deel uitmaakten van de bloemenconfetti die besmeurd was door voetstappen van de bezoekers, maar zich nog in haar hand bevonden erin te stoppen. Ze maakte er een pakje van, een propje dat ze Rien met enkele bezwerende woorden in zijn handen drukte. Hij kuste het propje, en stak het in zijn zak.

De dame fluisterde in zijn oor, maakte allerlei gebaren rondom hem, raakte zijn hoofd en zijn schouders, zijn borst, en bleef prevelen. Ik kon er niks van verstaan. Het was muf in dit schuurtje.

Ik had het kleine katje dicht tegen mij aan geklemd onder mijn jack en zat vrijwel bewegingloos naast het beeld op de grond te kijken naar wat zich afspeelde. Er waren al mensen in de ruimte, en terwijl mijn vader in een hoekje bij een grote teil met water knielde en zijn mond en voorhoofd met dat water natmaakte, mochten er nieuwe mensen binnen.

Een dwerg die ik eerder in de rij buiten had zien staan liep recht op mij af. Hij was kleiner dan ik, had ik gezien toen ik hem buiten passeerde. Een man met een groot hoofd en erg korte kromme benen. Zijn bril leek van matglas gemaakt.

Hij zag mij voor een beeld aan – geen wonder met zo'n bril – en knielde voor mij neer. Ik durfde niet te bewegen uit angst hem te blameren. Hij verrichtte dezelfde handelingen als Rien bij het geblinddoekte beeld. Ik had misschien uit eerbied mijn ogen moeten sluiten, maar ik wilde alles zien.

Hij kuste mijn voeten. Dan keek hij op, nam zijn matglazen bril af, en knipoogde naar mij.

'Je dacht toch niet dat ik je echt voor de Heilige Maria aanzag?' zei hij breed lachend. Bij een lilliputter had ik geen gewone vriendelijke stem verwacht. Hij las de angst die ik dacht te verbergen achter een ernstig gezicht. Kuiltjes in zijn wangen. 'Je bent net een heilige,' zei hij terwijl hij me bemoedigend toelachte. Ik lachte terug, dat ging vanzelf. Een gezicht dat ik nooit meer vergeet.

Bij de bushalte, waar Rien op de bank van het bushokje zat, en ik steeds achter het hokje stiekem mijn katje tevoorschijn haalde om het beestje te knuffelen, pakte Rien het propje van de dame in het wit uit zijn zak, en vouwde het open.

Nieuwsgierig kwam ik bij hem staan. Het kleine dunne papiertje waarop de dame had gekauwd was een vage foto van het beeld op slap papier. De Maria was niet geblinddoekt, maar met viltstift waren haar ogen zwart gemaakt. Hij vouwde het weer dicht, en rolde het tussen zijn handen totdat het een piepklein propje werd. Dan plette hij het zorgvuldig in zijn hand.

Het gouden kettinkje dat hij dag en nacht om zijn nek droeg, met daaraan een soort medaillon dat meestal door vrouwen werd gedragen, en dat ik nog nooit bij een man om zijn nek had gezien, deed hij af. Het medaillon opende hij met bevende vingers. Het gezicht van zijn moeder, mijn oma, keek ons aan. Het geplette propje stopte hij in het medaillon, bij zijn moeder.

Hij deed de ketting met medaillon om mijn hals. Ik sputterde wat tegen, maar kon mijn beide handen niet gebruiken. Ik had het katje – stiekem – vast.

Zodra de ketting om mijn nek hing deed ik hem gauw weer af. Rien keek mij diep in de ogen, trok hem opnieuw over mijn hoofd, en draaide het medaillon naar voren zodat het precies in het midden van mijn hals kwam te liggen.

'Luister, Zohra,' zei hij. 'Dit is om jou te beschermen.'

In de bus bekeek ik het medaillon terwijl ik Riens ketting nog om had. Openmaken lukte niet. Ik gooide het op vanuit mijn linkerhandpalm, en ving het in dezelfde hand weer op. Mijn rechterhand waakte over het katje in mijn binnenzak.

'Het is ons geheim, Zohra,' zei Rien.

Ik keek naar buiten, naar het eentonige landschap, de horizon was lila boven grijsgroen gras.

De behoefte om hem te tarten was er in opwellingen. Alsof ik wilde testen of hij nog altijd van mij hield. Ik was geen slecht kind.

Ik haalde het witte poesje vanonder mijn jas tevoorschijn.

'Dat is diefstal,' zei Rien. 'Zo'n kleintje mag niet bij de moeder weg. Da's zielig.'

Mijn antwoord flapte eruit: 'Zielig? 't Is gewoon adoptie, man.'

Riens mond hing open. Soms viel hij in de huiskamer, voor de televisie, of gewoon tijdens de maaltijd, zomaar opeens in slaap. Thuis was ik het al gewend. In de bus, met de vreemden om mij heen die zagen hoe hij bij elke bocht naar rechts overhelde en met zijn slappe bovenlichaam boven het gangpad zweefde, bij een bocht naar links te ver over mij heen leunde, en bijna met zijn hoofd tegen het raam botste, ging ik me schamen.

Hij kwijlde op zijn overhemd. Er zaten vlekken op zijn jasje. Als ik hem zogenaamd per ongeluk een harde stoot gaf werd hij niet wakker.

Het is niet moeilijk om redenen te bedenken, excuses voor mijn gedrag als meisje van zes, zeven of acht... Hoe oud zal ik geweest zijn toen hij mij de ketting met het medaillon omdeed? Ik werd gedreven door woede en machteloosheid dat ik hem niet terug kon toveren in de vader die hij was, en die hij soms, bij momenten nog leek te zijn.

Ik deed de ketting af, en bond deze om de nek van de kat. Hij ging er drie keer omheen. Het medaillon trok alle aandacht van zijn zeeroverssnuitje weg. De kat leek daardoor nog kleiner dan hij al was. (Eigenlijk was het geen hij maar een zij, maar daar kwam ik later pas achter.)

'Het had niet bij de moeder weg gemogen. Het is nog te jong.' Joyce trok de gordijnen dicht. Ze bukte zich om alles wat over de grond slingerde op te rapen, hing mijn kleren over de stoel, propte de *National Geographic*s in mijn overvolle uitpuilende boekenkast waardoor drie Barbies op de grond vielen, en zei: 'Wil je dat ik je voorlees?'

'Papa zou mij vanavond naar bed brengen.'

'Ja, weet ik, maar papa is net weggegaan.'

Natuurlijk wist ik dat. Ik had hem horen vertrekken. Ik nam het Joyce kwalijk dat ze hem had laten gaan, en hem niet aan zijn belofte aan mij had herinnerd. De verontwaardiging in mijn stem, het verwijt – mijn moeder verdiende het niet – zat in de toon waarmee ik haar toebeet: 'Waar is hij naartoe? Hij had het mij beloofd.'

Joyce pakte het fluwelen prinsessenkleed van de grond en keek verwonderd.

'Hoe komt dat hier?'

Toen Rien ervandoor ging, klom ik net uit het raam, zoals ik wel vaker deed, om via de grote boom in onze voortuin bij Nouchka door haar slaapkamerraam naar binnen te gaan. Mijn intentie was tweeërlei. Enerzijds mijn vader van plan doen veranderen en anderzijds mijn vriendinnen roepen om mijn katje te komen zien.

Nadat ik met Rien en de kat was thuisgekomen gingen we meteen aan tafel. Joyce had het avondeten klaar. De kat is te jong, zei ze, en met haar baan bij het reisbureau kon ze geen huisdieren houden. Rien beloofde te helpen de kat zindelijk te maken, want ik geloof dat Joyce vooral daar problemen mee had.

Hij zei dat zijn moeder vroeger zeven katten had en beloofde mij voor het slapengaan over oma, die ik niet gekend heb, en haar zeven katten te vertellen.

Precies toen ik hem de voordeur hoorde dichtslaan stapte ik uit het raam. Het was een kortdurend dilemma. Zou ik schreeuwend de trap afrennen en protesteren dat hij wegging met het risico dat Dimitri zijn respect voor mij, als oudere zus zou verliezen als ik mijzelf op mijn zwakst zou laten zien? Of zou ik uit het raam stappen, alsof ik op het punt van springen stond, en hopen dat hij vanzelf weer de oude vader van vroeger werd?

Hij zou naar boven kijken en mij zien, zo half uit het raam hangend, mijn benen zoekend naar een zware tak om op te steunen. Via een zware boomtak die parallel aan de voorkant van ons huis groeide, kon ik naar het slaapkamerraam van Nouchka overstappen, maar dat wist hij niet.

Hij keek niet. Ik trapte tegen de tak, opdat de bladeren zouden zingen: 'Rien, Rien, heb je je dochter gezien?'

Maar hij keek niet omhoog. Hij had haast om weg te komen. Toen ik omkeek om te zien of hij de straat al uit was greep ik bijna mis. Toch viel ik niet. Dat was veel later. Ik was ouder, en het was nacht.

Nouchka was niet op haar kamer, en de trap af naar de huiskamer durfde ik niet, want dan zou Els stampei maken. Zij zat er niet mee om mij te verklikken, wist ik.

Via het raam naar de buren gaan was verboden. Het zou gevaarlijk zijn, maar ik deed het bijna dagelijks, sinds ik ontdekt had dat de boom er sterk genoeg voor was. Het was lastig, want de stap van de boomtak naar Nouchka's vensterbank was eigenlijk iets te groot, en de tak boog erg ver door, waardoor ik bij wind iets te veel ging schommelen, maar dat was nu juist de kick.

Deze keer heb ik, om Nouchka te laten weten dat ik op bezoek was geweest, het prinsessenkleed meegenomen. Dat was niet makkelijk, want het kleed was zwaarder dan ik dacht, en ik moest het eerst over de tak werpen, en dan vanuit de boom proberen om het door mijn open raam te mikken.

Vaak, als ik klom, zag Sonja mij vanaf de overkant, en kwam ze naar buiten. Maar Sonja liet zich die avond niet zien. Ik dacht dat het kwam omdat Rien mij die middag voor gek had gezet, en dat ze me niet nog meer in verlegenheid wilden brengen en het incident de tijd geven om te verwaaien.

Eenmaal terug op mijn kamer liet ik het kleed gewoon liggen waar het gevallen was en had ik opeens geen zin meer om koningin te zijn.

Joyce vouwde de doek die Els voor ons schooltoneelstukje gestikt had – grote gouden en zilveren sterren op een hemelsblauwe fluwelen ondergrond – zorgvuldig op.

'Je vader is de laatste tijd een beetje vergeetachtig, geloof ik, Zohra,' zei ze ernstig. Ze stond met haar rug naar mij toe.

Ik sprong uit bed, rende naar de gang, pakte Kleintje uit het mandje, en stopte haar onder mijn pyjamajas. Haastig kroop ik – stiekem – met het katje onder de dekens.

Het prinsessenkleed was liefdevol op de stoel gelegd. 'Hebben jullie Els wel bedankt voor die prachtige doek die ze voor jullie in elkaar heeft geflanst?'

Ik knikte. Schuldig. Het katje zat niet stil.

Joyce zag aan mijn gezicht dat ik iets schuilhield onder de deken. Ze trok mijn hand weg, hoorde de kat die als een tijger ademhaalde, en zei: 'Niet bij je in bed. Dat weet je.'

'Waarom niet?'

'Beesten mogen niet bij mensen in bed.'

'Waarom niet?'

'Vanwege bacillen en zo.'

'Wat zijn bacillen?'

Joyce pakte het beestje vanonder mijn pyjama vandaan.

'Bacteriën.' Ze aaide de kat, knuffelde het, en mompelde: 'Ik zal het even de fles geven, en er morgen mee naar de dierenarts om advies te vragen. Het is een vrouwtje, heb je dat gezien?'

Toen wist ik dat Kleintje mocht blijven. Eerder op de avond was daar nog geen duidelijkheid over. Rien en ik waren druk geweest met pogingen om de kat met een oude zuigfles van Dimitri melk te geven, terwijl Joyce bleef herhalen dat wij geen huisdieren konden houden, en dat Kleintje morgen terug moest naar de moederkat.

'Waarom mag ze niet bij mij slapen? Dan kan ik op haar passen, en dan hoef jij dat niet te doen. Ik zal haar moeder zijn.'

'Dieren mogen niet bij mensen in bed. En nu slapen, Zohra, 't is al laat.'

Bij de deur draaide ze om, en zwaaide met het poezenpootje.

'Welterusten, Zohra,' zei ze met een miauwerige klank in haar stem.

Ik wilde niet dat ze ging. Ik wilde dat ze nog even in de kamer bleef met Kleintje.

'Ik noem haar Kleintje,' zei ik.

'Maar als ze straks groot is klopt die naam niet meer.' Ze liep terug naar mijn bed, en liet mij de kat een kus op het zeeroverssnuitje geven. Ze zoende mij nog eens op mijn beide wangen. 'Waarom noem je haar geen Zeerover?' vroeg ze terwijl ze met haar wijsvinger over Kleintjes hoofd krabbelde.

'Stomme naam,' zei ik.

Joyce speelde met het medaillon en het kettinkje om de nek van Kleintje.

'Is dit papa's...?' vroeg ze.

'Het is ons geheim. Dat hoef jij niet te weten,' zei ik, en ik dook onder de dekens. Het wordt zwart. Het is net of ik een diepe zwart put in wordt gezogen. Ik hoor ver weg nog de stem van Joyce: 'Welterusten Zohra, slaap lekker.'

Heel veel later, denk ik, tegen de ochtend, of misschien niet dezelfde nacht, stapte ik uit bed en haalde Kleintje uit haar mandje. Vanaf dat moment sliep de kat bij mij.

'Wij worden niet groot, we blijven altijd klein. Wij blijven altijd bij elkaar. Wij worden lekker nooit te moe om te spelen,' zei ik keer op keer tegen de kleine kat die net als ik groeide.

Telkensalsertranendreigenvindikstenentelkensalsertranendrei genvindikstenentelkensalsertranendreigenvindikstenentelkens alsertranendreigenvindikstenentelkensalsertranendreigenvind

72

Nog steeds heb ik alle kiezelstenen die ik in mijn jeugd verzameld heb. De meeste vond ik op het kerkhof op de paden tussen de graven in de tijd dat ik er met mijn ouders kwam om mijn tantes en oma die ik nauwelijks heb gekend te bezoeken.

Naderhand wilde mijn vader niet meer naar de begraafplaats toe. Ik denk dat ik me de laatste keer herinner. Ik moet vier zijn geweest. Ik herinner me gesprekken die ik als drie- of vierjarige heb gehoord.

Ik weet niet elk detail van dat moment. Er zijn flarden aangevuld door wat ik naderhand van anderen hoorde. Misschien hebben deze herinneringen zich pas later bij me aangemeld. Soms is het of ze uit een donkere bosvijver komen bovendrijven, na jarenlang stilletjes op de bodem te hebben gelegen, doordat ze van schrik diep zijn gezonken direct nadat ze zijn ontstaan.

Joyce was plantjes in de grond aan het stoppen, en iemand, misschien oom Vincent, hielp haar daarbij. Ik struikelde bij het verzamelen van mijn kiezelstenen. Mijn vader zocht met mij mee. Hij vond de mooiste grote, ik de kleintjes.

Toen ik op de rand van een grafsteen viel, mijn tand door mijn lip, en misschien huilde, pakte mijn vader mij op, en troostte mij.

Ik dacht dat ik (oom Vincent?) iets hoorde vragen. Mijn moeder had Dimitri in haar buik. Mijn vader werd onrustig toen hij hen hoorde praten, en liep van hen weg. Hij gooide mij hoog op in de lucht, steeds hoger, en ging door totdat ik schaterde.

Het is die opwinding die ik zoek om wat ik weet en niet wil weten te vergeten.

Kiezels. Ik had de mooiste vormen, mooie variaties in diverse tonen van zwart en grijs, ook kleine in maagdelijk wit, en platte stenen met strepen en kruizen erop.

De stenen stonden uitgestald op een tafeltje. Kleintje speelde met mijn stenen. Als ik torentjes maakte van de platte wachtte zij totdat ik klaar was, en dan gooide zij ze met haar voorpootje om.

Je kunt katten trainen, maar ze gaan uiteindelijk toch hun eigen gang.

VERSTEENDE DROMEN

Mijn moeder parkeert de auto naast het bord *Zonnehof*, Ingang verpleegtehuis, melden bij portier (met een pijl naar het gebouw).

Ik spring als eerste uit de auto, wil het park inrennen, maar word tegengehouden door Joyce, die mij de tekening in de hand drukt die we op school verplicht waren te maken voor vaderdag.

De opdracht was onze eigen vader te tekenen. Bijna iedereen tekende zijn vader in een auto, of op een fiets. Twee jongens tekenden hun vader in een uniform, want de ene zijn vader was politieagent en die van de ander soldaat of iets hogers in het leger.

Nouchka weigerde haar vader te maken. Ze zei dat ze er geen had, en niet wist hoe een vader eruitzag. 'Is een vader een man of een vrouw?' had ze gevraagd. Nouchka kon altijd heel goed doen of ze gek was, en uiteindelijk mocht ze tekenen waar ze zin in had. Sonja tekende haar vader als dokter.

Ik wilde niet meedoen aan die opdracht, maar wist niet hoe ik het zeggen moest. Anders kwamen de woorden altijd vanzelf, maar nu kon ik niet praten. Ik wist niks te verzinnen. Als ik het potlood op papier zette was het of mijn keel verstopt raakte en ik niet meer ademhalen kon

Sonja kreeg het in de gaten. Ze schoof haar tekening voor mijn neus en tekende op mijn blaadje een gewone vader. Hij leek niet op Rien. Het was een vader met een bezem in zijn hand. Dat sloeg nergens op, want ik heb mijn vader nooit zien vegen.

Ik heb toen toch zelf een tekening gemaakt, het ging opeens

zonder nadenken, alsof iemand anders het potlood via mijn arm bewoog. Rien in zijn leunstoel, zoals hij er altijd bij zat toen hij nog bij ons woonde. Ik wilde erbij zetten: *Welkom thuis.*

Maar ik schreef toch maar net zoals iedereen: *Voor vader.*

Die vaderdag die niet op echte vaderdag viel, maar die Joyce tot vaderdag had bestempeld, en die net zo goed een gewone bezoekdag aan Zonnehof had kunnen zijn, werd door een foute start een dag die ik niet meer vergat. We hebben de dag jaren later samen tot een verhaal gekneed.

Meestal gingen de broertjes en mijn vriendinnen mee naar Zonnehof omdat we allemaal graag in de grote tuin speelden. 'Hoe meer zielen, hoe meer vreugd,' zei Joyce altijd, en als er ook nog andere kinderen in haar auto stapten vond ze dat allemaal best. Vanwege vaderdag waren Els en Judith met ons meegegaan. Rob moest werken en Els zat weer even zonder vriend, vermoed ik. Ze gingen vaak mee. Joyce vond het gezellig als er een vriendin meeging met wie ze kon babbelen terwijl ze Rien in zijn rolstoel over de paden duwde.

Ik was negen toen Joyce zo nodig op een doordeweekse dag met alle moeders, vriendinnen en ik erbij vaderdag ging vieren. De reconstructie van die dag is in gezamenlijk overleg gebeurd, door ons drietjes toen we nog maar net samenwoonden in de grote stad, en herinneringen ophaalden aan vroeger. Een crystalkdag.

Alles over Rien is toen niet gezegd. Over Rien durfden zij ook toen nog steeds met mij niet te praten. Het was een ongeschreven regel, een onuitgesproken taboe.

Het moet ongeveer rond die vaderdag zijn geweest dat zij voor goed en altijd begrepen dat over mijn vader nooit, noch in termen van 'Rien', noch in termen van 'vader' of 'Zohra's vader' gesproken werd tenzij ik er zelf over begon, en dat deed ik zelden. Ook als ik zelf over hem begon was ik degene die aan-

gaf hoe lang hoe ver en hoe diep het gesprek mocht gaan. Toe-
voegingen, vragen, opmerkingen werden niet op prijs gesteld.
Confrontaties uitgesloten.

'Eerst je vader gedag zeggen, Zohra,' zegt Joyce. Ik voel haar
hand in mijn kraag.
Rien zit in een rolstoel in een park tussen vele andere patiënten. Hij eet een sandwich.

Telkens opnieuw nam ik mij voor om lief te zijn, hartelijk, een
voorbeeldige dochter, een kind zoals de reclame van stralend
wasgoed en fluorescerende tandpasta. Elke keer echter, als ik
Rien in zijn rolstoel zag, licht weggezakt, was er iets sterkers
dan ikzelf – of was dat juist de ik die ikzelf niet meer kon controleren – waardoor mijn handelen werd bepaald alsof mijn
goede voornemen alleen een oppervlakkige gedachte was en
niets had uit te staan met wat er heftig in mij woelde.

XOHRAS ANGST

Joyce port mij in mijn rug, opdat ik naar voren stap om Rien
de tekening te geven. Sonja en Nouchka – gewend om mee te
gaan naar Zonnehof – geven hem zoals altijd elk een zoen op
zijn wang.
Ik wil wel naar hem toe, maar niet met iedereen om me
heen. Ik ga straks als iedereen weg is, als er niemand bij is,
maar Joyce wil van deze vaderdag een feestje maken. Ze deelt
gebakjes uit, terwijl ik geen taart lust waar een ziekenhuissmaak
aan kleeft.
Omdat ze aandringt stap ik toch op hem af, en geef hem de
tekening. Hij heeft brood- en beschuitkruimels en stukjes hagelslag op zijn kin. Ik kan er nog steeds niet aan wennen hem
in die rolstoel tussen zielenpoten te zien.
'Kunnen ze hem niet apart zetten als wij komen?' snauw ik
tegen Joyce, die hier niets aan zou kunnen veranderen.

Ik reik hem de tekening aan. Hij kijkt vluchtig, alsof hij mij niet werkelijk ziet. Zijn hoofd houdt hij scheef. De kruimels blijven aan zijn stoppels hangen. Meestal is hij blij en gaan zijn ogen stralen als ik voor hem sta. Meestal zegt hij mijn naam, en pakt mijn hand. Nu is hij druk met iets en heeft geen aandacht, niet voor mij, niet voor de anderen. Niet voor zijn beschuit die op zijn rolstoeltafeltje ligt.

In zijn linkerhand houdt hij een half opgegeten boterham met hagelslag. Het tafeltje biedt geen ruimte voor de tekening, dus stop ik het blaadje in zijn rechterhand, schuif het papier tussen zijn duim en wijsvinger.

Hij pakt het aan, bekijkt het niet, maar gebruikt het – met bevende handen – om de halve boterham in op te vouwen, en propt tevergeefs de ingepakte boterham in de broekzak die hij niet heeft. Brood en verkreukelde tekening vallen op de grond naast het wiel van zijn rolstoel.

Ik walg van hem, van Joyce, van school, van iedereen die vaderdag bedacht heeft. Die tekening is nep, gemaakt voor een vader die geen vader meer wil zijn.

Ik ren naar de vijver, waar soms mooie stenen liggen, en smijt de ene na de andere in het te kalme water totdat er alleen maar groeiende cirkels zijn, totdat het water continu beweegt. Het wordt een race tegen water dat probeert te verstillen, en dat ik met heel mijn wezen tot dansen dwing. Ik hoor niks meer, ik zie niks meer, alleen maar kringen in het water.

(Later – ik was op zoek naar een nieuwe tandenborstel – kwam ik de tekening gladgestreken met wat vlekjes tegen in de kast waar Joyce alles bewaart wat geen plek heeft maar dat wel opgeborgen dient te zijn.)

Ik scheerde de keien over de vijver. Sonja, die mij geruisloos naderde, zocht ook stenen, en reikte me deze aan. Sommige stopte ik in mijn zak, als ze iets speciaals hadden, een streep, of een opmerkelijke vorm, de andere stuiterden over het water.

Ze lieten mij. Zeiden niks. Dat is vriendschap, dat ze niets tegen je zeggen als je stilte wilt en dat ze kwebbelen als je gezellig wilt praten.

Nouchka stond plots met een trotse glimlach voor mijn neus en belemmerde me het gooien. Ze zwaaide met een stethoscoop voor mijn ogen alsof ze me hypnotiseerde. 'Cadeautje,' glunderde ze. 'Mag jij hebben. Hij stak uit zijn zak.'

We verborgen de stethoscoop in de struiken.

Een roodharige jonge arts-assistent die met Els stond te flirten had niet in de gaten dat hij zijn gereedschap miste. De moeders zaten naast elkaar op een bankje. Rien zat in de rolstoel en staarde voor zich uit. Hij leek te kijken naar de broertjes die voetbalden, maar als je dicht bij hem stond en zijn blik probeerde te volgen, zag je dat hij naar een spinnenweb keek, of naar stofjes in een zonnestraal. Hij keek nooit naar wat je dacht.

Tussen de patiënten die in de tuin rondwandelden deden we tikkertje met een gebrek. Sonja liep mank, Nouchka liep er als een zwakzinnige bij, en ik liep op mijn handen.

Onuitwisbaar uit mijn geheugen waren alle uren na school die we doorbrachten in het park van Zonnehof. We zijn door de patiënten van de inrichting opgevoed. Onze moeders hadden het te druk met onze broertjes.

Dimitri stal de show. Hij wist voor zijn leeftijd de bal nogal handig van de grond te houden. De broertjes van Nouchka en Sonja leken houten plankjes naast zijn lenige kleuterlichaam. Joyce gloeide van trots als Dimitri de bal met behulp van zijn knieën, hoofd en voeten met het grootste gemak manipuleerde.

Op schoot had ze mijn tekening. Ze streek het verfomfaaide papier glad. 'Hij schepte altijd op dat Zohra tekentalent had,' zei ze tegen Judith. Ik wilde haar niet horen, maar de woorden bereikten mijn oor. 'Haar herkent hij in elk geval nog. Op Dimitri reageert hij niet. Hij beseft niet eens dat hij een zoon heeft.'

IK LOOP OP MIJN HANDEN

Joyce sprong plotseling van de bank, en dook voor Rien, stopte de bal als een keeper precies op tijd voordat hij tegen Rien aan vloog die in de rolstoel met een draadje van zijn mouw zat te spelen.

Nouchka tikte mij af. Op mijn handen zat ik Sonja op de hielen. In plaats van haar te volgen in de richting van de vijver dook ik de bosjes in.

'We spelen doktertje,' riep ik.

Patrick huilde. Hij blerde. Dat waren we van hem gewend.

Ik gluurde door de struiken. Judith liep met de gestruikelde Patrick naar het fonteintje.

Ze waste het krijsende joch. Joyce en Els stonden erbij, druk pratend. Dimitri stopte de voetbal in Riens handen, en stond nog geen meter bij Rien vandaan.

'Papa, gooi de bal naar mij,' vroeg hij.

Rien gooide. Dimitri ving.

'Mama, kijk,' riep Dimitri, 'kijk, papa kan vangen.' En hij gooide hem opnieuw naar Rien, die de bal trots opving, als een baby.

'We spelen vergiftigje,' zei ik.

'Hoe speel je dat?' vroeg Nouchka.

'Pak de pillen uit je moeders tas,' beval ik, 'ze is nu toch bij het fonteintje.'

Nouchka's gezicht straalde: 'Ja, dan maken we ze fijn en stoppen ze in een appel en die geven we aan Stefan.'

'En aan Patrick,' zei Sonja.

'En aan Dimitri,' voegde ik eraan toe.

Bij het buitenfonteintje waste Judith de benen en handen van de jengelende Patrick grondig. Ze besprenkelde zijn schaafwonden overvloedig met jodium. Zijn huilen stopte ze door de vierjarige de grote speen die aan een koord om zijn nek hing in de mond te doen.

Nouchka stal diepvriesspinazie, chocolaatjes, kwark en suiker uit de tas van Els. 'Er zaten geen appels bij,' mopperde ze.

Sonja vond zes flesjes pillen in de handtas van Judith, en was trots op haar buit.

Ik onderzocht Nouchka met de stethoscoop.

Sonja probeerde een paar pillen fijn te krijgen door ze tussen twee stenen te vermalen. Ze ving het resultaat op in haar rok.

'U heeft een rare bult in uw buik. Hoelang heeft u die al?' vroeg ik met mijn zware doktersstem.

Nouchka giechelde. 'Je kietelt me.'

'Ik voel hier nog iets raars, dat is niet best.' Ik kneep en betastte haar waardoor ze kietelig werd, en smakelijk ging lachen.

Sonja onderbrak ons spel ruw met de vraag: 'Wanneer wordt jouw vader nou eindelijk beter? Hij is al vijf jaar ziek.'

In een opwelling van echte woede snoerde ik haar de mond door er een handvol pillen in te stoppen. 'U moet driemaal daags twintig pillen. En veel slapen,' zei ik met een meer dan strenge doktersstem, een poging om net te doen of ik speelde.

'Je hebt mij nog helemaal niet onderzocht,' sputterde Sonja tegen. Ik propte onmiddellijk meer pillen in haar mond. Zij proestte ze uit. We vochten, en Sonja verweerde zich met veel kracht.

Nouchka sprong tussenbeide. Ik weet niet of ze net als ik pillen in de mond van Sonja propte of dat ze haar beschermde tegen mijn driftaanval die erop gericht leek haar voorgoed het zwijgen op te leggen.

(Zat ikzelf achter die woede of zat die woede achter mij?)

Judith, die haar handtas geopend op het bankje terugvond, kwam op het kabaal af en vond ons tussen de struiken. Ze gilde toen ze mij en de half ontklede Nouchka boven op Sonja aantrof. Haar medicijnpotjes open. Capsules vielen uit Sonja's mond.

'Stelletje idioten!' schreeuwde Judith. Els en Joyce stonden naast haar. Joyce pakte de stethoscoop en vroeg beheerst: 'Hoe komen jullie aan dit ding?'

Els en Judith hielden Sonja ondersteboven en sloegen haar op haar rug totdat ze kotste.

'Wil je dood, misschien?' schreeuwde Judith hysterisch naar Sonja, die nog ondersteboven hing.

De woede was weg. Ik stond er kalm bij, en dacht dat we alleen maar hadden gespeeld. De woede was vergeten, nooit geweest. Ook door Sonja en Nouchka was alles wat eraan herinnerde opgeborgen in delen van de hersenen waar we nooit meer wilden gaan.

Natuurlijk was Patrick een huilebalk met zo'n biologische moeder als Judith, die deed alsof er iets traumatisch was gebeurd.

'Als die pillen zo slecht zijn, waarom slik jij ze dan?' zei ik, en ik keek triomfantelijk naar Nouchka en Sonja, die een applaus nauwelijks konden bedwingen.

Joyce vertelde mij met haar wenkbrauwen dat ik mijn mond van nu af aan maar beter niet meer open kon doen.

Zo zag ik haar niet vaak. Straf was te verwachten.

MINDERHEID@XOHRA.EU

Op een groot karton hadden we met dikke zwarte letters geschreven: BLACK BEAUTY TEST.

Zonder dat we dat overigens beseften maakten we in het plaatsje H. in een oostelijke provincie van Nederland deel uit van een minderheid. Wij voelden ons niet minder dan de anderen of gediscrimineerd, we voelden ons verheven boven de rest. We zagen onszelf niet als afwijkend van de anderen door de kleur van onze huid, of de stand van onze ogen.

Tot een minderheid behoren was zielig zijn, en wij waren niet zielig. Wij waren sterk en wij waren de heldinnen van H.

Feitelijk waren we wel zo half en half eerste, tweede en derde generatie migranten in een witte samenleving. Een socio-
loog, antropoloog of psycholoog zou bij analyse van ons licht
naar criminaliteit neigende gedrag misschien waarde hechten
aan onze multi-etnische afkomst. En ja, we waren anders, maar
daarmee valt niets van ons gedrag uit te leggen. Integendeel.

Natuurlijk moet er een verklaring zijn voor de uitzonderlijke
behoefte aan buitenissig gedrag die wij als kind en puber ten-
toonspreidden. Maar die ontbreekt vooralsnog.

Ik heb het lang gemist nadat ik Sonja en Nouchka achter me
liet, de gekte die wij als vanzelfsprekend najoegen, de gekte die
wij als een doordeweekse jas met ons mee droegen, en waarmee we iedereen te slim af dachten te zijn. Als kinderen met
grotemensenkuren, en naderhand als adolescenten met kinder-
capriolen.

Ik ben nadat ik mijn vriendinnen achter mij liet heel lang
leeg geweest. Leek niet meer te kunnen voelen, niet meer te
kunnen lachen. Ik zette melancholieke cd's op in de hoop dat
ik bij mezelf wat emoties kon creëren, maar niks had effect.

In de dagen na de vriendschap, ik was bijna twintig – mijn
verjaardag kwam eraan maar die wilde ik niet vieren – heb ik
dagenlang gezocht naar een liedje dat een of ander populair
kinderkoor tijdens mijn jeugd vaak op televisie zong. Toen ik
een jaar of negen was draaiden ze het telkens op de radio, en
werd ik razend als ik het hoorde. Ik kon er niet naar luisteren,
sloot mezelf op in de kast met vingers in de oren, of vluchtte
naar de kelder of de zolder totdat ik dacht dat het liedje wel
weer afgelopen was. Ik kon er niet over praten met mijn vriendinnen, noch met Joyce, en met Dimitri zeker niet.

Er waren allerlei radioprogramma's waarbij je een liedje kon
aanvragen. Ik streepte ze aan in de radiogids. Naar sommige
stations kon je bellen, andere wilden een kaartje. E-mailen kon
toen helaas nog niet. Bereid om te huilen heb ik het liedje bij
alle stations aangevraagd. Ik wist de titel echter niet, wist alleen

dat het een populair kinderkoor uit de jaren zeventig was, en dat er een zinnetje in voorkwam waar ik als kind niet tegen kon, en dat was: pappie is gek.

Terug bij Joyce en Dimitri, bij wie ik me opsloot, bij wie ik rust zocht, en mijn best deed om te vinden wie ik was, keek ik naar ons drietjes met andere ogen. Ging ik zien hoe wij dachten sterk en onverschrokken te zijn, hoe gemeen we waren tegen de broertjes, en onze moeders, maar ik zag ook, als ik het mezelf tenminste toestond af en toe, de pijn van het anderszijn.

Je kon niet zeggen dat wij geprobeerd hadden te integreren, of te assimileren. Evenmin dat wij ons zouden hebben neergelegd bij onze minderheidspositie. Wij kozen er juist voor een uitzonderingspositie in te nemen. Naar ons idee was het doodgewone H. ons lot waaraan wij ons op een dag zouden onttrekken. Ik moet erg goed zijn geweest in het bedenken van manieren om te ontsnappen aan wat mij van buiten af werd opgelegd. Alles was erop gericht geen slachtoffer te zijn.

Naar aanleiding van het een of ander, vermoedelijk had ik een van de honderd geboden van H. overtreden, misschien was het vanwege de pillen die ik Sonja door haar strot had geduwd, kreeg ik huisarrest. Ik mocht de tuin niet verlaten. Op andere dagen hadden we ons vrijwillig in de achtertuin gelegerd, maar op het moment dat het tuinhek de grens werd, was het alsof iemand mij in de wurggreep nam.

Joyce strafte zelden, maar als ze het deed, wist ze hoe ze mij moest treffen.

Het was echter zo, zo bleef het nog heel lang, en zo is het misschien nog steeds: als ze Xohra proberen aan banden te leggen dan wordt Xohra inventiever dan ooit.

Het was de sport om, nu ikzelf de wereld niet in mocht, de wereld mijn tuin in te trekken.

Het ergert me als mensen hun lot aanvaarden. Gunt de dood je geen langer leven? Dan maak je toch zeker een leven voor na de dood!

De Test.

Nouchka kwam na een van haar bezoekjes aan haar oma in de Cariben al eens met het verhaal over een Black Beauty Wedstrijd die ze in de stad had bijgewoond. Wij hadden een voorliefde voor Engelse woorden. De Engelse taal behoorde tot de wereld van de moviestar, het was de taal van Hollywood, en ook al wisten we de echte betekenis vaak niet, die taal prikkelde onze fantasie, en we namen de vreemde woorden op in onze eigen taal precies zoals het ons uitkwam. 'Contest', een raar woord, werd zonder enige discussie Test, een woord dat beter paste bij onze interpretatie van een dergelijk gebeuren.

Op een groot karton dat we met punaises op het tuinhekje vastzetten schreef ik: *Black beauty test.* Hoofdprijs: Reis naar een onbewoond eiland.

Onze broertjes, die nooit met ons mee mochten doen, werden nu door ons uitgenodigd om deel te nemen. Argwaan hadden ze niet.

'Het is een wedstrijd,' zei Sonja. 'Je kunt de eerste prijs winnen.'

Ze zette Patrick op een stoel en smeerde hem in met zwarte schoensmeer. Toen hij bij de eerste vegen protesteerde snauwde ze: 'Wil je nog een prijs winnen of niet?'

Nouchka had zwartepietensmeer gevonden in een van de keukenkasten van Joyce, en smeerde haar broertje Stefan zwart. Mijn broertje Dimitri was eigenlijk al behoorlijk bruin van zichzelf, maar ook hij kreeg de zwartepietensmurrie over zijn hele lichaam, want ik gebood hem zijn kleren uit te doen. Hij stond te beven in zijn onderbroek. Het was geen warme dag, al was het zomer.

Nouchka wilde Kleintje ook zwart maken, maar daar stak

84

ik een stokje voor. 'De Black Beauty Wedstrijd is alleen voor mensen,' zei ik.

Toen volgden de buurkinderen. Wij schreeuwden zo hard als we konden: 'Doe mee aan de Black Beauty Test. Win de hoofdprijs in de Black Beauty Test.' Er ontstond een oploopje. Steeds meer kinderen lieten zich door ons zwart maken.

'Op Aruba geven ze altijd een tochtje op een cruise cadeau,' zei Nouchka.

'Onze hoofdprijs is leuker,' zei ik.

We hadden de kans om onze gang te gaan omdat Joyce bij de ouders van Sonja thee zou drinken, in het huizenblok tegenover ons, en vandaar had je geen zicht op onze achtertuin.

Maar opeens hoorde ik Robs stem vanachter de struiken.

'Je moet dit wel even zorgvuldig lezen. Ik heb 't voor je opgezocht en er fotokopietjes van gemaakt.'

Druk pratend kwamen Joyce en Rob ons tuinhekje door, juist toen alle pikzwarte kinderen, vooral jongens, op een rijtje naast elkaar, velen onder hen half aangekleed, door ons gekeurd werden.

Rob had papieren onder zijn arm en leek alleen daar maar aandacht voor te hebben. Joyce stokte, en haar mond viel open van verbazing. Door haar reactie keek Rob ook. Niemand zei iets.

De wedstrijddeelnemers gingen zo in het spel op dat zij niet doorhadden dat Joyce en Rob geshockeerd waren door wat ze in de tuin op het slecht gemaaide gazon aanschouwden.

Ik wist niet of Joyce zou gaan schreeuwen, of huilen, want haar gezicht stond bedrukt.

Haar stem klonk echter oprecht liefdevol toen ze, na enkele seconden heel stil te zijn geweest, zei: 'Zohra heeft eigenlijk straf. Tuinarrest. Maar dan weet ze er toch nog een feest van te maken... Precies haar vader vroeger.'

Alsof er niets aan de hand was liepen ze gezamenlijk het huis binnen, en achter hen sloten ze de keukendeur.

De zwart gemaakte kinderen liepen om beurten over een zelfgemaakt podium van twee hutkoffers die we uit de schuur hadden gesleept. Nouchka maakte veel werk van een jongen die langs kwam fietsen en niet bij ons in de buurt woonde, maar ergens op een boerderij. Omdat de zwarte smeer op was wikkelde ze hem in zwarte tape die ze bij haar thuis in een la gevonden had. De jongen, Bart, liet geduldig met zich doen. Ik had het toen al in de gaten kunnen hebben, maar ik was blind, naïef, en kon me niet voorstellen dat een van ons zich nu al aangetrokken zou kunnen voelen tot het andere geslacht. De tape was bijna op, maar ze had nog lang niet al zijn ledematen ingewikkeld.

Sonja vroeg bezorgd: 'Wie moeten we nou de hoofdprijs geven? We kunnen geen vliegticket naar een eiland betalen.'

Langer wachten met het aanwijzen van de winnaar wilde ik niet. De aandacht van Nouchka voor die Bart vond ik sterk overdreven. Ik werd er onrustig van, dat gepruts van Nouchka aan die jongen.

'We moeten een mietje als winnaar aanwijzen. Iemand die niet alleen op reis mag van zijn moeder,' zei ik. Ik keek scheef naar de jongen wiens gezicht vertrok omdat Nouchka een stukje tape van zijn arm naar zijn neus verplaatste.

Sonja riep spontaan: 'Mijn broertje is de winnaar!'

Patrick werd door iedereen bejubeld. Bart en nog een buurjongen droegen hem de tuin rond terwijl ze zongen: 'Op een onbewoond eiland, op een onbewoond eiland...'

Ik sloop naar binnen, waar Joyce en Rob, gebogen over de papieren op hun schoot, op de sofa met elkaar praatten en niet merkten dat ik bij de deur stond en alles woord voor woord hoorde.

Kleintje was al zo groot en dik geworden dat de ketting nog maar in twee keer om haar dikke nek ging. Het medaillon leek in al die jaren sterk gekrompen.

Niemand vroeg ooit nog: 'Wat heeft die kat om d'r nek?' Het hoorde bij Kleintje zoals de zeeroversvlek.

Onder de volwassenen in Zonnehof was niet iedereen ziek, gestoord, gehandicapt, verlamd, of overspannen. Met enkelen was ik sterk bevriend. Pas toen ik ouder werd probeerde ik onder de bezoekjes aan Zonnehof uit te komen.

Er waren twee mannen die ik diep in mijn hart als vader wilde. De ene was Iepe, die ik sinds een gebeurtenis bij de vijver Tarzan noemde. Hij zag er groot en sterk uit, bemoeide zich nooit met ons, voerde dag in dag uit brood aan de eendjes. Als mijn vader dan toch op Zonnehof moest wonen, waarom was hij dan geen Tarzan of professor Blink? Professor Blink was niet groot en sterk maar tenger en oud. Nadat ik dat oude heertje zo noemde werd hij professor Blink voor iedereen, en hij luisterde alleen nog naar die naam. Zelfs de verplegers namen het van ons over.

Zoals niet iedereen in Zonnehof abnormaal was, was zeker niet elke volwassene buiten Zonnehof normaal. Judith, die altijd naar haar pillen zocht, zou niet misstaan in Zonnehof, terwijl professor Blink een leuke buurman bij ons in de straat had kunnen zijn. Er waren van die dagen dat Judith en Els opeens streng wilden doen, en dan mochten Nouchka en Sonja niet mee naar Rien, maar moest Sonja pianospelen, en Nouchka haar kamer opruimen, of iets anders wat je net zo goed op een ander tijdstip zou kunnen doen. 'Het kan niet elke dag feest zijn,' zei Els, en daarop reageerde Nouchka haarscherp met: 'Dat moet jij nodig zeggen. Jij viert dag en nacht feest.'

En dat was waar. Els had altijd wel minstens één bezoeker uit Amsterdam, Rotterdam, Brussel, Londen of Parijs die bij haar bleef en met wie ze tot diep in de nacht naar muziek luisterde zodat ze 's morgens niet uit bed kon komen.

Meestal nam Joyce het voor me op, en die haalde de moeders over.

'Hoe meer zielen, weet je wel,' zei ze dan. Niemand kon haar ooit iets weigeren.

Als de meisjes mochten, dan mochten de broertjes ook, en dan was de auto weer zwaar beladen.

We hadden altijd Nouchka's super 8-camera mee. Joyce ging binnen via de voordeur, zoals het hoorde. Maar ik rende meteen achterom, naar professor Blink, die doorgaans op een bankje een pijp zat te roken.

Hij droeg een driedelig kostuum, en op zijn borstkas zaten wel veertig verschillende medailles opgespeld.

Ik vroeg hem vaak: 'Hoe komt u aan die medailles?'

Altijd antwoordde hij: 'Van de koningin.' Hij sprak ofwel in horten en stoten, of fabriceerde een ononderbroken woordenstroom waarin zoveel moeilijke termen zaten dat je niet zeker wist of je helemaal begreep wat hij bedoelde. Dat vond ik spannend, dat je steeds moest opletten of je hem wel goed snapte. Ik leerde er nieuwe woorden door die ik 's avonds in de Van Dale opzocht, omdat ik net zo slim wilde worden als hij.

Van Joyce moest ik eerst Rien groeten, en als ze me daar in de auto aan herinnerde, beloofde ik het haar en was ik het werkelijk van plan. Maar zodra ze de auto geparkeerd had en ik uit de wagen sprong vergat ik de belofte. Het was net of ik niet anders kon, of ik als een magneet naar de andere kant van Zonnehof werd getrokken.

Ik wilde mijn moeder niet teleurstellen, maar het ging vanzelf.

Joyce dacht dat ik hem links liet liggen, ik hoorde haar praten met de andere moeders: 'Ik heb geen vat op haar. Zohra doet wat ze wil, wat ze in haar hoofd heeft dat doet ze, en niemand kan haar daarvan afbrengen.' Maar zo was het niet. Als ik echt deed wat ik wilde ging ik niet meer naar Zonnehof en zocht ik een nieuwe vader uit op de camping. Een toerist met brede schouders, sterke armen en een diepe, warme stem, zoals mijn vader vroeger.

Ik ging wel naar Rien toe, alleen niet op het moment dat zij het wilde. Pas als niemand keek, ook Joyce niet, groette ik hem. Hij herkende me altijd, zei altijd mijn naam en keek vrolijk. Ik ging niet om de hele wereld te laten zien: kijk ik groet mijn vader. Zien jullie wat een lieve dochter ik ben? Ik schaam me niet dat hij mijn vader is. Let op, ik zoen hem, ook al stinkt hij en voelt zijn wang als de huid van een onzorgvuldig geplukte kip.

Mijnheer Buisman heette hij eigenlijk, de geleerde professor Blink. Dat zag ik op het bordje op zijn bed staan. Hij sliep in een zaal met veel mensen. Een keer huilde hij omdat iemand een medaille had gepikt. Toen lag hij op bed en bonkte met zijn hoofd tegen de muur totdat de verplegers hem wisten te kalmeren.

De dag waarop Iepe Tarzan ging heten was de dag waarop Joyce 's ochtends door Zonnehof was opgebeld omdat het slechter met Rien zou gaan. De dag begon verder als elke andere. Ik ren met Nouchka's camera in mijn hand naar de vijver. Daar zit professor Blink zoals altijd. Ik neem naast hem plaats.

'Dag professor Blink.'

'Dag prinses van de dageraad. Ben je daar weer? Houd je gedeisd. Dit is een plechtig moment.'

Ik zwijg. Er heerst een rare stilte. Alsof er iets bijzonders gaat gebeuren en iedereen zit te wachten. De stilte is onrustig, zoals voordat de onderwijzer met het dictee begint. Ik kijk rond. Er zijn nog weinig bezoekers. Die komen meestal iets later. Wij zijn altijd erg vroeg en blijven het langst.

Ik kijk in de richting waar professor Blink zijn blik laat gaan.

Eerst zie ik niks. Alles lijkt ondanks de gespannen stilte als altijd. Dan zie ik wat hem fascineert.

In de grote boom bij de vijver bevindt zich een van de bewoners van Zonnehof, die zich als een schim door het gebouw pleegt te bewegen. Ze is bezig met een groot stuk touw. Ik weet niet wat ze doet. Ik zie het touw, zie haar klimmen. Ze kan het niet goed, en ze wankelt als ze het touw om een tak wil knopen. Het gebeurt vrijwel geruisloos. Er zijn meer mensen die dit net als wij gadeslaan. Allemaal bewoners. Geen bezoekers.

Ik heb nog nooit iemand bezig gezien om zichzelf te verhangen, en het duurt lang voordat ik begrijp dat wat zij aan het doen is iets te maken heeft met het spelletje dat wij wel eens op school spelen. Je raadt een woord, en bij elke foute letter komt er met potlood een streepje bij, en dat brengt je dichter bij de galg waar je kop door de lus gaat als je hebt verloren. Het touw om je nek doet je stikken. Iemand in de klas legde eens uit dat je niet sterft doordat je stikt maar door de klap die je hoofd maakt. Je nek breekt of zoiets. Ik heb het verhaal niet goed begrepen, maar prijs mezelf gelukkig dat ik het nu van a tot z kan zien.

Ik zet de camera aan en ga het filmen. Er zit een zoom op die ervoor zorgt dat ik alles wat beter kan bekijken. Zonder nadenken kijk ik door de lens, en film wat ik zie.

Iepe, die de eenden de rug toekeert, gaat als een Tarzan de boom in, en bevrijdt de patiënte uit de knoop om haar nek.

Het tumult van aanrukkende verplegers, broeders en patiënten heb ik ook op film gezet. De goede afloop.

Daarna breekt in mij de paniek los. Ik ga zweten. Ik moet dit vertellen. De koelte van tevoren is weg. Met de drukte in de tuin is mijn kalmte ten aanzien van het gebeuren eveneens verdwenen.

Als ze met de patiënte en een brancard langslopen ren ik ze voorbij, naar binnen, om het aan Joyce en de anderen te vertellen voordat ze de dame op de brancard met eigen ogen zien. Ik ben buiten adem als ik bij ze kom. Ze staan rond Riens bed, die vastgebonden is, met iets om zijn nek dat hem er gek uit doet zien, maar dat heb ik nog niet in de gaten. Ik stort het verhaal over hen uit.

Het enige wat Joyce zegt is: 'Je bent echt niet grappig. En zou je Rien niet eerst groeten, Zohra van Dam?'

Later blijkt dat zij denkt dat ik alles heb verzonnen om indruk te maken, en om goed te praten dat ik ondanks mijn belofte ook deze keer, nu Rien er weer slechter aan toe was, niet meteen naar hem toe ben gegaan, maar eerst naar de vijver.

(Het filmpje wordt zoals altijd door Rob naar de fabriek gestuurd om te laten ontwikkelen, maar we mogen het resultaat niet zien. Joyce zegt: 'Het is niks voor kinderen.' Judith zegt dat ze de film heeft verbrand.)

'Het is echt waar. Kom mee, misschien hangt het touw er nog.'

Ik nam Nouchka en Sonja mee naar de vijver, maar er waren geen sporen van het gebeurde.

'Waarom heb je die vrouw niet tegengehouden toen je haar dat touw om d'r nek zag doen?' vroeg Sonja.

Mijn antwoord was niet de reden, maar kwam eruit zoals de woorden vaak vanzelf kwamen: 'Maar dan was er niks gebeurd. Dan had ik niks te filmen gehad.'

Beschuldigde ze mij dat ik die vrouw niet gered had, en dat ik gewacht had totdat Tarzan, die eigenlijk Iepe heette, de grootste bewoner van Zonnehof die ik bij deze tot Tarzan had omgedoopt, het was gaan doen? Het verwijt in haar stem, was het terecht, kan ik mij zelfs nu nog wel eens afvragen? Ik was een kind van negen, misschien al tien of elf. En zij ook.

Was ik schuldig? Treft mij enig verwijt?

Een voorbeeld van onze dagelijkse diepgaande conversaties in Zonnehof lijkt verzonnen. Professor Blink zag ons zoeken naar het touw, en kwam bij ons onder de boom staan.

'Daar hebben we zowaar de Godin van het Oproer. Heb je discipelen meegenomen om te vechten voor verdoemenis?' vroeg hij.

'Wij vechten nooit, professor, wij zijn beste vriendinnen,' antwoordde ik, en ook al wist ik niet zeker of dit was wat hij bedoelde, ik vond het opeens erg belangrijk hem ervan te overtuigen dat wij vriendinnen waren, en dat we nooit ruzie hadden.

'In dit paradijs voor vervloekten loont het om alleen mijzelf als kameraad voor driemaal daagse ruzies te hebben. Ik heers over mijn innerlijke conflicten zoals de koningin haar onderdanen vreest.'

Sonja, die altijd geïnteresseerd was in geld en in beloningen voor goede daden vroeg: 'Krijgt Iepe nu een medaille van de koningin, denkt u, professor Blink?'

'Een onvergeeflijke misgreep van die honderd kilo spiermassa. Ook de idioot mag doen wat zij verkiest. Persvrijheid zit hem in 't ultieme gebaar, en blijft niet beperkt tot koppen in de krant.'

Nouchka, die ook de indruk wilde wekken dat ze begreep waarover hij het had, vroeg: 'Komt Iepe nu in de krant, professor?'

'Als dief van de staatskas misschien! Afzijdigheid had het ziekenfonds een onbetamelijke rekening van een patiëntonwaardige psychiater gescheeld.'

Op dat moment kwam Sonja met iets wat ons perplex deed staan. Nouchka en ik spitsten onze oren.

'Mijn moeder loopt ook bij de psychiater.' Ze zei het uitdagend. Bij Sonja wist je soms niet of ze met wat ze zei een bedoeling had.

'Die vampieren van de ziel wassen hun lange vingers in onschuld,' reageerde professor Blink.

'Mijn moeder wast haar handen honderd keer op een dag. Mijn broertje en ik moeten ook telkens een uur met onze handen onder de kraan omdat ze bang is voor bacteriën en zo,' vervolgde Sonja. De feiten waren voor een deel bij ons bekend, maar de ernst ervan drong onder deze omstandigheden iets meer tot ons door.

De professor inhaleerde diep, en zei: 'Bacteriën zijn de meedogenloze vijand van de desperate mensheid. Daar is alleen genadeloos onkruid niet mee weg te poetsen.'

De professor verdedigde daarmee, zo leek het mij, Judiths absurde gedrag. Sonja – maar ook ik was geïrriteerd – ergerde zich aan hem, en zei fel: 'Zelfs mijn vader, en die opereert mensen, zegt dat het overdreven is.'

Ik schaarde mij letterlijk naast haar. Het was fijn dat ook haar adoptie ouders ergens een steekje los hadden. Dat versterkte onze band. En daarom zei ik met heel veel medeleven, recht uit mijn hart: 'Ik heb altijd wel gedacht dat jouw moeder niet helemaal snik was zoals ze je broertje altijd ophemelt.'

Nouchka, eeuwig bereid om over haar moeder en vader te klagen, klapte haar kauwgombel die haar hele gezicht verborg stuk en zei: 'Alle moeders zijn gestoord met hun zielige zoontjes.'

We vergaten de professor, en vonden elkaar hier in onze gezamenlijke afkeer van de ongewenste broertjes.

Ik riep: 'Ja, het moest verboden worden om jongens op de wereld te zetten.'

Professor Blink tikte mij beledigd op de schouder: 'Ik was een goedaardig lankmoedig knaapje. De gekte stak pas heftig mijn volwassen kop.'

(Ik denk toch dat we elf waren, elf jaar oud.)

HET BESLUIT

In mijn herinnering nam ik dit besluit vlak nadat Tarzan de patiënte had gered, of vlak na de Black Beauty Test. Er is een oorzakelijk verband tussen de losse herinneringen, maar ik zie zelf de lijn niet meer. Als ik deze probeer te ontdekken is het alsof ik val, een val zonder einde.

Joyce zit aan het stuur. Dimitri zit met Nouchka en Sonja op de achterbank. Ik zit voorin in de gordel, Dimitri mocht niet voorin omdat Joyce dat gevaarlijk vond, en ze moest opschieten, nog de stad in voor boodschappen voor sluitingstijd of zoiets. Ik weet het niet zeker.

Joyce scheurt het pad van Zonnehof af. De andere broertjes waren deze keer niet mee. Nouchka en Sonja mogen die avond allebei bij me blijven slapen.

'Ik word later broeder in Zonnehof,' zegt Dimitri.

Nouchka en Sonja beginnen met elkaar te fluisteren, omdat Dimitri niet mag horen wat ze zeggen, maar ik hoor het evenmin.

'Ik ga dood voordat ik twaalf ben,' zeg ik luid. Ogenschijnlijk uit het niets. Een gedachte die als gevolg van een optelsom van vele gebeurtenissen allang in mijn hoofd rondspookt en nu spontaan een uitgang zoekt.

Joyce schrikt, kijkt perplex naar mij, en vergeet het stuur te draaien voor de flauwe bocht waardoor ze bijna tegen een boom aan rijdt. Ze remt net op tijd, en de auto komt precies voor de boom tot stilstand. De meisjes gillen. Ik vlieg ondanks de gordel met mijn hoofd tegen de voorruit. Een buil groeit. Er is geen bloed. Joyce zet de motor af, en haalt diep adem.

'Maak je gordel strakker vast,' zegt Joyce. Haar stem klinkt ijzig kalm.

Nouchka giechelt: 'Je kreeg al bijna je zin.'

Dimitri vraagt: 'Mag ik jouw kat dan hebben?'

Ik bijt hem toe: 'Ik ben nog niet dood, lulletje!'

De pijnscheut in mijn hoofd, pijn in mijn nek, negeer ik. Fysieke pijn is geen pijn.

Joyce hangt over haar stuur, en kijkt naar het dashboard. Ze ademt diep en zegt: 'Mag ik zo vrij zijn je te vragen hoe je op dit belachelijke idee gekomen bent?'

Sonja: 'Ja, Zohra, ik snap het niet, wat moeten wij zonder jou?'

Nouchka: 'Dan kun je mij nooit in een film zien spelen.'

Joyce trekt mijn gordel extra strak aan. Terwijl ze dit doet vraagt ze: 'Wat is er precies mis mee om twaalf te zijn?'

In mijn antwoord zit de pijn van de bult en van mijn nek, maar vooral de woede door opgekropte pijn om wat ik niet begrijp: 'Ik moet er niet aan denken dat ik een groot mens zal zijn. Ik wil niet zoals jullie worden!'

Zelf weet ik niet waar de tranen vandaan komen die nu opdringerig in mijn ogen prikken, maar die ik niet wil laten gaan. Niet zal laten gaan. Ik bijt op mijn lip en staar naar buiten.

Joyce zwijgt. De rest is ook stil.

Zacht zegt ze, zodat de anderen het niet horen: 'Je zou ook gewoon kunnen proberen om jezelf te worden.'

Ze start de auto opnieuw, rijdt langzaam, en op de achterbank gaan ze door over het onderwerp dat ikzelf al heb afgesloten.

Sonja: 'Als je twaalf bent, ben je nog niet volwassen, Zohra.'

Dimitri: 'Pas als je zestien bent.'

Nouchka: 'Op je achttiende sufferd.'

Sonja: 'Als je eenentwintig bent, zul je bedoelen.'

Nouchka: 'Zohra, je had beloofd dat je met ons samen beroemd zou worden.'

Ik schuif een bandje in de cassetterecorder en draai het volume open.

Elke zomervakantie liet Nouchka ons alleen, en waren Sonja en ik op elkaar aangewezen. Het afscheid was telkens weer zwaar. Shermans belofte waren we niet vergeten. Ieder jaar opnieuw probeerden we – koppig en tegen beter weten in – met Nouchka mee naar de Cariben te gaan.

De meeste zomer-afscheid-momenten zijn uit mijn geheugen weggevaagd. Een ervan staat me nog sterk voor de geest, evenals de rest van die vakantie, die de enige zomer met Sonja alleen lijkt te zijn geweest. Zij en ik werden hechter dan ooit, en de terugkomst van Nouchka verstoorde die balans onmiddellijk.

Misschien komt het doordat de super 8-camera van Nouchka ontbrak, en de filmbeelden mijn beleving niet hebben vervangen. De andere zomers had Nouchka haar camera voor ons achtergelaten als ze naar de Cariben ging, en legden wij al onze spelletjes voor haar vast, opdat ze niks van thuis zou missen.

vakantie

1 (jul.) dag(en) waarop –, naderhand tijd waarin geen gerechtszittingen plaatshebben, geen rechtspleging geschiedt 2 (in inrichtingen van onderwijs) elk van de periodiek terugkerende tijden waarin geen lessen worden gegeven: *de grote vakantie*, de zomervakantie; *vakantie geven, hebben, krijgen; met vakantie thuis komen* 3 vrije tijd, syn. *rusttijd: met* of *op vakantie zijn, gaan; de volgende dag zou ze, voor een maand, met haar ouders op vakantie gaan* (Carmiggelt); – (in 't bijz.) vrije tijd die jaarlijks wordt toegekend aan personen in verschillende beroepen of betrekkingen: *de vakantie van de bouwvakarbeiders; een dag vakantie*, een vrije dag; (jur) *kamer van vakantie*, zie bij *kamer; horizontale vakantie*, die hoofdzakelijk bestaat uit zonnebaden 4 (oneig.) het ledig, werkeloos, niet-actief zijn; – tijd dat men ledig enz is: *Filips die verwacht dat het hele leven een vakantie voor hem wordt* (Van Schendel); *toen hij dat ding kocht was zijn verstand zeker met vakantie?; nu is het mijn beurt, jij hebt vakantie!*

Els had al weken lopen vertellen dat ze broodnodig op zichzelf moest zijn. Joyce had haar daarom aangeboden om op Stefan te passen, zodat zij in haar eentje op vakantie kon gaan.

Ik zat niet uit te kijken naar een extra broertje een hele zomer lang, en vanwege mijn geklaag had Judith aangeboden Stefan om en om, dan weer bij haar dan weer bij ons, te laten logeren.

96

Els had haar zoveelste vrijer. Van hem wilde ze af, iets wat wij allemaal doorhadden, de kinderen, zelfs de buren in de straat met wie we niet omgingen. Alleen de jongeman zelf had er schijnbaar niets van in de gaten.

Hij was jong, zelfs ik, voor wie iedereen ouder dan twintig te oud was, zag dat deze man een zoon van Els had kunnen zijn als ze net als Sonja's biologische moeder een kind op haar vijftiende had genomen. Nouchka zei dat hij een slome duikelaar was die de hele avond Els haar voeten zat te zoenen terwijl Els uitgeblust naar de televisie keek. Maar van een afstand leek hij mij wel vriendelijk. Hij probeerde in elk geval geen vader voor Nouchka te zijn.

Els zou Nouchka naar het vliegveld rijden, en meteen daarna zuidwaarts. Dus in tegenstelling tot de andere zomers mochten wij deze keer niet mee naar Schiphol om haar uit te zwaaien, juist nu wij ons in ons hoofd hadden gezet dat Sherman zijn belofte van lang geleden maar eens na moest komen.

Ik had mijn zwemtas volgestopt met badpak, handdoek, schoon ondergoed en mijn lievelingskleren. Sonja had haar reisspullen in haar schooltas gedaan. We waren alvast met Nouchka achter in de auto gaan zitten, braaf en stil, met kloppend hart.

'Snap dat dan!... Ik heb nu eindelijk alles zo geregeld dat ik eens echt alléén op vakantie kan, alleen met mezelf. Laat me met rust! Het is uit tussen ons, Thomas!' schreeuwde Els terwijl ze naar de auto liep. Haar minnaar, of eigenlijk ex-minnaar droeg haar koffers, en druk gebarend zag zij ons nog niet in de auto zitten.

Pas toen ze was ingestapt merkte ze ons op in haar achteruitkijkspiegel. Thomas wilde naast haar kruipen, maar die kreeg opnieuw de wind van voren.

Intussen kwamen Joyce en Judith aangesneld en staakten de broertjes het voetballen. Die waren altijd met de bal in de weer. Van 's morgens vroeg tot 's avonds laat.

'Dag mam,' zei Stefan. Hij vond het best dat hij een maand

lang bij zijn vriendjes mocht logeren.

'Dag schat,' zei Els met een poeslieve stem. En vervolgens snerpte haar stem over de achterbank: 'Nouchka, als je het vliegtuig mist laat ik je gewoon achter op het vliegveld. Ik neem je echt niet mee naar Frankrijk, als je dat maar weet.'

Nouchka dook in elkaar. Meestal diende ze Els goed van repliek, maar nu kreeg ze rode ogen. Ze maakte zich klein, en leek hulpeloos. Elk jaar opnieuw wilde ze niet weg, maar elke keer als ze terugkwam had ze heimwee naar haar Antilliaanse oma en naar het warme strand.

'Sherman had beloofd dat Sonja en ik ook een keer mee naar de Cariben mochten,' zei ik streng, eisend, in plaats van met een zielig zeurstemmetje, dat ik overigens wel heel even overwoog op te zetten. Een zielige stem gebruikte ik zelden, dat was mijn stijl niet, maar soms viel er niets aan te doen, dan maakte je gebruik van elk beschikbaar middel om wat je wenste voor elkaar te krijgen. Els probeerde altijd in alle toonaarden om haar zin te krijgen, dus voelde ik me bij haar niet beschaamd om hetzelfde te doen. Toch koos ik voor streng en helder, als een schooljuf die de leerlingen op hun verantwoordelijkheden wijst.

'Sherman heeft mij ooit ook een hoop beloftes gedaan, Zohra,' zei Els met een vals lachje om haar mond.

Nouchka – op haar allerliefst – fleemde: 'Als jij de vliegtickets nou voorschiet, dan betaalt hij het jou wel terug.'

Els reageerde met claxonneren, luid, en non-stop. Thomas, die hoopvol had toegekeken of Els nog van gedachten zou veranderen, maakte rechtsomkeert en liep zogenaamd nonchalant weg met zijn weekendtas over zijn schouder. Buren keken uit het raam. Rob en Judith trokken ons uit de auto. Sonja liet zich vlot verwijderen, maar ik stribbelde heftig tegen.

'Het is niet eerlijk,' riep ik zo hard als ik kon, 'beloofd is beloofd.'

'Maak je maar geen zorgen om Stefan,' zei Joyce tegen Els,

die vol vuur het gaspedaal intrapte met de andere voet nog op de rem.

Stefan zwaaide met twee handen. Nouchka had haar neus tegen de achterruit gedrukt toen Els de straat uit scheurde.

GAMES4GIRLS.NL
CAT THE GRIP

De kat wijst op drie mogelijkheden.

Ik schrijf de spelregels niet uit. Het meeste merk je door ondervinding.

1. STEL JEZELF SAMEN
2. WEES EEN PRODUCT VAN JE VADER EN MOEDER
3. ADOPTIE

Bij optie 1. creëer je je eigen ideale ik. Het stel ouders dat biologisch en genetisch voor een dergelijke ideale persoonlijkheid verantwoordelijk is, krijg je erbij cadeau.

Volwassenen die genetisch en biologisch samen tot de beste eicel-sperma-combinatie leiden voor een honderd procent ideale persoonlijkheid zouden wel eens ondraaglijke etters van ouders kunnen zijn. En de invloed van slechte volwassenen op een ideaal kind kan het kind doen opgroeien tot een of ander schlemiel ondanks de voorbeeldige begin-omstandigheden.

Bij optie 2. stel je de ideale ouders samen en blijft het, alhoewel in kleine mate, toch enigszins een gok wat voor kind het wordt. De wet van Mendel zorgt niet alleen voor voorspelbaarheid maar ook voor enige verrassing dankzij de werking van dominante en zwakke genen. Het kind kan door de combinatie van recessieve en dominante chromosomen toch bepaalde erfelijke kenmerken of ziektes krijgen waar je niet op had gerekend.

Het is helaas niet gezegd dat ideale ouders een ideale persoonlijkheid ter wereld brengen. Eigenschappen die bij een

99

goede moeder horen zouden wel eens kunnen leiden tot half-zachte dochters.

Optie 3. lijkt ideaal, omdat je de ideale ouders kiest die voor jou moeten zorgen, en ook zelf bepaalt hoe jij eruit zal zien en wat je karakter is. Het kind blijft echter toch zitten met erfelijke factoren van haar biologische ouders. Theoretisch is het mogelijk om eerst je eigen ideale ik te creëren, en die ik te laten adopteren door een ideaal ouderpaar, maar dat is in mijn spel nog niet mogelijk, want een dergelijke complexiteit kan de technologie die ik tot mijn beschikking heb nog niet aan. De adoptievorm is als concept een heel interessante, maar ik worstel nog met de uitwerking ervan in spelvorm.

Ik heb al een aardig stukje animatie af. Het is nog maar een proef, maar elke adoptieactie heeft zijn eigen gezicht. Een wedstrijd tegen de tijd. Ik doe dagen over een half minuutje.

Het heelal.
  Zoom in op de aarde.
  De wereldbol draait in de rondte.
  De kat zet hem STOP.
  Er wordt een land aangewezen.
  Een woonplaats.
  Een huis vanuit helikopteroverzicht.
  De kat sluipt het huis binnen.
  Het kleinste kind van een familie uit *Mali* in *Afrika* wordt door de als cowboy gelaarsde kat met een uitgeworpen lasso opgepakt. De gezinsleden proberen uit alle macht het kind te behouden. Er zijn ook gezinsleden die het kind wegduwen. De kat wint. Het *Kind* wordt door de lucht meegetrokken.
  Geluid: Een hels gejammer, geweeklaag van huilende meisjes.

Die zoveelste zomer zonder Nouchka.

De enige in mijn herinnering.

Alle poppen en knuffeldieren, ook die van de broertjes hadden we verzameld. Ik had de sleutel van het huis van Els uit mijn moeders keukenla gepikt, en alle poppen van Nouchka en de knuffels van Stefan er weggehaald.

Nouchka had de meeste poppen, grote en kleine. Ze was de enige van ons drietjes die er ook werkelijk mee speelde. En ze had wel twintig Barbies, want Sherman stuurde haar voor elke verjaardag, sinterklaas en Kerstmis minstens één.

Nouchka's ogen straalden triomfantelijk als de postbode weer met een pakketje was langs geweest. Het sloeg nergens op, maar zij riep ondeugend: 'Liever tien Barbies in de hand...' Wij juichten mee: '... dan één vader in je eigen land.'

Patrick had de grootste knuffels: een tijger, beren en apen die groot genoeg waren om je achter te verstoppen. Die vonden we voor dit doel het meest geschikt.

De poppen en knuffelbeesten hadden we op het gazon uitgestald. Elk van hen gaven we een naam, en de poppen die eigenlijk al een naam hadden kregen een nieuwe.

Ik verschool me achter de grote liggende tijger van Patrick, maar Sonja koos een gewone babypop, de grootste weliswaar, en we imiteerden het gehuil van een kind dat wordt gemarteld.

Vanachter de heg verschenen gezichten van verontruste buren.

Joyce was, zoals altijd, op het reisbureau. De broertjes riepen Judith die hysterisch kwam aanrennen.

'Zijn jullie gek geworden? Hou op met dat gegil,' schreeuwde ze boven ons gejammer uit.

Daar hadden we op zitten wachten.

Ik kwam schijnheilig vanachter de tijger tevoorschijn en zei met een onschuldig vriendelijk gezicht: 'We spelen alleen maar adoptietje. Mag dat nu ook al niet meer?'

Sonja was anders dan Nouchka. Terwijl Nouchka altijd uit-
bundige fysieke spelletjes verkoos, en wilde zingen en dansen,
of tikkertje doen, had Sonja een voorkeur voor tegen elkaar
aan zitten op een bankje, toneelspelen, en oefenen met acteren
voor later.

Het was een mooie zomerse dag. Van die ene zomer met
Sonja herinner ik me vooral veel zonnige dagen.

We waren vaak in Zonnehof. Joyce had liever dat we daar
waren wanneer zij werken moest. De broertjes waren meestal
onder de hoede van Judith.

We scharrelden bij professor Blink rond om te luisteren
naar zijn verhalen. Sonja schreef de woorden die ze niet kende
op. 's Avonds zochten we in het woordenboek naar de betekenissen, en maakten onze eigen zinnen van de woorden die we
uit ons hoofd leerden, en te pas en te onpas gebruikten, vooral
om de broertjes te imponeren.

De ene dag waren we cowboy, de andere indiaan. Die keer
waren we als indianen naar Zonnehof getogen met indianen-
tooien die Els op ons verzoek ter gelegenheid van het school-
carnaval had gemaakt van haarbanden en kippenveren. Onze
indianenpakken waren oude pyjama's waaraan veel franje was
gestikt. Bijna alle patiënten bevonden zich in het park van de
inrichting. We nestelden ons op het gras in de schaduw van de
bomen, en rookten met professor Blink de vredespijp.

Het was zijn eigen pijp, maar omdat we op echte indianen
leken reikte hij ons zijn pijp aan, en deed voor hoe we moesten
inhaleren.

Ik nam er stevig hoestend als eerste een trekje van, en gaf
hem door aan. Sonja. Twee andere bewoners die bij ons op het
gras in kleermakerszit hadden plaatsgenomen sloten zich bij de
vredesceremonie aan, en namen ook elk een trekje. De pijp
ging de kring een paar keer rond. De kring groeide. Er kwamen steeds meer bewoners bij om de vrede van het indianen-

dorp Zonnehof te vieren.

Zonder hoesten lukte het me nog niet, maar Sonja kon inhaleren zonder dat ze erin stikte.

'Als je elke dag in een gekkenhuis komt kun je net zo goed zelf ook gek zijn,' fluisterde ik tegen Sonja.

Sonja antwoordde bezorgd: 'Kunnen we het nu niet overkrijgen, door die pijp?'

Ik bekeek de bewoners een voor een. De vertrouwde gezichten bespiedde ik door mijn oogharen, van mijn ogen maakte ik spleetjes, en zo was het alsof ik ze weer voor de eerste keer zag, en ze daardoor beter kon beoordelen.

Jopie had pukkels en praatte eigenaardig. Koentje, een spastische jongen, liep altijd met een soort toeter die aan een koord om zijn hals hing. Voor de grap, dat vond hij leuk, blies ik op die toeter telkens als ik hem tegenkwam. Als zijn ziekte besmettelijk was, dan had ik die allang gekregen.

Er zaten een paar mensen tussen die ik nauwelijks kende. Eentje had ik nooit eerder gezien. Misschien was hij een bezoeker. Of iemand gek of ziek is kun je eigenlijk niet meer zien als je zoals wij, praktisch gesproken zowat in de inrichting woonde.

'Krankzinnig word je niet door bacteriën,' zei ik.

Sonja was het er niet mee eens: 'En mijn moeder dan?'

'Die is gewoon gek van zichzelf. Smetvrees. Dat hebben heel veel vrouwen. Kijk, zij staat daar al een halfuur d'r handen te wassen.'

Ik wees naar een vrouw die al heel lang bij de kraan van het buitenfonteintje stond. De vrouw zag eruit zoals de vrouwen op straat, op de camping, en in de supermarkt.

Sonja zaagde graag door over vervelende onderwerpen. Dat merkte ik pas goed als ik alleen met haar was. Op Nouchka werd ik zelden kwaad, maar Sonja kon dingen zeggen die mij, zonder dat ik precies wist waarom, zo irriteerden dat ik zin kreeg om te slaan. Ik stond op uit de kring, en neerkijkend op de kring zei ik: 'Krijg jij dan soms smetvrees omdat jouw moeder jou elke avond welterusten zoent?'

Ze negeerde de pijp die haar werd aangegeven, en gaf hem door zonder een trekje. Ze deed zelfs niet net alsof.

'Sommige ziektes zijn echt wel besmettelijk hoor, weet je dat?' zei ze bijna bezwerend.

Het was onze indianen-cowboy-zomer. De koninginnen-prinsessen-periode was een beetje voorbij. We zetten de broertjes cowboyhoeden op en bonden ze vast aan de boom bij de vijver. Sonja en ik dansten er als indianen omheen, en ons spektakel werd beloond met applaus.

Rien was er niet bij, die zat in een rolstoel aan de andere kant van het gebouw, waar Judith en Joyce bij hem en vele anderen in de schaduw zaten.

Dimitri schreeuwde: 'Maak ons los.'

'Dat kunnen jullie zelf wel, stakkers,' was mijn antwoord.

Sonja en ik gingen op enkele meters afstand tegenover elkaar staan, gooiden om beurten een lasso uit, en mikten op elkaars hoofd. Ik kon het beter dan Sonja. Als zij gooide raakte de lasso soms mijn voeten, maar meestal kwam hij een meter bij me vandaan op de grond neer. Ik kreeg de lus echter precies om haar hoofd, en die zakte dan tot om haar nek. Ik miste haar zelden.

Patrick jammerde: 'Waar zijn onze knikkers? Je had ons knikkers beloofd.'

Schijnbaar onverstoord ging ik door met lasso werpen. Vervelend dat geschreeuw van dat schlemieltje. Joyce had ons gewaarschuwd dat we ons vandaag moesten gedragen. De directie van Zonnehof had geklaagd. Als de jongens kabaal maakten kreeg ik de schuld.

Wijzelf hadden de broertjes deze keer gevraagd mee te doen in ons toneelstuk voor de bewoners. Aanvankelijk deden ze voor de lol mee, maar toen ze erachter kwamen dat ze vastgebonden zouden worden en onze gevangenen moesten zijn, wilden ze alleen nog maar meedoen als we knikkers beloofden. We hadden gehoopt geld in te zamelen, zoals wanneer we toneelspeelden op de camping, die ons als speelterrein door de ouders verboden was, maar waar we, net als op het afgesloten bouwterrein vaak rondhingen. Hier op Zonnehof gooide echter niemand iets in onze omgekeerde cowboyhoed.

Ik had het wel gedacht, want Rien had nog geen stuiver om ijs voor ons te kopen. De patiënten werden als baby's beschouwd. Pijp roken mocht wel, maar een portemonnee vasthouden scheen verboden te zijn. Een tegenvaller, want we gingen ervan uit dat we met ons toneelstuk genoeg zouden verdienen om er ook knikkers voor de broertjes van te betalen. (Die avond wilden we stiekem uit het slaapkamerraam klimmen om naar de camping te gaan, waar voor toegang tot het feest – een gekostumeerd bal – entreegeld werd geëist.)

'Je hebt ons knikkers beloofd,' schreeuwde ook Dimitri.

'Als je voor dode zou spelen!' zei ik tegen de broertjes, die probeerden om zich uit het touw te bevrijden. 'Maar ik heb nog nooit een dode zien huilen!'

Sonja en ik giechelden om mijn slimmigheid, dat we die sukkels geen knikkers hoefden te betalen vanwege hun miserabel acteertalent.

Joyce kwam op Dimitri's kabaal met ijsjes aangesneld. Een van de verplegers had vast weer eens gekletst.

'Geef ze die knikkers, Zohra, beloofd is beloofd,' zei ze, terwijl ze me een ijslollie aanreikte.

Ik weigerde het ijsje, en huppelde met mijn lasso en mijn rubberbijl weg. Sonja bleef bij Joyce. Soms dacht ik dat ze meer om mijn moeder gaf dan om mij.

Niks aan de knikker.
Het gaat om de knikkers, niet om het spel.
Het is niet om de knikkers maar om het recht van het spel.
Het verliep als een knikker het gootje.
Het gaat ze om de knikkers.

Er is stront aan de knikker.
Hij is eruit geknikkerd.
Ik heb nog met haar geknikkerd.
Kale klote klere knikkers.

Rien zit verlaten in zijn rolstoel in een schaduwrijke afgelegen hoek van de tuin. Hij staart voor zich uit, maar glimlacht als hij mij ziet.

'Zohra,' zegt hij. (Blij, zoals altijd.)

Ik maak van een twijgje van de bruidssluier en een rododendronknop een vredespijp. Eerst inhaleer ik diep, blaas de denkbeeldige rook vlak voor zijn gezicht uit, en overhandig hem plechtig mijn zelfgemaakte pijp. Rien neemt hem aan, maar snapt het niet, dus neem ik opnieuw een trekje, terwijl ik de pijp samen met hem vasthoud, en blaas weer langzaam uit.

Onze gezichten zijn dicht bij elkaar. Hij laat de pijp los, zijn hand zakt weg.

'Zo moet het,' zeg ik, en opnieuw doe ik voor hoe hij het pijpje aan zijn mond moet zetten, en net als ik de zogenaamde rook weer moet laten gaan.

Rien lacht, en pakt de pijp van mij over.

Maar in plaats van zogenaamd te roken, trekt hij de rododendronknop van het twijgje, en ontleedt deze, als een biologisch onderzoeker die bloemen determineert.

Het zijn niet de afzonderlijke gebeurtenissen die betekenis hebben, het is de volgorde van de optelsom.

We zitten al in de auto als Joyce wordt aangehouden door Piet, een van de patiënten die nog niet zo lang in Zonnehof woont. Een Indonesisch type, net als zij, maar iets donkerder, en dikker, met een grote, zwarte snor.

'Joyce, hou je nog een beetje van me?' vraagt hij.

'Tuurlijk Piet,' zegt Joyce met haar grote gulle glimlach.

'Zullen we dan maar gaan trouwen, Joyce?'
'Afgesproken, jongen.'
'Dan gaan we samen naar Indonesië, oké?'
'Goed hoor, Piet.'
Piet houdt haar hand vast, waardoor ze nog niet in kan stappen. 'Beloof je dat, Joyce?'
'Ja, Piet, dat zeg ik toch!'
'Wanneer gaan we?'
'Wanneer je maar wilt, Piet.'
'De volgende keer?'
'Da's goed, Piet.'
'Beloof je dat?'
'Dat beloof ik, jongen.'

Er zijn momenten waar ik me nu nog voor geneer. De schaamte om zwak te zijn is een schaamte waarvan ik nog nauwelijks ben genezen. Het is alsof je dood en ziekte toelaat, nee uitnodigt om zich te huisvesten in je ziel en lichaam. Kwetsbaarheid is geen keuze, het overkomt je als een verkoudheid of griep. Er is geen verweer tegen zwakte.

De radeloosheid, de angst om zwak te zijn lijkt erger dan de dood zelf.

De angst om bang te zijn, is die groter dan de angst zelf? Is de angst om zwak te zijn simpelweg door de angst om zwak te zijn een reële angst?

In mijn herinnering heb ik Joyce de auto in gesleurd, de autoportieren op slot gedaan, en gegild dat ik nooit meer terug naar Zonnehof wilde. Of het zo is gegaan weet ik niet. Ik denk het niet. Maar iets van paniek moet ik toch wel hebben getoond.

'Als jij naar Indonesië gaat, wat moet ik dan? Moet ik dan zonder moeder blijven?' Ik herinner mezelf krijsend, hulpeloos, opgeslokt door – zoals ze dat in de psychiatrie zo mooi weten te zeggen – desolate verlatingsangst. Joyce lacht, of ze me uitlacht of geruststellend toelacht weet ik niet, ze lacht en lacht en zegt: 'Maar ik meende dat toch helemaal niet. Ik deed alsof. Het was gewoon spel, net als jij met Sonja indiaantje speelt. Snap je? Dat is doen alsof!'

Emoties zijn irritante onderdelen van menselijke wezens. Vooral als ze hun eigen weg lijken te gaan. Achteraf vraag ik me af hoe ik zo overstuur kon raken, want ik was een intelligent kind, en had beter moeten weten. Jaren later zeiden Nouchka en Sonja dat ze me nog nooit hadden zien huilen. Dus misschien was wat er in mij omging niet zo zichtbaar als ik me herinner, en heb ik slechts zacht gemompeld: 'Je hebt het hem beloofd! Ik hoorde het toch! En beloofd is beloofd zeg je zelf altijd.'

Joyce benadrukt, met een diepe zucht, alsof ze wil zeggen dat het leven lastig en ingewikkeld is: 'Het was alleen maar spel...' Ze articuleert: 'Doen alsof, begrijp je?'

In Sonja's gezicht lees ik verbazing. Zelfs in de ogen van Dimitri en de dwaze broertjes lees ik: wat doet zij raar? Dat ze dat niet snapte, dat het gewoon een spelletje was.

Ik zie mezelf in die auto, en begrijp dat ik me belachelijk heb aangesteld.

Een van die momenten dat de angst omslaat in schaamte en de schaamte langzaam maar zeker verandert in kracht, in wraak, die nog geen uitweg weet, maar die groeit, waarna je afspreekt met jezelf dat je nooit meer zwak zult zijn. Angst is niet geoorloofd. Xohra is te groot voor vrees.

Ar-ti-cu-la-tie
Ar-ti-fi-ci-eel
Ar-til-le-ris-tisch

Ergens, op een bepaald moment, moet ik hebben besloten nooit meer zwak te zijn, liever eenzaamheid dan medelijden, liever zelfstandig dan hulpeloos, nooit meer op iets of iemand rekenen.

Op de stoep van het reisbureau was het een rommeltje van schoenen en speelgoed. Sonja en ik deden handstand tegen de gevel. Met onze blote voeten leunden we tegen de etalageruit, waarachter affiches van tropische vakantieoorden geplakt waren. Dimitri probeerde tussen ons in ook een handstand te maken. Zijn benen raakten per ongeluk mijn hoofd.

De ergernis dat Dimitri zo nodig met ons mee moest, als papkindje, omdat hij bij zijn moeder wilde blijven, en niet met Judith, Rob, Patrick en Stefan mee naar de dolfijnen was gegaan, speelde mij parten. Ik onderdrukte de neiging om telkens per ongeluk expres op zijn tenen te gaan staan. Ik negeerde zijn enthousiaste vreugdekreten als hij ook zijn benen in de lucht kon houden zonder te vallen. Sonja schonk hem de aandacht die hij van mij niet kreeg en dat maakte me nog prikkelbaarder. Ze leken net zus en broer. Allebei bruin en tenger. Dezelfde kuiltjes in de wangen.

Zodra hij met zijn voet tegen mijn gezicht botste explodeerde ik. Opgeslagen dynamiet ontvlamde.

'Ga weg!' Ik duwde hem hardhandig bij de etalage van het reisbureau vandaan. 'Zoek jij je eigen muur maar.'

Dimitri protesteerde als een mietje: 'Dit is ook míjn muur, het is ook míjn moeder.'

Hij bleef pontificaal tussen Sonja en mij staan, en met meer misbaar bleef hij op mijn plekje staan.

'Had je gedacht! Jij bent een vondeling. Ik heb jou in een mandje in de vijver van Zonnehof gevonden,' zei ik op een hekserig toontje.

Wat ik verwachtte gebeurde. Hij rende naar de deur van het reisbureau om troost te zoeken. Dus vloog ik hem voorbij, opende de deur voordat hij binnen was, en belemmerde de doorgang door wijdbeens in de deuropening te gaan staan. Er waren drie klanten. Joyce keek geërgerd op.

'Kinderen, geen ruziemaken,' zei ze veel te vriendelijk.

Vanuit de deuropening, met een vette knipoog naar mijn moeder en de dame die ze aan het helpen was, zei ik: 'Mam, het is waar, zeg Dimitri dat het waar is.'

Dimitri was tussen mijn benen door naar binnen gekropen. Met een klap gooide ik de winkeldeur achter hem dicht.

Alsof er niks gebeurd was ging ik weer op mijn handen staan. Ik leerde Sonja acrobatische toeren op het trottoir. Sonja was angstiger dan Nouchka, terwijl ze eigenlijk leniger was. Ik hield haar benen in de hoogte, en leerde haar op een enkele hand te blijven staan. Even later kwam Dimitri weer naar buiten, nu met een opgeklaard gezicht.

'Je jokt! Ik ben niet in een mandje geboren.'

Daar is het weer. De wens om te gaan slaan. Mijn vuisten gebruiken. Ik vecht echter niet. Het zijn woorden die als vanzelf als hagel op het meest voor de hand liggende doelwit worden afgeschoten.

Ik stoof het reisbureau binnen waar Joyce juist een grote folder van Griekenland uitvouwde en een reis naar een of ander eiland aan het aanbevelen was, rende tot aan de toonbank, onbeheerst, overtuigd van het recht aan mijn kant, en snauwde haar toe: 'Wat ben jij een spelbreekster! Bah, wat kinderachtig! Je hoefde alleen maar "ja" te zeggen.' Ik articuleerde: 'Doen alsof... weet je wel... 't is alleen maar spel, hoor!'

En met een zekere triomf verliet ik de winkel.

Soms deed het me goed om haar te kwetsen. Artilleristische bedrijvigheid ter voorkoming van onevenwichtigheid in de kwetsbare gebieden.

Sonja en ik lagen samen in bed, en schepten tegen elkaar op over onze littekens, toen Judith voor de tweede keer kwam zeggen dat ze niets meer wilde horen, dat we onmiddellijk moesten slapen, want het was al bijna middernacht. Nadat ze de kamer weer verlaten had vonden we nog veel meer littekens op onze lichaamsdelen. Mijn grootste was van de keer dat ik in de bouw van een steiger afgevallen was, en een paar van toen ik met de fiets viel met Rien. Ik toonde ze met trots maar zei dat ik me de herkomst niet kon herinneren.

Sonja had er eentje op haar arm waarmee ze als baby naar Nederland kwam. Er zat wild vlees op. 'Wild vlees uit Korea,' zei ik. Ze legde uit: 'Nee, komt omdat ik er als baby altijd aan zat te krabben.'

We kietelden elkaar, griezelden om elkaars littekens en lelijke moedervlekken toen Judith verstoord voor de derde keer de kamer binnenkwam.

'Wordt er nu eindelijk eens geslapen? Ik waarschuw voor de laatste keer.'

We sloten onze ogen, deden of we sliepen, bleven onbeweeglijk liggen, en proestten het plotseling weer uit. Judith, die achter de deur gewacht leek te hebben, stond opnieuw voor onze neus.

'Voor straf ga jij morgen maar eens in je eentje naar je vader, Zohra van Dam. En Sonja, jij hebt morgen huisarrest.'

Onze beide hoofden verdwenen onder het laken. We gaven geen sjoege. Judith was anders dan Els en Joyce, ze had geen ruggengraat, dan weer liet ze alles toe, dan weer speelde ze voor strenge moeder. Je wist nooit wat ze zou doen. Sonja was een keer door haar geslagen met een paraplu, en ook een keer opgesloten in de kelder.

Pas toen ze zeker wist dat haar moeder weg was fluisterde Sonja: 'Dan hoef ik morgen lekker ook niet mee naar haar psychiater toe.'

'Moet jij nu ook al naar de psychiater?' vroeg ik oprecht verbaasd.

'Ik ben de vorige week helemaal alleen met hem wezen praten.'

'Waarover?'

'Hij heeft mij beloofd dat hij nieuwe ouders voor mij gaat zoeken.'

'Dus je gaat verhuizen?'

'Ik mocht kiezen, en toen heb ik om een indianenopperhoofd in Brazilië gevraagd. Ik zei dat ik alleen ga als mijn vriendin mee mag.'

'Dan moet Nouchka ook mee,' zei ik, opgetogen dat we met ons drietjes spoedig zouden kunnen verhuizen.

'Er mochten alleen maar twee kinderen,' antwoordde Sonja.

Later zei Sonja, toen we achttien waren en herinneringen ophaalden uit onze jeugd, dat ze verbaasd was dat ze mij zo gemakkelijk iets op de mouw kon spelden. En dat ze er een beetje trots op was, alsof ze zich op een of andere manier toch een beetje met mij en mijn onbegrensde fantasie kon meten.

Een herinnering.

Op een stille plek aan een begroeide zijkant van het gebouw zat Rien in zijn rolstoel. Ik had hem zelf die kant op geduwd toen ik van Joyce de opdracht kreeg om hem in het park van Zonnehof rond te rijden. Ik liep in cowboykleren, had een lasso en een waterpistool.

Ik wierp mijn lasso uit. De lus viel precies om het hoofd van Rien die ik een indianentooi had opgezet. Rien keek mij stralend aan. Ik bond hem met rolstoel en al vast aan de regenpijp. Elke keer als ik met het touw bij hem voorlangs ging lachte Rien mij aanmoedigend toe. Een broeder die ons vanachter een raam in de gaten kreeg, bonkte op de ruit. Ik schrok van die boze ogen. Ik had geen idee waar hij zo woedend over was, keek hem aan, verbaasd over zijn drukdoenerij, ging verder met het touw, en legde een dubbele, platte knoop zodat Rien aan de muur vastzat.

Opeens stond de verpleger naast me. Hij duwde mij ruw opzij, maakte Rien los, trok de indianentooi van zijn hoofd, en reed Rien driftig bij mij vandaan. Het touw lag op de grond.

Ik liet mij op mijn hurken zakken, pakte het touw van de grond en bond mijn eigen handen stevig aan mijn voeten vast.

Alleen de laatste knoop lukte niet. Als ik mijn handen losser maakte zodat ik de laatste knoop er wel in kon leggen, kon ik mezelf te gemakkelijk bevrijden.

Je kunt jezelf niet vastbinden.

Ik ruik de grond. Een andere geur dan bij de vijver, anders dan op de plekken in de tuin waar altijd mensen zwerven. Een hoekje waar de zon nooit komt. Eeuwige schaduw. Alsof de struiken huilen.

EEUWIGE TROUW

Nouchka, Els en een man die ik niet eerder had gezien stapten vroeg in de ochtend uit de auto met veel koffers. Meer bagage dan toen ze vertrokken. Nouchka, stralend, met een zonnebril op, was erg bruin geworden, en droeg nieuwe, mondaine kleren. Sonja en ik, die haar eerder die week weer thuis hadden verwacht, en de hoop al bijna opgegeven, renden haar tegemoet. Nouchka zette haar gettoblaster neer die luid sambamuziek ten gehore bracht, en toonde sensuele danspasjes die ze op Aruba geleerd had. Ik probeerde de pasjes meteen te imiteren, maar Sonja stond wat achteraf. Blij weer met ons drietjes te zijn, trok ik haar erbij, en stak mijn ene arm in bij haar en de andere bij Nouchka. Stefan stopte niet met voetballen, maar probeerde fanatiek te scoren om Els te laten zien hoe goed hij was geworden.

Els zag het niet, mopperde dat ze de hele nacht niet geslapen had, klaagde over files midden in de nacht en gezeur bij de grens.

'Ze heeft me een uur laten wachten op Schiphol,' zei Nouchka.

'Was ze dan niet mee naar Aruba?' vroeg Sonja, die net als ik wist dat Els naar Frankrijk zou gaan, maar altijd speciale aandacht opeiste met domme vragen. Daarom zei ik geërgerd: 'Dacht je dat Sherman daarnaar uit zat te kijken?' Ze kroop in elkaar, ging dicht bij Joyce staan alsof ze bescherming zocht, een nogal overgevoelige reactie aangezien ze zelf kampioene was in het stellen van kwetsende vragen.

'Natuurlijk niet!' reageerde Nouchka vol walging: 'Ik moet er niet aan denken! Els mee naar Aruba. Bèèèh!' Ze maakte een gebaar alsof ze moest kotsen. 'Els kwam regelrecht uit Frankrijk. Ze stond vannacht vast in een file, zei ze.' Nouchka trok daarbij een gezicht alsof ze Els niet geloofde. Met haar duim en wijsvinger maakte ze een rondje, en haar andere wijsvinger stak ze door dat gaatje, zachtjes heen en weer, een gebaar dat ik haar nooit eerder had zien maken.

Door de terugkomst van Nouchka leek de straat voller. Er waren maar drie mensen extra en toch was het of er twintig mensen van vakantie waren teruggekeerd. Els zoende Stefan die nog steeds niet had gescoord. Joyce bewonderde Els haar nieuwe mantelpakje. 'Een heel andere stijl,' zei Judith.

'Alleen voor Parijs. Thuis draag ik liever mijn oude vertrouwde flodderjurken,' knikte Els. Vol trots toonde ze twee chique winkeltassen: 'Dit is Parijs.' Toen duwde ze een magere man met een grote neus naar voren. 'En hier is Jean-Jacques, mijn nieuwe vlam.'

Nouchka deelde zonnebrillen uit. Ik kreeg een roze, Sonja een gele, en zijzelf had een blauwe op haar neus. Nouchka filmde onze zonnebrilgezichten.

Joyce keek op haar horloge, pakte Dimitri in zijn kraag, en vroeg: 'Mogen Stefan en Patrick van de moeders vandaag mee naar Rien?'

Ik ging recht voor Joyce staan, en vroeg uiterst beleefd: 'Mama, hoef ik voor een keertje niet mee naar Zonnehof?'

Ze zuchtte, en zei: 'Vooruit dan maar.'

Op de huiskamerdeur van Els projecteerden we de filmpjes die Nouchka in de Cariben had gemaakt. Opnames van haar Antilliaanse oma, van Sherman met zijn nieuwe Antilliaanse vriendin, en van haarzelf in badpak, kleurrijk, zonnig, met veel strand en een eindeloze zee. Heel erg lang, eindeloos lang, Nouchka's blote voeten van boven gefilmd zoals ze over het strand liep, langs de golven die af en toe haar zanderige bruine voeten met de roodgelakte nagels schoonspoelden.

We hadden ondanks dat het zomer was de thermostaat van de centrale verwarming hoog gedraaid, onze badpakken aangetrokken, en onze zonnebrillen opgezet.

Nouchka deelde schelpen uit en liet ons luisteren naar de zee.

Vanaf de huiskamerdeur rolden de golven naar ons toe. Wit schuim. We lagen droog. Nouchka zette triomfantelijk de twee Parijse winkeltassen van Els voor ons neer en deelde de dure nieuwe lingerie die nog in de verpakking zat uit. Over onze bikini's trokken we de beha's en slipjes van Els aan, met de prijskaartjes er nog aan. De beha's vulden we op met de extra slipjes die Els ruimschoots had ingeslagen.

We liepen om elkaar heen te pronken, vergeleken elkaars outfit, keken bij wie de lingerie het beste paste. Alles stond Sonja altijd het mooiste, maar Sonja vond bij zichzelf altijd alles stom.

We vlijden ons neer op onze badlakens, en richtten onze blik op de huiskamerdeur waar de horizon van de Cariben ons paradijselijk uitzicht was.

De Caribische zee zwaaide open. De golven, en vervolgens de laatste beelden van de super 8-film eindigden in scherp wit licht dat op de zwarte zijden Japanse kimono van Els scheen, die woedend binnenstormde.

'Dacht ik het niet. Nu ga je me toch echt te ver!'

Ze trok de lingerie van ons lijf.

'Ik heb ze nota bene zelf nog niet aangehad.'

Nouchka sputterde tegen. Ze wilde de zwarte kanten beha niet uit. 'Waar heb je ze voor nodig? Je draagt altijd van die lange soepjurken, of je loopt in je nakie!' Nouchka trok een uiterst fijn kanten tangaslipje uit haar opgevulde boezem, toonde dit, zwaaide ermee voor de neus van Els en vroeg: 'Kun jij hier dan in?'

De haren van Els waren nat, en druppels vielen op het tapijt en op haar kimono die openviel bij haar kruis. Rood kroeshaar op haar venusheuvel.

Els brieste als een paard. 'Ben ik een hele zomer bevrijd geweest van jullie... en nu al...' Ze haalde diep adem, en vervolgde: 'Ik geef jullie vijf minuten om te vertrekken! Ik hoef jullie even heel lang niet meer te zien.'

Zo snel als ze binnenliep zo snel verliet ze de kamer, en sloeg de deur achter zich dicht.

Met tegenzin gingen we verhuizen. Sonja vouwde de lingerie van Els netjes op, maar Nouchka gooide de stapel expres weer door elkaar. Ze woelde net zo lang totdat alles kriskras op de grond lag. We namen de projector, de camera, de schoenendoos met oude en nieuwe filmpjes, en onze kleren mee.

Nouchka en Sonja droegen samen de projector, en ik de rest. Ik pakte de antieke collectebus uit de vensterbank waarin een bos gedroogde bloemen stond, en die me tussen alle spullen van Els nog niet eerder opgevallen was, schudde hem leeg, en nam ook de collectebus onder de arm.

Ik was net zo boos op Els als Nouchka, misschien nog bozer. Hoe kon je zo akelig doen tegen je kind als je mekaar zo lang niet had gezien? Als je zoveel ondergoed had aangeschaft, en je bloedeigen dochter er niet even mee liet spelen, vond ik dat uitermate egoïstisch voor een moeder, en ik zou liever geen moeder zijn dan een moeder die haar dochter iets misgunde.

Van Joyce mocht alles, en daarom zou ik aardiger tegen haar moeten zijn, en aardiger tegen Rien, die nooit lelijk was, en altijd naar me lachte.

Het regende buiten, en met dit weer was rondhangen op de camping geen aantrekkelijke bezigheid, en in Zonnehof was er als het regende evenmin iets te doen, want daar kon je dan alleen maar in de benauwde zaal zitten, waar alle rolstoelen op een hoopje bij elkaar voor de televisie stonden. Wat moesten we beginnen zonder Joyce die alles goed vond, en begreep dat we een plek nodig hadden waar we konden oefenen voor later.

We haastten ons door de regen via de gemeenschappelijke voortuin naar mijn huis. Ik had de sleutel om mijn nek, opende de voordeur, en troostte Nouchka: 'Blijf vanavond maar lekker bij ons slapen.' We stonden knullig op een hoopje in de gang, tussen de projector, kleren, en schoenendoos en troep van Joyce die altijd en overal in huis aanwezig was. Nouchka keek droevig. Haar zonnige gezicht van toen ze die ochtend aankwam was verdwenen, en haar donkere huid zag er niet meer vrolijk uit.

Sonja kwam vaak met opmerkingen die niet ter zake deden. Het was of ze het erom deed. Ook nu doorbrak ze de stilte in de gang met iets wat ze beter had kunnen verzwijgen.

'Wij worden misschien geadopteerd door een indianenopperhoofd,' zei ze, en alsof Nouchka op dit moment stond te springen om dat soort informatie deed ze er nog een schepje bovenop: 'Alleen Zohra en ik. Drie is te veel.'

Nouchka maake zich van mij los. Ze bukte en raapte haar kleren van de grond.

'Nouchka kan toch door een ander stamhoofd in de buurt geadopteerd worden?' haastte ik me te zeggen.

Ogenschijnlijk onverschillig zei Nouchka: 'Oké, gaan jullie maar naar de indianen. Dan zoek ik andere vriendinnen om mee in het droomhuis te wonen.'

Sonja en ik verstijfden. Ik deed een stap opzij om mijn evenwicht te bewaren, en stootte daarbij de knokkel van mijn rechtervoet tegen de projector op de grond. We werden door onze rommel omringd. Ik rook de regen op de jassen die we over onze bikini's droegen.

We keken Nouchka vol afwachting aan.

'Wat voor huis?' vroeg ik.

In dat kleine stukje van de ene naar de andere voordeur waren we drijfnat geworden, en het water viel van onze jassen op de grond en op de projector.

Sonja pakte de camera van de grond, en liep geruisloos naar de keuken, waar ze hem op de keukentafel legde.

Nouchka trok haar jas langzaam uit. Ze speelde met de spanning.

'Sherman bouwt een heel mooi huis voor ons drietjes,' zei ze traag. Het was alsof ze zong.

'Een echt huis?' Ik keek Nouchka ongelovig aan. Sonja, achter Nouchka, keek sceptisch.

'Wat voor huis?' vroeg ze stug.

Terwijl Nouchka zich aankleedde, en wij te perplex waren om hetzelfde te doen, vertelde Nouchka: 'Drie verdiepingen, een badkamer zo groot als onze huiskamer, een tuin zoals het park van Zonnehof met een grote vijver... aan het strand, en met een hoge toren zodat je zo ver kunt kijken als je wilt.'

Sonja vroeg: 'Waarom een vijver als het aan zee ligt?'

Kleintje, alsof ze rook dat ik verhuisplannen had, kwam de gang miauwend in gelopen. Ik tilde haar op, knuffelde mijn kat, en zei: 'Jij mag mee hoor, Kleintje, ik laat jou niet alleen achter.'

Een huis voor ons drietjes. Wie had gedacht dat Sherman zo gul zou zijn? Ik wist wel dat hij niet zo'n slechte vader was. Ik zag ons in een groot licht huis, met een onpeilbaar hoog plafond. Een eigen huis waarin je kon doen wat je wilde zou zoveel leuker zijn dan ouders, ook al waren ze indianen in een wigwam, te moeten gehoorzamen.

'Waar komt het huis te staan?' vroeg ik.

Sonja zette de thermostaat hoog, en trok alvast de sofa opzij.

'Op een onbewoond eiland,' zei Nouchka.

'Weet je moeder dat?' Het eiland, de zee, de palmbomen, en ons huis, de lege stranden. Ik zag het allemaal voor me, maar wist niet hoe ik het Joyce zou moeten vertellen, en dacht dat ze het beter nog maar niet kon weten totdat we met de koffers klaarstonden, of pas als we ter plekke waren, dan konden we een fles in de oceaan gooien met daarin briefjes voor onze moeders thuis.

'Het is nog geheim,' zei Nouchka. 'Zweer dat jullie het aan niemand zullen vertellen.'

Toen stelde Sonja voor: 'Laten we een eed afleggen. We beloven eeuwige vriendschap voor ons drietjes.'

Met de punt van een schaar snij ik in de arm van eerst Nouchka, dan Sonja. Maar de schaar is te bot, en ik doe het opnieuw met Dimitri's zakmes. We likken elkaars bloed, steken elk onze rechterhand uit, en houden elkaar vast. Ik leg de rechterpoot van Kleintje erbij.

'Wij zijn vriendinnen voor altijd. Wij blijven elkaar trouw in...' Daarna weet ik het niet meer.

Sonja vult aan: '...in ziekte, en tot in de dood.'

'Nee, niks ziekte,' zeg ik pertinent.

'Ook geen dood,' zegt Nouchka.

Simultaan schreeuwen we: 'Wij zijn vriendinnen voor altijd. Wij blijven elkaar trouw in spel en in geheimen.'

Super 8-beelden van de voeten van Nouchka in het zand van het strand. Ze stapte over schaduwen van waaiende palmen. We projecteerden Nouchka's nieuwste filmpjes opnieuw, en opnieuw en opnieuw op onze ijskast, en lagen op de badlakens van Joyce, want die van Els hadden we op haar tapijten met de lingerie achtergelaten. We lakten elkaars teennagels fuchsia-rood.

'Heeft Sherman dat opgenomen?' vroeg ik.

'Nee, die was er nooit. Ik heb hem maar één keer gezien.'

Een oude Antilliaanse dame zwaaide breed lachend naar de camera.

'Ik mis mijn oma,' zei Nouchka zacht.

'Je hebt er toch nog eentje,' trachtte Sonja haar te troosten, want zij had zo haar eigen opvattingen over wat opbeurend was.

'Nee. Alleen deze maar.'

'Het bloeden is nog steeds niet gestopt,' hoorde ik Sonja zuchten. Het leek wel of ze een wedstrijd deden wie het zieligste was, dus zei ik harder dan ik wilde: 'Ik heb helemaal geen oma meer.'

Ik legde de nagellak neer, klom in het dressoir, en van boven op de kast pakte ik twee fotolijstjes met op de ene een bruine vijftigjarige Javaanse dame in sarong en kabaja, en op de andere een blanke Nederlandse dame van rond de veertig in een bloemetjesjurk.

Eerst hield ik de Javaanse in de lucht. 'Dood door een verdwaalde kogel,' zei ik koeltjes.

'Een verdwaalde kogel?' vroegen ze in koor, met het respect dat ik verwachtte.

Kortaf en onverschillig zei ik: 'Ja, zo heet dat.'

Daarop toonde ik de Nederlandse: 'En deze is ook dood.'

Toen zette ik ze allebei terug.

'Ook door een kogel?' Dat was Sonja weer, die altijd irritant doorvroeg over zaken waar geen mens zin in had.

'Nee, gewoon. Mensen gaan soms dood, weet je wel,' zei ik zonder mijn ergernis te verbergen, en ging verder met de nagellak op Nouchka's grote teen.

Het geprojecteerde filmpje was ten einde. Er was een streep, en daarna alleen nog een lichtvlek te zien. Het regelmatige geluid van het zwiepende einde van het filmpje beklemtoonde de stilte. Soms hadden we elk onze gedachten, dat was geoorloofd in een driemeidschap.

Sonja zette de projector stop. 'Het blijft bloeden,' zei ze.

Ik dacht dat ze het over de projector had, of over de schrik omtrent de verdwaalde kogel. Als iemand te veel en te vaak zinnen uitkraamt die nergens op slaan hecht je minder waarde aan haar woorden. En toegegeven, ik was vol van de terugkeer van Nouchka, merkte nu pas hoezeer ik haar al die weken had gemist.

Nouchka zuchtte diep. Ze keek naar de foto's hoog op de

kast die ze misschien voor de eerste keer zag, want ze waren door Joyce erg ver weg gezet, en je moest echt omhoogkijken om ze op te merken.

'Mijn moeder bestaat niet meer voor haar moeder,' zei ze.

Sonja klom op het dressoir en pakte mijn Javaanse oma van de kast. Ze bestudeerde de foto. Er drupte bloed van haar pols op de grond.

'Hoezo?' vroeg ze.

Ik was klaar met Nouchka's nagels en begon aan mijn eigen voeten. Nouchka smeerde tegelijkertijd mijn rug met koper-kleurige zonnebrandolie in.

'Vanwege al haar vriendjes,' zei Nouchka.

Sonja, met het lijstje nog in de hand, zei: 'Misschien ziet mijn biologische oma er ook ongeveer zo uit.'

Ik kon het niet helpen, sprong op, klom in het dressoir dat ging wankelen, trok de lijst uit Sonja's hand en stopte er de fles zonnebrandolie in. Er zat bloed op het glas. Ik veegde het schoon met de muis van mijn hand. 'Korea is heel anders dan Indonesië hoor,' zei ik geërgerd.

'Misschien is je echte oma wel een sekreet! Weet jij veel?' Dat zei Nouchka niet zonder enig leedvermaak. Op de een of andere manier vonden zij en ik het allebei oninteressant om over Koreanen te praten die we niet kenden en nooit zouden zien, en wiens uiterlijk we ons volstrekt niet voor konden stellen.

Sonja ging zwijgend naast Nouchka op mijn handdoek zitten, en ze smeerden mijn rug gezamenlijk in. Nouchka deed mijn rug, Sonja mijn benen. Kleintje kwam erbij, en ik waande mij rijk met vriendinnen die hun eed van onvoorwaardelijke vriendschap met mij hadden afgelegd. Plotseling gilde Nouchka: 'Jakkes, er is allemaal bloed op je been.'

Onmiddellijk kwam ik overeind, en met de bedoeling mij gerust te stellen zei Sonja: 'Dat komt van mij. Dat zei ik toch. Het bloeden wil niet stoppen.'

'Het bloed is overal,' riep Nouchka.

Het was waar, de handdoeken zaten vol bloed, en Sonja zag bleek. Als in een film viel ze flauw. Nouchka en ik kregen de slappe lach totdat we merkten dat ze echt niet meer bij bewustzijn was.

Op dat moment kwam Joyce binnen. Ze was altijd op tijd, mijn moeder. We gingen naar het ziekenhuis, en alles liep uiteindelijk goed af. We hadden eeuwige vriendschap gezworen, en wat de hoeveelheid bloed die dat bezegelde voorspelde konden we niet weten.

Sonja had nog steeds verband om haar pols toen we over de modderige regenachtige camping slenterden, en om beurten de antieke collectebus bij elke tent die openstond schudden. Nieuwsgierig keken we overal naar binnen, en in een grote tent sloeg een moeder haar krijsend zoontje dat even oud was als onze broertjes. 'Zal ik Stefan ook even bij haar brengen?' lachte Nouchka. 'En ik Dimitri,' grinnikte ik.

Sonja keek ernstig. 'Judith heeft mij pas weer een keer geslagen. Rob bood namens haar zijn excuses daarvoor aan. "Ouders hebben het recht niet om hun kinderen te slaan," zei hij.'

'Maar misschien zit je Koreaanse moeder je halfbroertjes en halfzusjes steeds te mishandelen,' zei ik, omdat ik me ergerde aan Sonja die weer zielig zat te doen. Zo erg is een beetje slaan nu ook weer niet. Ik had Dimitri zo vaak een tik gegeven als hij onuitstaanbaar was. Sommige kinderen, zoals onze broertjes konden wel af en toe een klap gebruiken. Ik zou juist vaker een pak slaag adviseren voor jongetjes, en opsluiten in de kast of in de kelder. Lekker rustig.

Sonja schudde heftig nee. 'Ik denk niet dat zij na mij nog andere kinderen wilde. Ik denk dat ze helemaal alleen woont, heel eenzaam.'

'Els heeft mij gelukkig nooit geslagen,' zei Nouchka zowel trots als opgelucht, alsof het een prestatie was van Els.

'Geestelijke mishandeling is net zo erg,' kon ik daarom niet nalaten te zeggen.

Nouchka had daar nog nooit van gehoord. Haar mond viel open van verbazing. 'Geestelijke?' Sonja leek van het bestaan op de hoogte. Die zat een beetje wijs te knikken, zoals vaker, die hield van zware onderwerpen.

'Dat was op televisie. Dat is dat ze je steeds uitschelden en voor alles en nog wat uitmaken. Dat heet geestelijke mishandeling.' Joyce had me er tijdens het ontbijt over verteld. Zij begon er met mij over, dat ze zo'n goede documentaire gezien had, en dat ze er daarna niet van slapen kon omdat ze steeds aan die zielige kinderen moest denken.

Wanneer ik mensen in tenten ontdekte, of als we iemand passeerden, schudde ik heftig met de collectebus. Het klonk alsof we al veel geld hadden ingezameld maar dat waren vooral schelpjes van Nouchka, kleine steentjes van mij, en knopen uit het knopenblikje in het naaikistje van Judith.

Ik bonkte met de bus tegen het raam van een caravan. Een oudere grijze dame verscheen in de deuropening, en lachte ons vriendelijk toe.

Omdat ik vermoedde dat ze doof was riep ik: 'Dag mevrouw. Wij collecteren voor kindermishandeling.'

'En voor geestelijke,' voegde Sonja toe.

'Wij zijn zelf zwaar mishandeld, snapt u,' zei Nouchka.

'Momentje, kinders...' De dame ging de caravan weer in, en ik riep haar achterna: 'Wij zijn slachtoffers van zedendelicten.' Ik articuleerde zedendelicten, waardoor ik verried dat het nog niet vaak uit mijn mond gekomen was, dat ik niet zeker wist wat ik zei, en ik moest er zelf om grinniken. Het was een van de woorden die we professor Blink hadden horen zeggen, en die ik met Sonja in het woordenboek had opgezocht.

Het werkte aanstekelijk op de anderen, vooral op Nouchka die het nooit eerder uit mijn mond had gehoord.

Gniffelend voegde Nouchka toe: 'Onze ouders hebben ongeneeslijke kanker... en we... we...'

Sonja droeg haar steentje bij met: 'We zijn ongelukkige weeskinderen.'

De dame was terug in de deuropening, met haar grote portemonnee open. 'Voor welke kerk collecteren jullie?'

Haastig zei ik: ''t Is voor school.'

En toen kwam die achterlijke Sonja, die misschien nog niet geheel hersteld was door haar te grote bloedverlies: 'En een beetje voor ons...'

Nouchka stompte haar, en ik verbeterde Sonja met: 'Voor onze schoolbibliotheek.'

Verontwaardigd keek Sonja naar Nouchka. 'Au, je hoeft me niet te...'

En ze kreeg opnieuw een stiekeme stomp.

'Au... idioot,' reageerde Sonja.

De dame keek ons vorsend aan, maar wierp toch een paar guldens in de collectebus.

'Zijn de scholen alweer begonnen?'

Ik knikte een beetje vaag.

'Wat vliegen de dagen toch om. Willen jullie een kopje thee?' Gelukkig had ze niks van onze onderlinge communicatie in de gaten.

'Nee, we moeten nog de helft van de camping doen vandaag,' antwoordde ik, en trok mijn vriendinnen mee.

'Dag, mevrouw,' zei Nouchka met een uitermate grote, dankbare glimlach.

'Stommerd, je moet nooit zeggen dat het voor jezelf is,' ging Nouchka tekeer toen we uit het gezichtsveld van de dame waren.

Sonja, verongelijkt, protesteerde: 'Jullie zeiden toch ook dat...'

'Dat was alleen om medelijden op te wekken, sukkel,' zei ik strenger dan ik bedoelde. Sonja was weer net zo bleek als toen ze bloed verloor. 'Ik heb liever dat we zoals vroeger bij die toeristen alleen om snoep bedelen...' zei ze met een klein stemmetje. 'Dit is net zoiets als diefstal.'

'Doe niet zo moeilijk! Die dame schenkt het ons. Ze geeft heus niks als ze het niet kan missen. Wat moet ze anders met haar centen doen?' Mijn ergernis groeide.

'Die mensen geven het geld voor het goede doel, en niet voor ons. Om snoep bedelen omdat je honger hebt is geen diefstal, dat is alleen maar overdrijven, een soort jokken,' preekte Sonja.

Ik was niet van plan me door haar braafheid te laten beïnvloeden, en kapte haar bezwaren af met een fel: 'Voor snoep zijn we veel te oud. Daar trapt niemand meer in.'

Van het geld kochten we ijs en chips die we consumeerden terwijl we voor de zoveelste keer naar Nouchka's nieuwste filmpjes keken, met de thermostaat zoals altijd omhoog, in ons ondergoed, liggend op de handdoeken van Joyce.

Nouchka was de baas over de grote zak chips, en plaagde ons. 'Willen jullie nog een paar chipsjes?' Als Sonja wilde toehappen trok ze de zak met chips weer terug. We waren melig, en moe. Ik genoot elke dag opnieuw van de terugkeer van Nouchka. Met haar erbij was het leuker, we lachten meer, en het plezier kwam vanzelf.

Sonja zei: 'Dit is ook geestelijke mishandeling.'

'Geestelijke mishandeling is erger. Dat is dat ze je de hele dag door uitschelden dat je niks waard bent, dat je stom bent, en dat ze je vernederen en zo,' legde ik uit zoals Joyce het aan mij had verteld.

'Dat doet Els de hele dag bij mij, dat ben ik wel gewend,' spotte Nouchka.

'Of jij bij Els,' lachte Sonja.

'Geestelijke mishandeling is echt veel gemener,' zei ik ernstig. 'Ze maken een zielig kind van je dat geen zelfvertrouwen meer heeft, en dat niet meer onder de mensen durft te komen. Heel veel ouders doen aan geestelijke mishandeling, weet je dat. Maar voor geestelijke mishandeling stoppen ze je niet in de gevangenis. Nou, ik krijg liever een klap dan dat ze me treiteren.'

'Ja, maar anders kunnen ze alle ouders wel in de gevangenis

stoppen. Dan loopt er geen enkele moeder nog vrij rond!' zei Nouchka, en vervolgens goot ze de zak met laatste kruimeltjes chips in haar mond leeg.

'Behalve Joyce...' zei Sonja.

'Dat dacht je maar! Joyce dwingt me om elke dag naar Zonnehof te gaan, en een kind dwingen is precies hetzelfde. Ik lijk wel gestoord als ik met Rien probeer te praten. Toch moet ik hem pappa noemen. Dat van je kind vragen is ook geestelijke mishandeling!'

Ik flapte het eruit en zou het liefst mijn tong er nog voor afbijten. Ik stond op, dreigend. Sonja en Nouchka waren schuldig, zij hadden mij in de verleiding gebracht deze onzin uit te kramen. Alsof ik zielig zou zijn, slachtoffer, terwijl het me allemaal niks kon schelen, die vader, ik hoefde geen vader, en een moeder had ik ook niet nodig, ik kon alles zelf.

Op dit moment hoorden we Joyce, die de sleutel in het slot van de voordeur stak. Haastig moffelde Sonja de resten van de snacks in de vuilnisbak weg, ook de ijspapiertjes.

Joyce, stralend als altijd, kwam binnen en zei: 'Kijk eens wat ik voor jullie heb!'

Ze deelde ijsjes uit, zakjes chips en flesjes cola. Ze gooide haar regenjas uit en ging op een van de op de vloer uitgespreide badlakens liggen. 'Vakantie! Precies wat ik nodig heb!'

In de slaapkamer van Nouchka, midden in de nacht, lag Nouchka in mijn armen toen ik wakker werd van een geluid bij het raam. Ik opende het, en liet Kleintje, die op de vensterbank zat te wachten, binnen. Els was na het avondeten komen vragen of Nouchka nu weer eens gewoon thuis zou komen slapen. Ze bood aan dat ik dan bij hen mocht logeren. Ze had vast spijt dat ze die ene middag zo uitgevallen was, want Nouchka was sindsdien bij ons gebleven. Tegen Joyce zei ze als excuus dat ze die keer zo moe was van het rijden, de hele nacht achter het stuur. Die Jean-Jacques had geen rijbewijs.

Nouchka werd ook wakker door Kleintje. Ze gebaarde mij

stil te zijn, pakte een glas van de wastafel, en hield dit tegen de muur. Ze hoorde klaarblijkelijk iets, en maakte het rare gebaar met haar vingers, wat ze ook deed toen ze net terug van vakantie kwam.

Uit haar gezicht en gebaren maakte ik op dat ze nadeed hoe Els plezier aan seks beleefde. Ze imiteerde haar moeders hijgen als een astmatische patiënt. We kregen de slappe lach. Nouchka stikte bijna in haar gekerm en gehijg.

Els, halfnaakt, stormde de kamer binnen.

'Willen jullie ophouden met die herrie midden in de nacht?' Kleintje vluchtte uit het raam.

Dit hadden we niet verwacht, die woede. Ik kroop het liefste terug in mijn eigen bed. Maar ik stond midden in Nouchka's kamer, en voelde hoe de lach nog nakriebelde achter mijn kiezen.

Nouchka, kalm en koud, met een strak gezicht, zei tegen Els, uitdagend, rechtop, als aanklacht: 'Wat had jij ervan gevonden als ik daarnet zonder kloppen jouw kamer binnen was komen stormen omdat je zo'n herrie lag te maken?'

Ik wist niet of ik huilen moet of lachen. Trots op Nouchka die overal ad rem een antwoord op had, droevig om Els die daar zo zielig stond, en zich geen raad wist, haar kimono nerveus dichttrok, slikte en zachtjes zei: 'Ik wou dat je nooit geboren was, Nouchka van Wijngaarde.'

Toen was ze weer verdwenen. Ik zocht in Nouchka's ogen wat ze van haar moeder vond. Er lag triomf in haar blik. Geen pijn om de afwijzing. Ze weigerde zich te laten kwetsen.

'Zullen we nu bij Joyce luisteren?' fluisterde Nouchka.

We klommen uit het raam. Nouchka gleed bijna uit. Het raam van mijn kamer was open, maar vanbinnen vastgezet, en ik moest wringen om de haak los te maken. Ik trok Nouchka naar binnen. Omdat ik geen glas op de kamer had moest ik naar de badkamer sluipen. De deur van Joyces kamer was gesloten, wat raar was, want die stond eigenlijk altijd open of op een kier.

Met het glas in mijn hand deed ik mijn slaapkamerdeur weer onhoorbaar dicht. Kleintje volgde me op de voet, en zocht een plek in de hoek van de kamer.

'Mag ik eerst?' vroeg Nouchka.

'Dan hoor je d'r alleen maar snurken.'

'Snurkt Joyce?'

Ik luisterde zelf als eerste. Een gek koortsachtig gevoel maakte zich van mij meester. Dit, wat ik deed, dat was ik niet, maar ik kon niet meer stoppen. Ik wist dat ik zelfs geen snurken zou horen, maar toch was ik benieuwd naar het geluid achter de muur.

Ik zette het glas ertegen, en legde mijn oor tegen het glas.

Wat ik hoorde wil ik me niet herinneren.

Ik dacht, maar weet het niet zeker, dat ik Nouchka begon weg te jagen, en haar beval de kamer te verlaten. Ik denk dat ik snauwde: 'Ga terug naar je eigen huis. Gauw, weg, je moet weg.'

Nouchka pakte het glas uit mijn hand om ook te luisteren, maar ik sloeg het uit haar handen. Het glas viel op bed. Hardhandig leidde ik Nouchka naar het raam.

Op haar gezicht las ik verbazing over de drift die ze van mij nog niet kende.

'Ga naar huis.'

Ik dacht er niet aan dat die klim in haar eentje lastig was, en dat ze mijn hulp bij de tak hard nodig had. Haar aarzeling bij het raam verdween toen ik haar aan leek te vliegen.

'Ga weg, ga weg,' siste ik, toen ze niet snel genoeg uit het raam stapte. Zodra ze uit het gezicht was verdwenen pakte ik het glas opnieuw, en luisterde. Ik trilde. Of ik wilde of niet, ik moest horen wat ik niet horen wilde.

Het werd er stil. Er werd niet meer gesproken, naar het scheen, en ik ving andere geluiden op, die ik niet begreep.

Het glas zette ik naast mijn uitgestalde kiezelstenen.

Ik klom uit het raam, de andere kant op, waar een stevige tak ontbrak. De boom was te ver van het raam vandaan, maar als ik overhelde kon ik net bij de vensterbank, en er met één voet steun vinden.

Het raam was iets open, maar de gordijnen waren dicht. Ik hing ver en te veel uit balans om te zien wat erbinnen gebeurde. Met een hand hield ik me vast aan een hogere tak van de boom, een vrij dunne, maar dichter bij het raam. Ik stapte op een lagere tak, en stond met mijn andere voet op de vensterbank, op het uiterste randje.

Er was maar een kleine opening in het gordijn waardoor ik kon kijken als ik me ver genoeg uitrekte.

Vanonder het dekbed steken twee grote blote mannenvoeten uit die liefkozend over de voet van mijn moeder wrijven. Naast het bed staat een paar bruine herenschoenen. Meer kan ik niet zien.

Ik hoor Joyce zeggen, haar stem gedempt door dekens: 'Ik wil dat ze zo normaal mogelijk opgroeien, een onbezorgde jeugd.'

Een mannenstem zegt: 'Dat is al niet meer mogelijk, Javaanse Schone. Je steekt je kop in 't zand.'

'Nee, alleen maar onder het laken.'

Ze lachen samen. Maar houden dan opeens in, omdat ze van hun eigen luidheid lijken te schrikken.

En ik schrik ook. Ik verlies mijn evenwicht. De tak breekt.

Een seconde duurt lang. Dat beseffen mensen niet, dat een seconde lang duurt, en in de herinnering duurt hij nog veel langer dan op het moment zelf.

In het spel kun je seconden oprekken. Hoe meer je de speler de illusie geeft dat de tijd korter is dan zij van hun horloge kunnen aflezen, hoe beter het spel is gemaakt.

Dat is mijn graadmeter. De tijd geen tijd meer laten zijn.

Ik heb de keuze tussen: me vastgrijpen aan het gordijn of kozijn en ontdekt worden, of mij van tweehoog laten vallen op de grote rododendronstruik onder mij.

Het is al eens goed afgelopen toen ik van hoger viel, van een steiger in de bouw, en terechtkwam op het dak van de bouwkeet eronder. Een kat heeft negen levens.

Rien, het was Rien die zei: 'Zohra komt altijd op haar pootjes terecht,' toen ik Kleintje een keer wilde redden uit de dakgoot van het stroomhuisje, en Joyce het mij verbood.

Met mijn linkerhand reik ik naar het openstaande raam, maar grijp mij er niet aan vast, kijk naar beneden, naar de grote struik onder mij, en kijk naar het kozijn.

Het duurt nog geen seconde, denk ik, de tijd tussen het lachen van Joyce en die man, en mijn val.

Joyce en ik verlieten de polikliniek van het ziekenhuis. Ik zat onder het verband, en mijn arm zat in het gips. (De verpleegsters wilden me in een rolstoel zetten, maar dat liet ik niet toe.)

De ondersteuning van Joyce, toen we de trap afliepen, weigerde ik ook.

'Ik speelde spookje. Ik wilde alleen maar weten hoe het is om dood te zijn, en toch te zien wat de mensen allemaal uithalen.' Ik probeerde zo opgewekt mogelijk te klinken, en het lukte me goed om vrolijk en gezellig te zijn.

'Zohra, dit zijn geen spelletjes meer. Wanneer leer jij je nu eindelijk eens behoorlijk te gedragen?' Joyce klonk bij uitzondering nou eens niet aardig en vriendelijk. Dat ergerde me, dat ze altijd te pas en te onpas gezellig deed, maar niet als ik het nou eens een keertje nodig had.

'Zeg jij maar niets! Van wie waren die grote voeten die onder het laken uitstaken, Javaanse Schone?' Dat laatste articuleerde ik, dat spuugde ik er als vijf kanonschoten uit. 'Je bent een getrouwde vrouw!'

Joyce stond stil. Ze kreeg tranen in de ogen die ze wanhopig probeerde weg te slikken. Ze was klein, zwak, ze was niet zoals een moeder hoorde te zijn. Ik liep door, en keek niet om, beet op mijn lip. Eigenlijk had ik me voorgenomen nooit te laten weten wat ik had gezien en gehoord.

In de auto probeerde ik nonchalant te kijken. Ik zocht een pose, ondanks het verband en gips, waardoor ik ontspannen leek. Het wilde niet lukken. Als vanzelf werd mijn lichaam stram, en voelde ik telkens opnieuw de neiging om iets gemeens te zeggen.

We kwamen in de buurt van onze straat. Met een vlijmscherpe stem zei ik: 'Mag ik eerst even op bezoek bij JOUW ECHTGE-NOOT alsjeblieft?'

Het werd een gewoonte om bepaalde woorden tijdens het praten extra te articuleren. Dat bleef ik nog wekenlang, misschien wel maandenlang of jarenlang doen.

'U bent vroeg... Ze hebben hun ontbijt nog niet op,' verwelkomde de verpleger ons. Ik negeerde hem, liep regelrecht op Rien af. Hij sliep. Of lag te suffen met zijn ogen dicht. Zijn boterham had hij gemorst op het bed. Ik wekte hem, trok aan zijn ziekenhuispyjama.

'Zohra!' Hij maakte de mondbeweging van een zoen. 'Zohra.'

'Ga mee naar huis. Kom weer gewoon bij ons wonen, Rien,' zei ik. Mijn stem klonk te luid. De hele zaal luisterde mee.

Rien probeerde mij te omhelzen, en ik kroop onhandig door het gips, tegen hem aan. Hij streelde het gips op mijn arm en vroeg: 'Wat hebben ze met je gedaan?'

De onrust kwam terug. Ik maakte me uit zijn greep los, ruw, het was te warm in die zaal. Ik snakte naar zuurstof. Het was benauwd.

Joyce schoof naast me, en zei: 'Zohra heeft een ongelukje gehad, Rien.'

Ik verliet de zaal zo snel als ik kon, passeerde onze geparkeerde auto, en liep alvast richting huis.

Iedereen had zijn naam op mijn gips gezet behalve Rien. Toen heb ik met mijn linkerhand zijn handtekening erop gezet. Met een krullende hoofdletter V voor Van en een krul bij de D van Dam, zoals ik zijn handtekening tussen oude papieren in de la waar Joyce alle belangrijke paperassen bewaart, gevonden had.

WRAAK

Waar eerst bos was, stond een hek met een bord: HIER WORDT EEN RECREATIEGEBIED AANGELEGD. Daarachter was een grote afgegraven kuil met water, een motorbootje, veel zand, een dragline, en in de verte stond een bouwkeet.

Mijn arm zat nog in 't gips. We hadden, zittend op een boomstam, tussen alle handtekeningen kleine en grote poppetjes op het gips gekrabbeld. Onder het wandelen over een smal mul pad dat vlak langs de omheining liep, bestudeerden we elkanders tekeningetjes. Dit smalle paadje kenden we nog niet, en misschien hadden we het nooit eerder opgemerkt omdat het gewone wandelpad nu deel uitmaakte van het verboden gebied waar een kunstmatig meer werd aangelegd.

Plots klonk er een dof getrommel. De grond leek te trillen. Een groep paarden, achter elkaar in galop, kwam recht op ons af, bereden door meisjes van onze leeftijd met hoge laarzen aan, en petjes op. We schrokken van de paarden die van zo dichtbij extra groot leken, en vluchtten het pad af. Ik was liever blijven staan, dan de benen te nemen voor die hoge poten die we benen moeten noemen omdat ze edel zouden zijn, en was woedend op die meisjes die voor onze vluchtreactie verantwoordelijk waren. Een van hen bleek een meisje uit onze klas te zijn dat ons arrogant toeriep: 'Dit is een ruiterpad hoor!'

Of de andere meisjes van onze school waren kon ik niet zien.

We stonden tegen de omheining gedrukt om geen opspattende modderkluiten, of erger nog paardenhoeven in ons gezicht te krijgen. De lange rij met ruiters verdween in het bos.

Met een mengeling van woede en schaamte dat die arrogante ruiters ons in zo'n vernederende positie gebracht hadden, klom ik over het hek. Nouchka en Sonja volgden mij zwijgend.

Ik maakte met mijn linkerhand, want de rechter zat in het gips, het motorbootje los.

'Paarden op pony's,' spotte Nouchka.

'Judith wil dat ik op paardrijles ga.' Dat was Sonja, typisch voor Sonja om op een moment als dit over achterlijke paardrijles te beginnen alsof ze met de vijand wilde heulen. Ik stapte in de boot en vroeg dreigend: 'En?'

Sonja snapte het. 'Ik ga niet natuurlijk,' zei ze.

Ik kreeg de motor niet aan de praat, maar we hadden een roeispaan waarmee Nouchka ons van de kant weg wist te drijven. Zwijgend bereikten we het midden van de plas. 'Mag ik nu?' Sonja pakte de enige roeispaan die we hadden uit Nouchka's handen, en liet hem in het water vallen. We lagen. Alleen maar water om ons heen. 'Je wordt bedankt,' zei Nouchka. 'Als je een roeispaan al laat wegglippen. Hoe doe je 't dan met teugels?'

'Toch lijkt het me wel spannend om een paard te hebben,' zei Sonja.

'Ja, lekker op een rijtje in galop door een bos,' katte Nouchka, terwijl ze een paard op een paard na deed zodat het bootje wild ging schommelen.

'Later als we in jouw droomhuis wonen gaan we elke dag de zee op,' zei ik tegen Nouchka. 'Dan nemen we een zeilboot waarmee je op de oceaan kan varen.' Intussen dacht ik na over een oplossing. Zou ik een zeil maken van onze kleren? Maar er stond geen zuchtje wind.

'Ik heb een brief uit Korea. Mijn echte ouders willen dat ik terugkom,' kwam Sonja er weer tussendoor, die na haar geklungel met de roeispaan, en haar blunder over de paarden nu opeens zo nodig naar Korea moest, terwijl we volgens haar moeders psychiater naar de indianen zouden gaan.

'Ga je ons zomaar in de steek laten?' vroeg ik.

'Nee, ik heb ze geschreven dat ik alleen kom als ze genoeg geld sturen om jullie vliegtuigtickets ook te betalen,' verzekerde ze ons haastig.

Op dat moment werden we afgeleid door een sirene. Er stond politie aan de kant. Aanvankelijk dacht ik niet dat ze zich druk om ons maakten. Pas toen de agenten, te lui om over het hek te klimmen, de sirene hadden afgezet, en op hun gemak met hulp van iemand in burger het slot van het grote hek afhaalden, vermoedde ik dat hun komst met het lenen van de motorboot te maken had. Wij hadden even de tijd voordat ze het hek open zouden hebben, maar we konden nergens naartoe. Er was alleen het water en de boot. Ik dook met gipsarm en al in het water. Nouchka en Sonja sprongen ook overboord.

We probeerden zo lang mogelijk onder water te blijven, maar kwamen telkens even boven voor zuurstof. Wat hadden we graag vissen geweest, of zeemeerminnen.

'We zijn gewoon wezen zwemmen. Die boot die was hier al. Wij weten van niks,' zei ik bezwerend tegen Nouchka en Sonja, toen we naar adem hapten en ons daarna weer gauw onder water verstopten, zolang als het ging. Mijn gips werd week. Toen herinnerde ik me wat ik een keer in een film had gezien. 'We kantelen de boot,' zei ik, en dan kunnen we ons eronder verstoppen en toch ademhalen.'

Terwijl we probeerden de boot te kantelen, waadde een agent door het water naar ons toe, en bleef de ander op de kant. De agent in het water riep naar zijn collega, met de bedoeling dat wij het woord voor woord verstonden: 'O, dat zijn die zwarte Chinezen weer. Ik zou ze graag terug het oerwoud in schoppen.'

Het was niet onze eerste keer op het politiebureau. Nouchka was ervan overtuigd dat die dikke agent de pik op ons had en heel H. had gevraagd om ons speciaal in de gaten te houden en naar het bureau te bellen zodra ze ons iets zagen doen dat maar enigszins verdacht zou lijken. Want hoe kon hij anders overal op het toneel verschijnen waar wij aan het spelen waren?

Hij had ons al een paar maal van de camping geplukt, en we hadden nu niet alleen van onze ouders, maar ook van de politie het verbod gekregen om daar nog te verschijnen. In het zwembad had hij ons een keer aangesproken en gedreigd, omdat we voor de grap de kleren uit de badhokjes van de mannen hadden gehaald en die bij de vrouwen in de toiletten gelegd hadden.

'We waren alleen maar bootvluchtelingetje aan het spelen,' zei ik, met een onschuldig gezicht. Ik zag het als een goede oefening, dat praten met agenten en ze overtuigen dat je goede bedoelingen had. Het was allemaal oefening voor onze carrières als filmster in Hollywood.

'We moesten ons proberen voor te stellen hoe het is als je als vluchteling in een boot zit en aan land wilt gaan, maar niemand je wil ontvangen,' zei Sonja, die toen we hierover een keer hadden gelezen erg had moeten huilen om het verhaal. Terwijl ze dit zei was van haar gezicht oprechte ontroering te lezen.

'We moeten veel oefenen voor onze carrière als actrices,' zei Nouchka, die echt huilde, van angst omdat Els gedreigd had dat ze naar kostschool moest als we weer door de politie zouden worden opgepakt. De dikke agent zei woedend: 'Jullie carrière als misdadigers zul je bedoelen!'

De baas van de dikke liet ons, zonder onze ouders op te bellen, weer gaan.

We gaven de paarden de schuld. Als er geen paarden over ons pad hadden gelopen, zouden we niet in de boot zijn gestapt.

Op school hadden we nauwelijks problemen. We waren de situatie redelijk de baas. Sonja wilde hoge cijfers halen, en ik vond de meeste vakken leuk. Nouchka had aan bijna alles een hekel, hield alleen van gymnastiek en van tekenen, maar mocht bij ons afkijken en het huiswerk overschrijven. We waren een team dat weinig extra nodig had om elkaar in alles bij te staan.

Het was een vrijdagmiddag, vlak voor een of andere vakantie. De klas was rumoerig en lastig, en mijnheer Van Rijn, de onderwijzer, had misschien niet veel zin in lesgeven. 'Wat willen jullie later worden?' Hij wees het voorste meisje aan, die van het ruiterpad, met de grote mond.

'Maja, zeg jij 't maar.'

'Iets met paarden'

'Wat precies?'

'Een jockey. Ik wil renpaarden berijden'

Hij wees het volgende meisje aan.

'En jij'

Keurig ging hij het rijtje af. En wij zaten helemaal achteraan. Een rij met alleen maar meisjes.

'Ook met paarden.'

'Een jockey?'

'Nee, veearts, denk ik.'

'Een manegehouder.'

'Een paardenverzorgster.'

'Paardenfokker.'

Van Rijn, door het groeiend rumoer onder de jongens, verstond het niet goed: 'Ook een verzorgster?'

'Nee, een paardenFOKKER.' Het meisje articuleerde het woordje fokker. Dat articuleren hadden ze van mij. Het was trend geworden om daarmee je ergernis te tonen, of om de ander het gevoel te geven dat hij onnozel was.

Een schijnheilig sekreet dat pas in H. was komen wonen, dochter van een notaris, zei: 'Politie te paard.'

En toen was ik aan de beurt: 'Ook iets met paarden,' zei ik vriendelijk, met de stem van Joyce.

Zijn stem klonk net zo sympathiek: 'Wat precies?'

Mijn antwoord bracht ik ernstig: 'In 't slachthuis.'

Hij negeerde mij. Keek meteen naar Sonja, met een strenge blik.

'Iets met mensen,' zei Sonja, alsof ze wilde zeggen, maak je geen zorgen, ik ben niet zo kinderachtig als Zohra.

Van Rijn, blij: 'Ah... Wat precies?'

'Op het crematorium.'

Met vuurspuwende ogen dreigde hij Nouchka: 'Als jij denkt net zo grappig te moeten zijn als je vriendinnen, dan waarschuw ik je vast...'

Sonja en ik, simultaan, riepen: ''t Is echt waar!'

Nouchka, alsof ze zich van geen kwaad bewust was, haar gezicht ernstig en onschuldig, zweeg.

Ongeduldig, geïrriteerd, vroeg hij: 'Nou, vooruit, wat wil jij worden Van Wijngaarde?'

Nouchka, schijnbaar gekwetst door zijn houding, antwoordde kleintjes: 'Iets met kinderen.'

De stem van Van Rijn werd vriendelijker: 'Wat precies?'

'Ik weet het nog niet. Ik ben gek op kinderen...' zei Nouchka.

Sonja en ik waren door de serieuze toon van Nouchka ook nieuwsgierig.

'Waar denk je met name aan? Wat lijkt je leuk?' probeerde de onderwijzer haar op weg te helpen.

Nouchka bewoog haar vingers op een mij inmiddels vertrouwde manier met grote kalmte, en zei: 'Neuken. Lekker neuken.'

Hij pakte haar bij de arm, sleurde haar de klas uit, en onderweg greep hij met zijn andere hand naar mijn haren. Sonja volgde zonder dat hij er enige moeite voor hoefde doen.

Eerder nog, veel eerder, mijn arm zat nog in het gips, nam ik wraak zonder dat Nouchka of Sonja wist dat het spel dat wij speelden een vorm van vergelding was.

Dimitri's hoofd, zijn gezicht nauwelijks te zien door al het (ogenschijnlijke) bloed dat er over zijn voorhoofd naar zijn neus en mond gleed, lag met zijn hoofd op het trottoir, alsof hij uit de boom of van het dak gevallen was. Nouchka belde aan bij Sonja's huis, en riep om hulp. Rob rende de straat op, ontdekte Dimitri op de grond, rende terug het huis in, en kwam weer naar buiten met een EHBO-kistje en zijn dokterstas.

Bruine schoenen. Ik schopte tegen een punt met de mijne. Onhoorbaar voor de anderen fluisterde ik in zijn oor, terwijl hij mij opzijduwde en zich over Dimitri heen boog: 'Deze schoenen zag ik pas bij ons binnen staan.'

Dimitri stond op en likte de jam van zijn gezicht. Rob deinsde achteruit. Sonja kwam juist haar huis uit met een fles tomatenketchup in de hand, een beetje laat, maar ze moest zeker wachten totdat Judith naar de wc was of zo, voordat ze in de keukenkastjes kon snuffelen.

'Krijg ik nu mijn knikkers?' vroeg Dimitri.

Sonja giechelde: 'O, had je daar al die jam voor nodig?'

Rob pakte Sonja bij de schouders en schudde haar door elkaar.

'Doe jij ook mee aan dit flauwe spelletje?'

'Je doet me pijn,' zei Sonja. Dat hij het voor haar opnam tegen Judith als die haar handen gebruikte was vast gelogen.

'Laat haar los. Zij heeft niks gedaan.' Ik drong mezelf tussen hem en Sonja. Toen vervolgde ik dreigend, en zachter, terwijl ik hem strak in de ogen keek: 'Laat haar gaan of ik vertel haar alles, en dan vertel ik alles aan iedereen!'

Rob liet Sonja los. Hij pakte mij bij mijn kin en keek mij recht in de ogen. Ik keek fel en onverschrokken terug.

'Hier praat ik nog met je moeder over!'

'Waar?' vroeg ik.

Rob maakte rechtsomkeert naar zijn auto, gooide de dokterstas en de EHBO-kist achterin, en reed te hard de straat uit.

'Wat ga je mij en alle anderen vertellen?' vroeg Sonja. Die had geen tact, wist echt niet wanneer je je mond moest houden.

'Niks. Mannen hebben altijd geheimen, dus als je daarmee

dreigt worden ze bang,' zei ik koel. Ik liep naar mijn schooltas die ik in de bosjes bij de lege jampotjes had gelegd, deed een gulle greep, en gaf Dimitri zijn knikkers.

De meisjes kregen het tijdelijk verbod met mij te spelen. Ik weet niet of het voor een dag, een week of een maand was, maar het voelde als een eeuwigheid. Ik vond het kinderachtig. Het was van een kilometer afstand te zien dat het bloed vals was, en zeker voor een arts.

De moeders waren boos omdat de spelletjes, die ze gevaarlijk vonden, allemaal uit mijn brein afkomstig zouden zijn en dat ik de anderen daarmee op het slechte pad zou brengen. Ik zou mijn leeftijd ver vooruit zijn, volgens Judith, maar als dat zo was moesten ze juist blij zijn, want dan was ik immers bijna volwassen, net als zij. Iemand met verantwoordelijkheidsgevoel.

Joyce had ik wel eens horen zeggen tegen een broeder dat ik heel zelfstandig was. Ik kon al koken, zorgde – als het moest – goed voor mijn broertje, al was het scheldend en vloekend, en ze kon de boodschappen ook aan mij overlaten. Ik wist precies wat er in de ijskast zat, en maakte een lijstje voor haar als ze op zaterdagochtend snel even naar de markt in A. ging. Als je eens een keertje iets deed waar ze van schrokken kreeg je straf, maar dat je ze dagelijks werk uit handen nam werd nooit beloond met bonustijd die je met je vriendinnen mocht doorbrengen en waarmee zoals bij het monopolyspel eventuele straf later kwijtgescholden werd.

We waren op het reisbureau. Dimitri speelde bij Judith. Ik was met Joyce meegegaan die had aangeboden dat ik van de folders met gebruik van schaar, plaksel, en de fotokopieermachine van het reisbureau mijn eigen reisaffiches mocht maken. Die dag zou ze de enige in de winkel zijn, dus storen zou ik niet.

Joyce zat aan de telefoon, en vulde formulieren in. Ik zette kruisjes op mijn gipsarm, op alle plekken die onbeschreven waren, en zat onder het bureau. Ik verbeeldde me dat ik Anne Frank was, en schreef in een dagboek. Het schrift raakte al snel driekwart vol, en ik wist niks meer te verzinnen over wat je meemaakt als je ondergedoken zit.

'Mag ik voor etalagepop spelen?' vroeg ik. We hadden de etalage samen ingericht. Een beetje sloom met alleen affiches. Ik vond het een machtig gevoel om achter dat glas te staan en dat de voorbijgangers tweemaal keken, of ik echt was of niet.

'Dat zal mijn baas geen goed idee vinden,' zei Joyce.

'Ah, mag het, anders verveel ik me, ik heb niemand om mee te spelen.'

'Je hebt het er zelf naar gemaakt dat je vriendinnen niet met je mogen spelen.'

Flauw van d'r om mij daaraan te herinneren. Ik was door de gemoedsstemming van de Anne Frank in mij vergeten dat ik geen echt slachtoffer was, en dat ik het voor een deel zelf had veroorzaakt dat mijn vriendinnen nu niet bij me waren. Maar ik vond het onterecht dat ze haar eigen handen in onschuld waste. Uiteindelijk was het allemaal bij haar begonnen.

Dus barstte ik los, dat ging vanzelf articulerend: 'Jij bent anders ook geen lieverdje, *Joyce van Dam*! Wat zal jouw straf zijn als ze erachter komen wat jij uitspookt?'

En tegelijk schrok ik van mijn woorden die zoals zo vaak zonder enige controle naar buiten komen.

Ik zit in elkaar gedoken, onbeweeglijk, onder het bureau, en wacht af hoe ze zal reageren op wat ik er heb uit geflapt. Ik probeer vanonder het bureau te gluren, maar kan mijn moeders gezicht niet zien. Ik blijf in elkaar gedoken zitten. Ik haat de tranen die zonder dat ik het wil over mijn wangen stromen.

Het wordt erger als Joyce begint te praten, zacht, maar ik hoor haar wel: 'Ik had er behoefte aan om met iemand te praten... over je vaders ziekte, Zohra. Ik vind het ook heel erg pijnlijk dat je me zo aangetroffen hebt, en het zal nooit meer gebeuren.'

Ik zwijg, haal heel voorzichtig adem, wilde dat ademhalen niet meer nodig was, probeer te verstillen, een plant te worden, een poot van het bureau.

'Zohra?'

Ik blijf zwijgen.

'Zohra, snap je dat, dat ik af en toe de behoefte heb om met iemand te praten... dat ik me net zoals jij nu wel eens alleen voel?'

'Je kan toch met mij praten,' zeg ik.

Het is stil. Dan zegt Joyce: 'Sommige zaken bespreek je als vrouw nu eenmaal liever met een volwassene. Maar je hebt gelijk, ik moet misschien ook meer met jou praten.'

Ik weet niet wat ik moet doen of moet zeggen. Eigenlijk wil ik helemaal niet dat ze met me praat. Dit gesprek duurde al lang genoeg. Ik blijf onder het bureau.

Zij zegt ook niks meer. Ik word gewoon weer Anne Frank en schrijf verder.

Koen, maar er waren er meer in Zonnehof, was mij vertrouwder dan bijvoorbeeld onze gymnastiekleraar, of het hoofd van onze school. Er waren wel eens van die kinderen die bij mijn moeder in de auto sprongen omdat ze ook eens wilden kijken hoe het in Zonnehof was, en die griezelden van Koen of professor Blink of van de andere bewoners. Het was naïef van Joyce om iedereen altijd maar mee te nemen.

Ik blies weer eens op Koentjes toeter die zoals altijd om zijn nek hing. Hij lachte dankbaar breeduit, en ik drukte het ding daarna tegen zijn lippen aan, maar ook nu kreeg hij er zelf geen geluid uit.

Iepe, groot en breed, de patiënt die wij Tarzan noemden, kwam er opeens bij staan, pakte de toeter van Koen af, en blies erop. Koen keek angstig. Het scheen dat ze Tarzan wel eens platspoten, en dat hij soms een tijdje vastgebonden was. Dat hoorden we van een van de andere bewoners, van Stef geloof ik, die altijd rondbazuinde wat iedereen had.

Toen Tarzan weer verder wandelde, naar de eendjes bij de vijver, verzuchtte Nouchka: 'Ik wou dat ik gezien had hoe hij die mevrouw redde.'

'Je zou nooit zeggen dat hij een held was, zo'n engerd,' beweerde Sonja.

Misschien kwam het doordat ik die lasso toevallig in mijn handen had terwijl we het cowboy-en-indiaantje-spelen alweer beu waren, ik weet het niet, maar ik hoorde mezelf zeggen: 'Vandaag redt hij mij!'

Wat ik me nog wel herinner: Nouchka zit klaar met haar super 8-camera, Sonja gooit stenen in de richting van Iepe. Ze werpt steeds fanatieker om zijn aandacht te vangen, maar hij reageert niet.

Volgens afspraak roept ze: 'Tarzan... Tarzan...!' Ze wijst opzij, naar mij waar ik klaarzit in de boom, met het touw. Sonja gooit meerdere stenen tegelijk, wat de eenden opschrikt.

'Laat mijn eendjes met rust.'

Hij grijpt Sonja in haar nekvel, en sleurt haar mee naar de vijverrand.

'Zeg mijn eendjes dat het je spijt!'

Nouchka, met de camera in haar hand, rent op hen af, en trekt aan Iepe. 'Red Zohra, ze hangt zich op, ga haar redden, sukkel.'

SCHULD EN BOETE

Ik kwam bij in het ziekenhuis. Volgens Joyce was ik al eerder bij kennis, en had ik vele malen om Rien geroepen, maar daar wist ik niks van, en ik dacht dat ze het zei om me te vernederen. En als dat de bedoeling was, dan was ze erin geslaagd. Nog meer blamage trof mij toen ik vernam dat niet Tarzan, maar de broeders me gered hadden.

De ene preek volgde de andere op, van artsen en bemoeizieke ouders om mij te vertellen dat ik van geluk mocht spreken.

Ik scheen in een soort coma geweest te zijn, en het had niet veel gescheeld of ik was gestorven.

'Nou en?' vroeg ik onverschillig. Mijn blik stond hard. De wond in mijn hals had geen nut omdat die achterlijke Tarzan zich inderdaad alleen maar om die eendjes bekommerde.

Dat verhaal van die nek die je breekt als je jezelf ophangt, wat Evert, de vriend van Bart gezegd had, was dus niet waar. Dat had ik met mijn stomme kop geloofd. Ze zeiden maar wat, die jongens deden net of ze er verstand van hadden. Hij had ook gezegd dat je een kick kreeg van bijna stikken, dat daarom sommige mensen elkaar bijna wurgen, en op het laatste nippertje loslaten omdat het een lekker gevoel zou zijn. Dat je er een beetje high van werd. Maar ik had niks gevoeld, was gewoon bewusteloos geworden, of in coma geraakt, als ik de anderen moet geloven. Dat was alles.

Niks geen opwindend gevoel, geen orgasme of weet ik hoe ze die kick beschreven.

Ik mocht niet naar huis. Ik mocht niet uit bed. Ik moest blijven liggen. Joyce liep ijsjes uit te delen. Ik hoefde niet. Moest er niet aan denken. Ik had het ijsje wel in mijn hals willen leggen. Het brandde in mijn nek.

Naast mij lag een roodharige jongen. Hij zei dat hij Pim heette en bij mij op school zat, en dat hij Bart kende, een jongen die vaak in onze buurt rondfietste, en ons een keer mee naar zijn boederij had genomen. Hij praatte tegen mij, maar Joyce gaf antwoord, want ik keek zijn kant niet op.

Alles was voor niks geweest. Hadden die broeders niet even kunnen wachten totdat Tarzan me ging redden? Moesten ze nu echt zo nodig voor held spelen? Om een beetje indruk op Joyce te maken, zeker. Ik had wel door dat die mannen allemaal achter mijn moeder aan zaten, of ze nu patiënten waren of de patiënten verzorgden, ze liepen allemaal likkebaardend om haar heen. Hier in dit ziekenhuis zat die dokter ook al overdreven naar haar te lachen. En dan dat gesmoes in de hoek van de zaal. Ik haatte het als ze je niet alles vertelden, maar ik deed net of het me niks kon schelen. Er waren al twee artsen geweest, en de ene was aardig maar de andere was een akelige vent.

'Dankzij jouw spelletjes worden er voortaan misschien geen kinderen meer in het park van Zonnehof toegelaten,' zei Joyce. Ze had een stoel dicht bij me neergezet, en wilde klaarblijkelijk een serieus gesprek beginnen, iets waar ik nu niet op zat te wachten.

Ik trok het laken over mijn hoofd.

'Els en Judith zijn niet erg over je gedrag te spreken, en ik denk dat je op bezoek van Nouchka of Sonja dus niet hoeft te rekenen.'

Opgekruld, verscholen onder het laken, zweeg ik. Ze hadden tegen mij ook gezegd dat ze erover dachten de vriendschap vanaf nu voorgoed te verbieden. Ik deed net of het me niks kon schelen. Het ging ze er immers om mij te treffen. Als het mij onverschillig liet zochten ze vast wel iets anders om mij te laten boeten voor wat ik had gedaan.

Joyce zat zwijgend naast mijn bed. Ik wist niet hoe lang al, maar ik kwam niet vanonder het laken tevoorschijn, voelde haar hand op mijn rug, verroerde me niet, hield mijn adem in, deed net of ik dood was, dan zou ze wel schrikken en spijt krijgen van wat ze net had gezegd.

Haar hand bleef daar, en werd warm. Het was niet makkelijk om stil als een plank te zijn. Mijn broertje zou in haar armen kruipen. Of hij nu stout was geweest of niet, hij krulde zich na elk standje als een kat bij haar op schoot. Ze was vast niet meer kwaad, en als ik een wilde beweging maakte, wist ze dat ik leefde, en zou ze mij ook knuffelen, zoals ze Kleintje altijd toch weer oppakte en aaide wanneer ze het weer eens naast de kattenbak had gedaan. Ik maakte een onverwachte beweging om te laten merken dat ik niet dood was, dat ze niet ongerust hoefde zijn. Iets te wild misschien. Haar hand gleed weg.

'Dag Zohra,' zei ze, 'krijg ik een zoen?'

Ze kon haar hoofd toch zeker onder het laken steken voor

een kus. Waarom trok ze mijn laken niet even weg, waarom moest ik eerst helemaal onder de dekens vandaan komen voordat zij mij gewoon een zoen op mijn wang drukte? Ik hield me stil, haalde heel voorzichtig adem. Ze vroeg opnieuw: 'Zohra, zeg je me niet gedag?'

Ze kon toch zelf een zoen geven? Desnoods door het laken heen. 'Zohra?'

Waarom deed ze zo moeilijk?

'Ik ga weg hoor,' zei ze, 'ik kom morgen pas weer.'

'Ga maar,' zei ik, 'ga maar weg.'

Ze verliet het zaaltje, ik hoorde haar stappen naar de deur.

Zodra ze weg was kreeg ik spijt. Snel pakte ik de kleurpotloden en het schetsboek dat ze voor me op het nachtkastje naast mijn bed had achtergelaten. Ik tekende een vrouw net als Joyce, en schreef erop, met grote letters: Sorry Mama. De schets had ik in een oogwenk klaar. Ik wist dat Pim met verbazing toekeek hoe snel ik kon tekenen.

Met de tekening haastte ik mij naar de gang, al was mij ten strengste verboden het bed te verlaten, en rende naar de lift in de hoop dat ik haar op het parkeerterrein misschien nog kon vinden.

Voordat ik bij de lift kwam passeerde ik een kamer waar de deur op een kier stond, en waar ik de stem van Joyce opving. Ik stond stil, luisterde, en was weer eens getuige van een gesprek waar ik niet om had gevraagd. Het bonsde in mijn hoofd.

'Kunt u haar wat langer hier houden zodat we allebei even tot rust kunnen komen? Ik heb geen vat op haar. Ik weet dat u hier niks meer voor haar kunt doen, maar voor mijn part als een soort boetedoening of zo. Zodat ze er misschien van leert.'

Ik rende weg, verscheurde de tekening.

Pim kwam uit de zaal gelopen en betrapte mij. Ik gaf hem een schop tegen zijn schenen toen hij naar de snippers keek. 'Ga naar je bed, eikel, bemoei je met je eigen zaken.' Alles draaide. Duizelig. Zakte door mijn benen op de koude vloer.

Het was ze niet gelukt om Nouchka en Sonja van het ziekenhuis weg te houden. Ze kwamen toch, maar pas dagen later toen ik op een andere afdeling was geplaatst waar ik met een andere dokter moest praten. In een zaal met andere kinderen. Onderwerpen die ik vervelend vond.

Sonja vertelde me, toen ze buiten de normale bezoektijd om, helemaal alleen bij me was dankzij Rob die de afdeling kende en er wel een potje kon breken, dat zij met een glas tegen de muur een gesprek tussen haar vader en moeder afgeluisterd had.

Judith en Rob sliepen in aparte bedden. Dat is altijd zo geweest, zei Sonja al eens eerder toen we in hun kamer voor de grote spiegel Judiths jurken uitprobeerden. Nouchka had toen natuurlijk weer zo'n wijsneusopmerking van: 'Hoe kan het dan dat Patrick toch geboren is?'

Rob had haar bij mij gebracht omdat ze voor het ontbijt de badkamer in was gelopen waar hij zich aan het scheren was, en had gehuild dat ze me miste en dat ze liever doodging dan nog meer dagen zonder mij te zijn. Ze lachte terwijl ze me verklapte hoe ze het voor elkaar had gekregen.

Ik kon zien dat ze echt had gehuild toen ze Rob chanteerde. Ook wist ik dat ze mij zonder de anderen wilde spreken om te vertellen over het gesprek tussen Judith en Rob.

Judith: 'Ik zou die vriendschap verder het liefst verbieden.'

Rob: 'Psychologisch is dat onjuist. We zouden Zohra eigenlijk vaker hier in huis moeten uitnodigen, dan hebben we er meer controle op.'

Judith: 'Het is volkomen uit de hand gelopen.'

Rob: 'Het zou niet aardig zijn tegenover Joyce, die heeft het al zo zwaar met een man die geestelijk en lichamelijk gehandicapt is, en wat haar misschien nog verder boven het hoofd hangt.'

Judith: 'Ik moet dat kind niet. Ze haalt me het bloed onder de nagels vandaan.'

Rob: 'Je kunt Zohra niet van alles de schuld geven. Het is de chemie tussen die meisjes die hen tot kattenkwaad aanzet. Onze Sonja is net zo schuldig als die andere twee. Wie weet wat er bij haar wel in de genen zit.'

Samen met andere kinderen van de afdeling woonde ik voor de eerste keer van mijn leven een kerkdienst bij. Aan begrafenissen en huwelijken ging meestal een dienst vooraf, dus ik wist wel hoe kerken er van binnen uitzagen, maar ik had nog nooit zomaar een gewone zondagsmis bijgewoond.

De kerk was niet zoals de kerken die ik ken. We waren in een grote zaal. Er stonden wel beelden, en er was een altaar en een speciale plek voor de priester om te preken.

Ik herkende de Maria, ook al was ze een beetje eigenaardig vanwege een soort bronskleurig ijzerdraad om haar hoofd. 'Moet je dat zien,' zei ik tegen Pim, want gedwongen door de eenzaamheid praatte ik af en toe met hem omdat hij niet zo sloom was als de anderen op de zaal.

'Da's een aureool,' dacht hij mij uit te moeten leggen.

Alsof ik dat niet wist. Dat woord kende ik allang. Het aureool was meestal opgevuld, en net zo goed van gips gemaakt als de rest van het beeld. Maar hier was het of de bedlegerige ziekenhuispatiënten het Mariabeeld op de handarbeidmiddag in elkaar geprutst hadden en er niet genoeg gips meer over was. Ach, dachten ze, het kan ook wel met een ijzerdraadje.

Jezus en de andere mannenbeelden hadden net zo'n iel ijzerdraadje om het hoofd. Als een zinloze hoed. Het was als een rechtopstaande ketting, en zag er onaf uit.

'Dat het een aureool is weet ik ook wel,' zei ik, 'maar alleen een ijzerdraadje als aureool vind ik stom.'

'Da's modern,' zei Pim. 'Het is een moderne kerk, hij hoort bij het ziekenhuis, het is alleen voor zieken.'

Als dat waar was begreep ik niet waarom ze hier de verwarming niet aanhadden. Het was koud. Kinderen met een griepje zouden hier onmiddellijk een longontsteking oplopen.

De dienst duurde me te lang. En er werd te veel op ons gelet. De arts die elk van ons voortdurend lastige vragen stelde was er ook.

Ik wist niet of het waar was dat iedereen die de dienst bijwoonde in het ziekenhuis lag. Heel veel mensen zagen er monter uit, maar er zaten er ook bij die ze beter in bed hadden kunnen laten. Ik had me de vorige dag opgegeven voor de kerk omdat ik eindelijk weer eens iets wilde beleven.

De uren die ik in het ziekenhuis sleet voelden als dagen. De wond in mijn hals was nog niet genezen. De tijd in het ziekenhuis had ik vooral tekenend en schrijvend in mijn dagboek doorgebracht. De dokter gaf me een soort poëziealbum om als dagboek te gebruiken. Nogal een dwingeland, die dokter. Hij vroeg elke dag of hij het in mocht zien, maar daar begon ik niet aan.

Twee mannen liepen rond met een zak aan een stok om geld op te halen. Dat had ik bij begrafenissen en zo ook gezien. Nouchka en ik wilden zo'n stok namaken om ermee de camping op te gaan en het door elk raam en elk tentgat te steken en te roepen: 'Geld voor arme zielen, geld voor arme zielen.'

We hadden een gebreide muts aan een stok geknoopt, maar die gleed er steeds af. Dan was die antieke collectebus waar Els gedroogde bloemen in bewaarde toch beter.

Ik pakte een paar kwartjes uit de zak, gewoon voor de grap, om de andere kinderen op stang te jagen. Uitgerekend die Pim, die naast me zat, boog zich naar mij voorover, legde zijn hand op mijn arm, en fluisterde: 'God ziet alles.'

Ik begon het ellendige joch net aardig te vinden, maar nu, met dat schijnheilig gekwijl, had ik geen zin meer om met hem te praten. Ik stopte de kwartjes demonstratief in mijn mond, en slikte ze door. Dat hield hem even stil.

Hij zat mij aan te gapen. Toen wees hij naar de wond in mijn nek, die als een cirkel net een strak gebonden halsketting leek.

'Wat heb je daar?'

'Een aureool,' zei ik. 'Wat zij om haar hoofd heeft is bij mij per ongeluk afgezakt.'

148

Er werden belletjes gerinkeld, de meeste mensen, zelfs de vermagerde zieken gingen op hun knieën. Iedereen brabbelde opeens mee. Ze leken allemaal te weten waarover ze het hadden.

'Wat zeggen ze?'

'Dit gaat over boetedoening,' zei Pim.

'Hoezo boetedoening?'

'Dat het je spijt. Jezus boet voor onze zonden.'

Jezus boette voor onze zonden? Waarom moest ik van Joyce dan langer in het ziekenhuis blijven als Jezus het voor mij had willen doen?

'Jezus?' vroeg ik.

'Ja, die man aan het kruis.'

Stom joch. Hij dacht zeker dat ik imbeciel was. Mijn ouders hadden me dan wel niet gedoopt, maar ik wist heus wel wie Jezus Christus was.

De dokter van mijn dagboek praatte per dag een uurtje met ons, en de rest van de tijd hadden we een soort school. Ik mocht er mijn eigen gang gaan, en zat meestal in een hoekje te lezen. Ze hadden spannende boeken in het kastje, en Sonja had me van haar zakgeld een mooi boek cadeau gedaan over indianen.

We zaten er met zeven kinderen. Een van hen was Pim. Wat hij had wist ik niet. Geen zin om ernaar te vragen.

Voor ons lagen tekenblaadjes en kleurpotloden. De dokter, hij heette Iwan – ik noemde hem De Verschrikkelijke – , zei: 'Teken je vader op een fiets.'

Pim zei: 'Mijn vader heeft geen fiets.'

'Teken het toch maar.'

Ik deed of ik gek was, net als Nouchka lang geleden toen we op school een tekening moesten maken voor vaderdag. Ik wachtte totdat hij mij zou vragen: 'Zohra, waarom teken jij niets?'

'Omdat ik geen vader heb, mijnheer De Verschrikkelijke.'

'Teken dan maar zomaar een vader.'

'Ik weet niet wat een vader is, mijnheer De Verschrikkelijke. Is dat hetzelfde als een moeder?'

Ik concentreerde me op de kast, op de tekeningen die aan de muur hingen en op de affiches die op het prikbord met gekleurde punaises waren vastgezet. Ik keek naar de pantoffels van de andere kinderen. Iedereen droeg pantoffels, maar ik had mijn echte schoenen aan, als enige.

Ik negeerde het witte papier dat hij voor mijn neus op tafel had gelegd. Hij schoof het dichter onder mijn neus.

'Hoe beter je meewerkt des te sneller mag je weer naar huis,' zei hij.

Ik zuchtte. Opeens ging mijn hart tekeer als een motorboot. Ik trilde, kreeg kippenvel, ging zweten, en mijn hart bonsde tot in mijn oren. Zou het hiervan afhangen? Zou ik pas naar huis mogen als ik deed wat hij zei? Was dat wat ze bedoelden met boetedoening? Ik tekende een fiets, snel, zoals ik meestal de lijnen haastig op papier zette. Ik wilde naar huis, ik wilde hier weg, ik fietste in mijn verbeelding met mijn zelfgemaakte fiets het zaaltje uit, over het fietspad naar H., mijn straat in, en zwaaide bij de ramen van Nouchka en Sonja, die allebei naar buiten renden, mij omhelsden, me vertelden hoe ze me hadden gemist. Dus tekende ik een hoofd in de lucht, zwevend boven het zadel. Er vielen druppels op het papier. Ik kleurde het vochtige blaadje kapot voordat mijn vader was getekend.

'Moet je huilen als je aan je vader denkt?' vroeg de dokter.

'Nee man,' beet ik hem toe, 'ik mis mijn kat.'

Sonja zei jaren later dat ze elke dag opnieuw voor mij gebeden had. Judith had haar katholiek gedoopt, maar Rob en zij deden er weinig aan. Ze hadden wel een Mariabeeld op de overloop in een soort glazen kastje. Sonja ging ervoor op haar knieën, zei ze, en bad tot Maria of ze ervoor wilde zorgen dat ik niet zou sterven voordat ik twaalf geworden was.

Ik had mij verkleed als een soort exotische priester, en droeg een combinatie van mijn Zorro-cape en de indianenkleren die Els voor ons gemaakt had. Het eindresultaat moest lijken op de jurk die ik de priester in de kerk van het ziekenhuis had zien dragen. Het indianenpak had ik in stukken gescheurd, de losse delen op de Zorro-cape vastgezet, en met grove steken een kruis op de rug genaaid dat ik uit een paarse handdoek geknipt had. Sonja en Nouchka droegen elk een onderjurk van Judith en moesten misdienaars voorstellen.

De kinderen van de buurt zaten op hun knieën in het schuurtje dat we hadden ingericht als een kerk.

Sonja en Nouchka hadden het Mariabeeld van Judith geleend, en Sonja wist dat ze ergens op zolder ook nog een beeld hadden staan waar de hand van afgebroken was. Een man die op zijn hart wees. Volgens Sonja was dat de vader van Jezus, dus hadden we die naast Maria op een doos gezet.

Kleintje wilde er steeds naast kruipen, en stootte Maria om, die haar hoofd brak. Die kop konden we er gewoon weer op zetten. Als je niet tegen de doos stootte viel hij er niet af. Sonja werd er alleen een beetje zenuwachtig van. Ik moest haar telkens opnieuw verzekeren dat we het beeld straks weer zouden kunnen plakken. Een werkje van niks, dat wist ik zeker. Gewoon met een of andere drie-seconden-lijm. Zo had ik het kruis ook gemaakt, van twee stukjes hout, die ik met de sneldrogende componentenlijm aan elkaar had gezet, en extra met touw had omwikkeld. Het leek een beetje op een zwaard.

Ik had mijn eigen gebed verzonnen. Alles wat ik zei moesten de anderen regel voor regel nazeggen. Het klonk precies zoals in de echte kerk.

'Onze – lieve – Heer, wij bidden u
Onze – Lieve – Heer, wij bidden u.
Laat ons niet wachten op de hemel tot we sterven.
Laat ons niet wachten op de hemel tot we sterven.
Laat de hemel hier op aarde zijn.
Laat de hemel hier op aarde zijn.
Naar de hel met de hel, verdomme.
Naar de hel met de hel, verdomme.'

Toen kwam Joyce. We hadden de schuur van binnenuit op slot gedaan, en ze klopte op de deur, steeds harder, want door ons gebed konden we haar niet horen.

Irritant om gestoord te worden als je aan het bidden bent.

'We zijn met een dienst bezig,' zei ik, toen ik de deur van het slot deed, en zij daar met zo'n gezicht stond van: Wat spook je nu weer uit?

'Je mag het niet belachelijk maken. Voor anderen betekent God heel veel. Een beetje respect, Zohra!'

Ik was me van geen kwaad bewust. Net zoals we vaak winkeltje speelden en ziekenhuisje en ongelukje, of zeerovertje, zo speelden we nu kerkje. Na alle beloftes die ik had moeten doen dat ik geen gevaarlijke spelletjes meer zou uithalen, dacht ik dat we nu met zorg iets braafs hadden uitgekozen, en toch was het weer niet goed. Bijna alle buurkinderen bevonden zich in onze schuur. Niemand huilde. Er werd geen ruzie gemaakt. Er waren geen gevaarlijke wapens, we deden niks met een lasso, en er was niemand vastgebonden. Zelfs de broertjes deden vandaag volkomen vrijwillig mee, zonder chantage of omkoperij.

Toen ik mijn moeder daar zo zag staan, met dezelfde paniek in haar ogen die ik de laatste tijd vaker in haar blik gezien had, terwijl ze toch probeerde om haar stem zo vriendelijk mogelijk te laten klinken, zonk de moed me in de schoenen, en vroeg ik me af of er dan werkelijk niks meer geoorloofd was.

'We praten gewoon met die kinderen over onze zonden en

zo. We doen boete! Is dat ook al verboden?' zei ik met nadruk, want articuleren was een gewoonte geworden.

DE ENE OF DE ANDERE VERJAARDAG

Op zondag 16 mei 1982 werd ik twaalf. Sonja en Nouchka stonden al om zeven uur 's morgens voor de deur. Ze hadden de wekker gezet om mij wakker te zingen. Binnenkomen mochten ze nog niet, want Joyce had te veel te doen, zei ze. Rien zou om tien uur gebracht worden, en ze moest alles voor het verjaardagsfeest nog klaarmaken.

'Lang zal ze leven in de gloria.' Dat waren de woorden waarmee ik wakker werd. Jaren later bekenden ze mij dat ze nog steeds bang waren dat ik zou sterven voordat mijn twaalfde verjaardag begon, omdat ik het zo pertinent beweerd had, maar ik had ze beloofd om samen beroemd te worden, en een belofte aan mijn vriendinnen kon ik niet breken.

Rien zat in een rolstoel die meer op een ligstoel leek, en zijn nek was vastgemaakt. Ik had er zelf om gevraagd of hij erbij kon zijn, maar toen hij door de broeders werd binnengereden, en de halve huiskamer in beslag nam, wist ik niet meer of dit wel was wat ik bedoelde.

Ik was niet vrolijk, ondanks de slingers aan het plafond was de kamer niet feestelijk. Toen Joyce de kaarsjes een voor een in de taart duwde protesteerde ik: 'Dat hoeft niet.' Ze trok zich er niets van aan. Het zingen had ik die ochtend al gehoord, dus dat wilde ik niet nog een keer. Maar alhoewel het mijn verjaardag was, luisterde niemand naar mij.

'Blaas de kaarsjes uit. Dan mag je een wens doen,' probeerde Joyce mij over te halen.

'Ik heb geen wensen. Ik doe niet aan die flauwekul.'

Nouchka fluisterde: 'We zouden toch filmster worden. Zohra. Wens dat dan!'

Dimitri boog zich over de taart, en keek me vragend aan: 'Mag ik het doen?' Hij begon al zacht te blazen.

Snel pakte ik de schaal met de taart op en hield deze Rien onder zijn neus.

'Help eens blazen, Rien. Zo...' Ik blies er eentje uit als voorbeeld. 'Blazen, Rien.' De taart duwde ik tot vlak onder zijn neus. 'Rien, blaas nou!'

Weer blies ik er zelf een uit, en nog een, om hem voor te doen hoe het moest.

Ik weet niet of hij er echt een gedoofd had.

Daarna legde Joyce een cadeautje in Riens hand dat hij zogenaamd moest geven, maar het pakje gleed op de grond. Dimitri ving het op. Rien viel in slaap voordat ik het had uitgepakt.

Het was een polaroidcamera, precies zoals ik gedroomd had te krijgen, maar ik had er nooit om gevraagd, ik had er alleen naar gekeken. Op de laatste dag in het ziekenhuis, toen Joyce me kwam ophalen, en we met nog wat andere mensen in de gang bij de lift stonden, zag ik een vrouw in een kamerjas, die met zo'n camera een foto van haar man en haar kindje nam voordat die twee met ons in de lift stapten. Terwijl wij op de lift wachtten was de polaroidfoto klaar. Ik zag hem van niks in een vader met zijn baby veranderen, net zoals de papieren in de toverbakken op mijn vaders zolder.

Joyce moet toen het verlangen in mijn ogen gelezen hebben. We hebben er met geen woord over gesproken. Ik keek alleen. Kon mijn ogen niet van de polaroidfoto afhouden.

'Rien wilde dat ik die voor je kocht,' zei Joyce. Een stomme leugen, want ik wist wel dat Rien niet besefte dat ik jarig was, en dat dit zijn laatste bezoek aan ons huis zou zijn. Ik haatte haar erom dat ze dat zei. Als ik niet zo blij was geweest met de camera zou ik hem om die foute opmerking aan Dimitri hebben gegeven.

'Wat had je gewenst?' vraagt Nouchka glunderend. 'Dat we filmster worden?'

'Niks zeggen, Zohra,' komt Sonja tussenbeide, 'want anders komt je wens niet uit.'

'Filmster word je niet vanzelf. We moeten dag en nacht oefenen,' zeg ik.

Sommige simpele zaken kunnen je van streek maken zonder dat je weet waarom. Ze vragen je waarom en het zoeken naar een antwoord doet je alleen maar dieper dalen in de afgrond die je nu juist uit de weg probeert te gaan.

Mei 1983. Joyce hielp Rien, die met zijn hoofd in een klem zat, de armen vastgebonden, met zijn thee. Ze duwde een rietje tussen zijn lippen. Hij dronk de thee gretig. Ik had mijn nieuwe walkman op, kwam alleen even groeten, want ik had met Nouchka en Sonja afgesproken naar de camping te gaan. Joyce had het laatste stuk taart van mijn dertiende verjaardag op Riens nachtkastje gezet in een openstaand Tupperware-bakje. De dag tevoren hadden we mijn verjaardag thuis zonder hem gevierd. Gebak of beschuit maakte voor hem geen verschil. Het was mijn eerste verjaardag zonder Rien, en ik was tegelijk opgelucht en verdrietig geweest dat hij er niet meer bij was. Maar hij had geen flauw benul dat ik een jaartje ouder was geworden. Naarmate ik ouder werd, werd hij steeds meer als een baby.
'Wat is dat? Appelsap?' Zin in ziekenhuisappelsap had ik niet. Ik vroeg het om maar wat te zeggen. Verder niet.
'Thee,' zei Joyce.
'Thee? Thee met een rietje?'
Ik hield de walkman bij Riens oor. Ik wist dat ik hem moest zoenen, maar ik kon het niet. Ik wist dat ik niet mocht denken wat ik dacht, maar ik kon de woorden niet uit mijn hoofd bannen.

Wat ben je laag gezonken als je thee met een rietje drinkt.

De zin paste in de song die ik beluisterde. Een cd die ik van Sonja voor mijn verjaardag kreeg, een of andere Britse groep, ze zongen te snel om de woorden te verstaan.

Wat ben je laag gezonken als je thee met een rietje drinkt.

Professor Blink liep op de gang, en ik rende naar hem toe om hem mijn nieuwe walkman te laten bewonderen.

'Hoe gaat het professor Blink?'

Ik hield de koptelefoon bij zijn oor. 'Voor mijn verjaardag gekregen.'

Blink reageerde onwillig: 'Een adequate reactie op de klassieke vraag omtrent mijn existentie stagneert door deze neuroritmische dramatiek die mijn oor treitert.' Hij liep resoluut weg, dus slenterde ik terug de zaal in, naar Rien en Joyce, waar Rien nog steeds traag thee met een rietje dronk.

'Hoe vond de professor je cd?' vroeg Joyce.

'Hij houdt meer van klassieke muziek,' zei hij.

Joyce veegde de kin van Rien af met een groot servet waar al vele vlekken op zaten.

'Mag ik alvast naar huis? We gaan oefenen voor onze carrière.'

'En je huiswerk?'

'Al af.'

'Ga maar. Haal jij dan Dimitri even op van trainen?'

Mijn gezicht zei: nee.

Ik gaf Rien een vluchtige kus, meer in de lucht, en haar op haar echte wang, en danste naar de deur.

Op de gang wordt mijn aandacht getrokken door een man die uit een andere zaal komt. Het is de man van de polaroid in het ziekenhuis. Ik weet het zeker. Zijn dochtertje, dat huilt dat ze terug naar mama wil, is nu al een peuter. Haar herken ik niet. Hem wel. Ik zie de polaroidfoto nog voor me: uit niks bloeide een vader met een baby op.

Het meisje huilt hard. De man leidt haar af door haar in de lucht te gooien, steeds hoger, totdat het kind kraait. Ik zet het op een lopen naar de uitgang.

Die middag maakten we ontelbare polaroids op de camping. Al het geld dat ik voor mijn dertiende verjaardag kreeg ging op aan materiaal.

Verkleed als mondaine dames, als geüniformeerde verkenners, als wellustige sletten, en als zwaargewonden proberen we de toeristen beet te nemen. We hielden mensen aan of ze met ons op de foto wilden, en vroegen ze merkwaardige standjes aan te nemen. De meesten deden mee. Sommigen liepen snel weg, alsof ze bang waren dat we de pest hadden, of een andere besmettelijke ziekte.

HET ANDERE GESLACHT

Ik moet vertellen van de jongens. We waren dertien of veertien, denk ik. Het begon bij Bart, die al om Nouchka heen draaide toen ze negen was, maar er komen er meer. Het is een bedreiging voor onze vriendschap, iets wat Sonja wel in lijkt te zien, maar Nouchka niet. Het lijkt of we een jongensmagneet hebben ingeslikt. Waar we ook fietsen, ze komen ons lastigvallen. Om die reden stel ik voor te gaan liften.

'Waarnaartoe?' vraagt Nouchka.

'Gewoon weg van H.,' zeg ik, 'het gaat niet om het waarnaartoe, het gaat om de auto, we stappen alleen in mooie auto's.' Over de schoonheid van auto's hadden we het nog niet eerder gehad, en daartoe moest er eerst een zekere mate van consensus bereikt worden. We zitten nog steeds op de fiets, op een mooie dag in de lente, als Sonja zegt: 'Die stomme jongens zitten achter ons aan!'

Nouchka: 'Da's Pim, van de tweede.'

'Ik ken geen Pim,' zeg ik.

'Hij zegt dat hij jou van vroeger, uit het ziekenhuis kent.'

'Ik ken geen jongens.'

Ik ga harder fietsen. Nouchka en Sonja passen hun tempo aan. We fietsen om het hardst. De jongens komen gevaarlijk dicht in de buurt.

Plótseling sta ik op de rem. 'Laat ze passeren,' beveel ik. De uitslovers gaan ons met een uitdagend gejoel voorbij.

In de verte, bij de brug over de rivier, staat Bart in slechts zijn onderbroek, in duikhouding op de reling. Alhoewel de lente-zon fel is, en de zomer in aantocht lijkt, is het nog te vroeg in de lente om te gaan zwemmen. Pim, in onderbroek, is bezig zijn T-shirt uit te trekken, en Paul maakt de veters van zijn schoenen los. Natuurlijk stinkt Nouchka in deze bij voorbaat mislukte poging om ons te imponeren. Ze remt af, haalt haar camera tevoorschijn, en filmt Bart die nog steeds moed verza-melt, en in een lullige houding als een bedelend hondje net doet of hij stoer is.

Sonja pakt mijn polaroidcamera, en kijkt door de lens. Als Bart ziet dat Nouchka hem filmt springt hij knullig in het wa-ter, gevolgd door Pim, die van de kant af, plat op zijn buik te-rechtkomt. Dat de jongens zich aanstellen en zich belachelijk maken is tot daaraan toe, maar dat mijn vriendinnen van dit armetierig gedrag onder de indruk zijn verdraag ik niet. In een oogwenk heb ik mijn kleren uit, en met alleen mijn slipje aan klauter ik naar de bovenrand van de brug. Geen gemakkelijke klim, en hoger dan ik dacht. Moeilijker dan ik vermoedde, om-dat er weinig steun te vinden is. En het is er aanzienlijk kouder, doordat je er de wind goed voelt.

Ver boven iedereen verheven ben ik zoals mijn naam mij gebiedt. De brug lijkt net zoveel speling te geven als de duik-plank in het zwembad. Hier voel ik me ijl, en groot, en mach-tig. Zoals schoonspringsters op de duikplank sta ik er zonder wankelen. Ik ben een kei in het bewaren van mijn evenwicht, hoe hoger hoe gemakkelijker, zeg ik altijd tegen Sonja die er veel meer moeite mee heeft, en nu bewijs ik het. Ik veer op de rand, ga licht door mijn knieën, haal diep adem, en voor de eerste keer van mijn leven maak ik een dubbele salto gevolgd door een kaarsrechte duik in de rivier.

Het duurt lang voordat ik weer boven ben. Zo lang dat ik

even twijfel of ik nog wel leef, en of dit niet is wat ze vagevuur noemen, koudvuur, koud water waaraan geen einde komt. Pas als ik weer boven water kom, realiseer ik me dat ik voordat ik dook niet had opgelet of er een boot aan kwam varen.

Ik heb de duik gemaakt zoals hij hoort, recht naar beneden, mijn benen kaarsrecht en gesloten. Een meesterduik die ik nooit meer zal evenaren. Het kan me niet schelen of Nouchka de salto heeft gefilmd en of Sonja op tijd met de polaroidcamera was om dit moment vast te leggen. Ik heb bewezen dat ik met meer moed een jongen kan zijn dan die klungels die bibberend en klappertandend na mij uit het water komen.

Met grote crawlslagen beweeg ik me naar de kant, en zonder om me heen te kijken raap ik mijn kleren op, slinger ze over mijn stuur, en fiets weg in mijn slipje, terwijl het rivierwater van mijn lichaam druipt.

De meisjes volgen, dat weet ik zeker. Ze moeten extra hun best doen om me bij te houden. De jongens raken we nu wel kwijt, want die moeten nog hun kleren aan, die durven niet naakt op de fiets door dit landschap.

Ze keken allemaal omhoog, ook de jongens die met moeite op de kant krabbelden, zei Sonja later. Alleen het laatste stukje stond op film. Maar goed ook, want Joyce had de aanblik ervan misschien niet verdragen. Deze duik zou nog vele malen worden herdacht, gniffelend, met trots en verwondering, met nostalgie naar dagen dat we dachten dat de wereld de onze was. Ik kwam onlangs weer over de brug en kon niet geloven dat ik er als dertien-, veertienjarige echt bovenop geklommen was, laat staan dat ik van bovenaf gedoken was. Soms denk ik dat het niet is gebeurd, maar dat we het gezamenlijk hebben verzonnen vanwege de legende rond Xohra, die groter dan alle heldinnen, onoverwinnelijk was.

Kleintje was zoek. Ik was al naar bed, en dacht: ze komt wel. Meestal kroop ze even bij me als ik ging slapen, en nu had ik haar de hele dag al niet gezien

'Ga jij nu maar naar bed, Zohra. Ze komt wel terug. En anders zoek ik wel,' zei Joyce, toen ik in mijn pyjama naar haar liep te zoeken.

De volgende dag had ik een repetitie Latijn, ik liet me daarom graag terug naar boven sturen, en kroop met mijn zaklantaarn en het leerboek in bed om de onregelmatige werkwoorden nog uit mijn hoofd te leren.

Toen ik de materie onder de knie had sloop ik de trap af om te zien of Kleintje al uit zichzelf thuisgekomen was, of dat Joyce de kat al had gevonden.

In de huiskamer zaten Rob en Joyce samen op de bank. Verder was er niemand, geen Judith, geen Els.

Hij schuift dichter naar haar toe, zij duwt hem weg.

Hij pakt haar bij haar middel vast, zij maakt zich van hem los.

Hij pakt haar beide handen. Zij staat op.

Hij gaat ook staan, en omarmt haar.

Ze rukt zich los, maar het lukt niet, en ze belanden beiden opnieuw op de bank.

Van de poes is geen spoor te bekennen.

Kleintje is niet in de gang, niet in de keuken, niet in de tuin.

In mijn pyjama fiets ik door de nacht op zoek naar Kleintje.

Ik roep haar naam, zoek in de struiken, zoek bij de tuin met de volière, waar ze wel eens rondhangt, zoek bij ons in de straat onder de boom voor het geval ze daar misschien gevallen is.

Ik blijf fietsen, steeds verder van huis, in mijn pyjama, in de regen, en fiets als vanzelf naar Zonnehof, waar Kleintje nooit naartoe gaat, maar wel eens is geweest, heel in het begin, toen ik dacht dat Rien het fijn zou vinden om Kleintje te zien, en ik haar meebracht in een mandje.

Ik gooi de fiets in de struiken naast het bord *Zonnehof*, klim langs de regenpijp omhoog en wurm me door een open wc-raam naar binnen. Een toilet van het personeel. Vandaar begeef ik me naar de slaapzaal van Rien, maar moet me even schuil-houden omdat ik iemand hoor kuchen. De nachtbroeder, denk ik.

Rien is in diepe slaap in een slaapzaal met meerdere bewo-ners.

Ik sluip naar hem toe, en fluister in zijn oor: 'Kleintje is weg.'

Hij geeft geen sjoege.

'Rien, mijn kat is zoek.'

Na enige tijd van onbeweeglijkheid komt hij plots overeind met wijd opengesperde ogen, en doet me intens schrikken met zijn barse luide stem.

'Je loon waadt geschied!'

Meteen daarna zakt hij weer achterover in een diepe slaap, met luid gesnurk. Nog nooit ben ik zo geschrokken. Ik staar hem aan. Zijn gezicht is lila. Dan verlaat ik de zaal, terug naar de wc, en klim uit het raampje.

In onze straat stond Nouchka bij de voordeur. Ook zij was drijfnat, alhoewel de regen was gestopt. Ze moest dus net als ik al een tijdje buiten zijn geweest. Haar fiets lag in de struiken.

'Wat doe jij zo laat buiten?'

Ze schrok van mijn stem. 'Zomaar wat wezen fietsen,' zei ze als een vreemde.

'In de regen?'

'Wat deed jij dan?' zei ze op een toon die ze altijd tegen Els gebruikte.

Ver weg ergens boven klonk gemiauw.

'Zie je wel. Ik dacht wel dat ze op het dak zat,' zei ik opge-lucht.

Ik klom langs de regenpijp omhoog.

'Je zou niet meer klimmen had je beloofd,' zeurde Nouchka.

'Waar kom jij in 's hemelsnaam vandaan,' vroeg ik sceptisch, en zag dat ze haar super 8-camera om haar nek had hangen.

'Ben je soms in het donker wezen filmen?'

Nouchka antwoordde met uitdaging in haar stem: 'Ja, zomaar van alles wat.'

'Waar is Els? De stad in?' Maar eigenlijk wilde ik vragen: Heb je iets gedaan wat ik niet mag weten?

Nouchka knikte.

'Waar is Stefan? Alleen thuis?'

Ze knikte opnieuw. 'Je kunt van hier niet bij het dak komen,' waarschuwde ze, en ze had gelijk. Ik moest via het zolderraam. En eigenlijk voelde de regenpijp niet veilig.

Toen ik via de achterdeur naar binnen ging was Rob weg, en lag Joyce voor de televisie, die aanstond, te slapen.

Joyce bond een laken aan mijn been voor als ik zou vallen. Dan pas mocht ik via het zolderraam het dak op om Kleintje te redden.

Kinderachtig gedoe. Maar ik liet haar begaan. Ze knoopte twee lakens aan elkaar, zoals wanneer een prins een prinses schaakte die in de toren van een kasteel gevangenzat. De punt van het laken maakte ze vast om mijn enkel. Het klimmen ging lastig door dat laken aan mijn been.

'Als ik val komt het door jouw laken,' zei ik. Ze had het laken stevig aan een tweede laken, en dat weer aan de zolderbalk vastgemaakt.

Jaren later, toen ze ging verhuizen naar Fred, en ik haar hielp met inpakken, herinnerde ik haar aan deze gebeurtenis. Ze kon zich er niets van herinneren, zei ze, en ontkende dat het was gebeurd. Ze vond het een belachelijk idee, want een laken kon scheuren, en ze zou nooit in zoiets hebben toegestemd.

Trots toonde ik Nouchka mijn drijfnatte kat. We gooiden ondanks het tegensputteren van Joyce, die eiste dat we onmiddellijk naar bed toe gingen, steentjes tegen het slaapkamerraam van Sonja totdat ze tevoorschijn kwam.

'Kleintje zat vast op het dak in de regen,' riep ik naar boven.

Ik poetste het medaillon dat vies was van de dakgoot op totdat het glom.

Daarna gingen we pas slapen. Nouchka bekende dat ze de repetitie Latijn niet had voorbereid, en vroeg of ik de volgende dag mijn blaadje zoveel mogelijk haar kant op wilde schuiven, maar daar hoefde ze nooit om te vragen, we hielpen haar altijd. Door deze vraag wist ik dat ze zich schuldig voelde, en dat ze hoopte dat ik haar haar geheim niet kwalijk nam.

Maanden later zag ik per ongeluk de opnames die ze bij Bart op de boerderij had gemaakt. Ze had het filmpje verstopt, maar ik kwam het tegen toen ik naar een ander filmpje zocht. Ik zei er niets over, noch tegen haar noch tegen Sonja, maar wist zeker dat het van die ene avond was.

Ze is drijfnat, haar lange kroeshaar plakt aan haar voorhoofd, met een roze biggetje liefdevol in haar armen, en lacht in de camera. Haar blik toont een radeloze verliefdheid op Bart, die haar met tederheid filmt. Een veel te lang shot laat zien hoe ze de pasgeboren big knuffelt. Volgens mij mag je zo'n pasgeboren beest niet eens vasthouden, en moeten die jonge varkens non-stop onder de lamp blijven of ze overleven het niet.

Dimitri lag te slapen in zijn eigen bed. Zijn hoofd werd omringd door knuffelbeesten. Vanachter zijn halfgesloten deur sprongen drie witte gedaantes tevoorschijn, met licht vanuit hun ogen. Twee van de drie spoken hadden elk een zaklantaarn en daarmee schenen ze op zijn gezicht. De derde had een camera en filmde hoe hij opschrok toen we dreigend, in koor, riepen: 'Je loon waadt geschied.'

Ik was degene die filmde. Het was de eerste keer dat we onze nieuwe spreuk uitprobeerden.

'Mamaaaaaaaaaa. Help!' ging hij tekeer.

We deden de lakens, waarin gaten bij de ogen geknipt zaten, af, en draaiden het licht van zijn kamer aan, maar hij bleef brullen als een baby.

We waren er goed in om Nouchka te helpen zonder dat het in de gaten liep, maar die dag mislukte het doordat ik telkens moest hoesten, een akelige zware hoest, en dat eiste te veel aandacht op. Ik had een zware kriebel in mijn keel, was misselijk, en had er zelf al moeite mee om de vragen goed te beantwoorden. Nouchka, ongeduldig, helde naar mij over.

'Ik waarschuw maar één keer,' zei de Eend. We noemden hem de Eend vanwege zijn brede mond en zijn wiebelkontje.

Nouchka had nog bijna niets op papier gezet, en liep al zodanig in de gaten met spieken dat ze balorig werd, en zei: 'Je loon waadt geschied!'

'Wat zeg je?' vroeg de Eend. Hij was in twee stappen bij haar.

'Je loon waadt geschied!' zei ik.

En Sonja voegde toe: 'Waadt met dt.'

Hij griste de proefwerkblaadjes bij ons weg, trok Sonja aan haar arm van haar stoel, en duwde mij en Nouchka van onze plaats.

'Gaan jullie je maar melden bij het hoofd. Jullie verdiende loon kan niet zwaar genoeg zijn,' zei hij driftig.

In de gang van het schoolgebouw riepen we luidkeels, daarbij marcherend, onze hakken luid op de stenen vloer: 'Je loon waadt geschied.'

'Hoe kom je er eigenlijk aan?' vroeg Sonja. 'Van Professor Blink?'

'Zelf verzonnen,' zei ik. (Waarom begon ze over professor Blink? Ik ging bijna nooit meer naar Zonnehof, had altijd smoesjes, en Joyce nam de moeite allang niet meer om mij te vragen mee te gaan.)

Plotseling moest ik kokhalzen. Ik rende naar de toiletten, maar voordat ik deze bereikte gaf ik over in de gang.

Hoge koorts. Joyce trekt de thermometer uit mijn mond. Ik kan niet zitten van lamlendigheid. Ben duizelig, zie de kamer draaien. Mijn benen voelen raar, mijn buik doet pijn, mijn hoofd lijkt uit elkaar te spatten door de druk die ik op mijn oren voel. Mijn borst doet pijn. Ik kan niet stoppen met hoesten.

'Dorst,' klaag ik, 'ik heb dorst.'

Ik probeer het bed uit te stappen om water te drinken van het fonteintje, maar wankel als ik naast mijn bed sta, en val terug op bed.

'Je bent verzwakt door de koorts. Je moet in bed blijven,' zegt Joyce. Ze houdt me een kopje thee voor. Geen zin in thee, maar mijn droge keel doet pijn. Ben te slap om op te staan.

Ik zak weg in de kussens. Joyce houdt het kopje aan mijn mond maar de thee loopt over mijn kin. Ik krijg niks binnen.

'Wacht even,' zegt Joyce.

Ik sluit mijn ogen. Het buitenlicht dat door het raam naar binnen valt doet me pijn aan de ogen. Zelfs als ik mijn ogen sluit zie ik het licht door mijn oogleden heen.

Dorst heb ik. Moe ben ik. Zwaar voel ik me. Futloos.

Joyce duwt iets tussen mijn lippen. Ik reageer gewillig door mijn mond te openen. Een rietje. Ondanks de dorst, ondanks de misselijkheid en het ontbreken van kracht duw ik Joyce hardhandig weg als ik het lauwe vocht proef. Ze voert me thee met een rietje.

Het kopje valt uit haar handen op de grond. Gerinkel van porselein.

'Geen rietje... geen thee met een rietje...' Ik schreeuw mijn stem schor, ik huil, ik trap met mijn lome benen, verstop me onder het laken, ik sla wild maar machteloos om me heen.

Het scheen haar niet gelukt te zijn om mij te kalmeren. In de uren of dagen die erop volgden zou ik op alles wat me werd gevraagd alleen nog 'nee' gezegd hebben.

'Zohra wil geen bezoek. Ze wil niemand zien,' hoorde ik Joyce zeggen.

Een poosje later zag ik door mijn oogleden het gezicht van Sonja om de hoek van mijn slaapkamerdeur verschijnen.

Ik deed net of ik sliep.

Waarom wist ik niet en weet ik niet.

Ik herinner me flarden van een gesprek.

'... zelfs een hogere kans bij vrouwen, Joyce.'

'Ze hebben mij gezegd dat er niks over bekend is, Rob.'

'Joyce, hou je nou niet van de domme...'

'Ik wil dat mijn kinderen een normaal leven leiden.'

Op de super 8-filmpjes zag ik later dat Sonja en Nouchka zich zonder mij goed konden vermaken. Alleen maar opnames van de boerderij, dat ze achter het stuur zitten op de tractor, dat ze in de oude Volkswagen van Barts vader op het erf rondreden, Sonja op een oud lomp paard, de hooiberg, en ook met Pim en andere vrienden.

Sonja scheen in een sloot gevallen te zijn, en kwam als een zwart spook vol drek boven water. Bart en Nouchka stoeiden in het hooi, onscherpe opnames.

Sonja filmde ook haar eigen schoenen.

En er was een rare opname die ze in haar kamer had gemaakt van een foto van ons drietjes die ingelijst op haar bureau stond. Ook onscherp. Verder een stiekeme opname dat ik sliep. Was ik erg kwaad om geworden. Achterbaks om mij onder die omstandigheden te vereeuwigen. Dat filmpje, en daar zat toevallig ook alles van Barts boerderij met de tractor op, had ik om die reden vernietigd. Demonstratief in het vuur gegooid.

Ik stapelde kiezelstenen op elkaar tot een torentje dat van het bed gleed. Met mijn polaroidcamera maakte ik een heel pak foto's. Opnames van alleen maar stenen.

Joyce vroeg voor de derde keer of het goed was als Rob naar me kwam kijken.

'Je moet aansterken,' zei ze, en bracht een glas bouillon.

'Met of zonder bijbedoelingen?' klonk ik spottend.

'Dan laat ik onze huisarts komen,' zei Joyce. 'Maar er moet iemand naar je komen kijken.'

De huisarts pakte een kiezelsteen op van mijn uitgestalde collectie stenen, en speelde ermee in zijn hand.

'Jij bent een grote meid geworden, sinds ik je navelstreng heb doorgeknipt.'

'Bedoelen ze dit nu met ongewenste intimiteiten?' vroeg ik.

Ik had op deze zin geoefend met Sonja, enige weken geleden. We hadden die woorden in een blad gelezen, en situaties op school bedacht waarbij we die woorden konden gebruiken. Maar er was nog niet eerder een goed moment geweest. Ik voelde mij Xohra, trots, sterk, groter dan de wereld.

Hij lachte. Hij luisterde naar mijn longen. 'Haal eens diep adem... Zucht eens. Nog eens... Nog eens.'

Dat koude ding op mijn lichaam. Ik walgde ervan als artsen aan je kwamen. Joyce wist dat, en toch deed ze mij dit aan.

'Dit is de eerste keer dat ik word geroepen omdat jíj koorts hebt,' zei hij. 'Is het omdat je bang voor dokters bent, of omdat je altijd kerngezond bent?'

Opeens was Xohra weg. Ik voelde mezelf week worden, slap als een vaatdoek, een rare golf van zwakte die ik haatte. Mijn gezicht dat niet meer strak wilde blijven. Mijn wil liep weg. Ik was een kleuter. Een peuter. Een baby. Een hoopje vuil. Ik was wie ik niet wilde zijn. Verdomme, tranen stroomden als verlegen regen over mijn wangen en ik vroeg: 'Moet ik nu ook naar Zonnehof?'

(De zin die diep weg verborgen zat en die ik zorgvuldig had verstopt onder het laken.)

Hij kneep mij in mijn wang.

'Je moet niet zoveel piekeren. Van zorgen worden mensen

ziek. Geniet, maak plezier, doe waar je zin in hebt! Dan blijf je gezond en sterk!'

Hij schreef een recept uit. 'Antibiotica,' zei hij tegen Joyce die schoorvoetend de kamer binnenkwam.

'Een griepje. Maar Zohra is niet klein te krijgen. Nog geen tweeduizend virussen of bacillen kunnen deze heldin vloeren. Overmorgen ben je weer de oude, schoonheid. Zet jij over drie dagen het dorp gerust weer op stelten, maar tot dan moet je nog even kalmpjes aan blijven doen.'

MISSIES

Stap 1
De speler kiest een naam uit de lijst Nomen est Omen. (Namen waaruit je kunt kiezen zijn onder andere : Bella, Joya, Dilemma, Lieve, Peer, Fenomina, Transitia, Zorinah, Saliva, Gena.) Achter de naam zit een persoonlijkheid. Het spel wijst uit met wat voor karaktereigenschappen de speler te maken heeft.

Stap 2
Optie a. leeftijd tussen 8-12
Optie b. leeftijd tussen 12-16
Optie c. leeftijd tussen 16-20
Optie d. leeftijd tussen 20-25
Optie e. leeftijd tussen 25-30
(Voorlopig ligt mijn interesse niet bij de overige leeftijdsgroepen.)

Stap 3
Vervolgens kiest de speler voor een missie. De missies verschillen in moeilijkheidsgraad.

Speler x kiest voor een geadopteerd meisje, genaamd Lucy, tussen twaalf en zestien jaar. De speler wordt het meisje.

Meet your daddy.

De gekozen missie is haar biologische vader opzoeken in Parijs. Hij is achter het adres van haar adoptie ouders gekomen, heeft haar tegen alle regels in telefonisch benaderd, zal slechts zeven uur in Parijs vertoeven, en vraagt haar te komen. Ze wil het graag, maar heeft geen geld, durft er niet over te vertellen aan haar adoptie ouders, en gaat liften. Zal ze op tijd aankomen of niet?

Het uitdenken van de gevaren en verleidingen waaraan ze bloot zal staan, de gevolgen van beslissingen die ze onderweg neemt, de tijd die voorbijgaat, en de emoties rondom deze missie brengen mij in een roes die de speler straks ook beleven moet. Het meisje wordt opgejaagd, de speler moet haar huid redden. De speler komt tijd tekort, en raakt in een staat van opwinding die in het dagelijks leven zeldzaam is en zelden wordt bereikt.

Vrachtwagenchauffeurs die wel of niet verkrachters zijn, lesbische motorrijdsters die met Lucy de bosjes in willen, pech onderweg, ongelukken, prettige en desastreuze verleidingen die de motivatie om zo snel mogelijk naar Parijs te gaan beïnvloeden, en als de speler het niet verstandig aanpakt met wat Lucy haar adoptie ouders op de mouw spelt kan het zijn dat Lucy's signalement wordt verspreid en dat ze wordt opgegeven als vermist en de speler met haar in wilde achtervolgingen beland.

Er worden zowel racemodellen als psychologische spelstructuren toegepast die ik ontwikkel met Dimitri en met Pim, die alles weet van software, de enige vriend uit mijn jeugd met wie ik contact heb. We doen bijna alles per e-mail. Ik heb er geen behoefte aan om andere mensen dan Joyce en Dimitri te zien. Zelfs Fred, hoe aardig die man ook is, houd ik buiten mijn bestaan.

Het ontwerpen van mijn spel neemt achttien uur per dag in beslag, en ook in mijn dromen ben ik ermee bezig.

Andere missies die de speler kan kiezen zijn:

Help yourself

Door omstandigheden heeft Lucy haar eindexamen niet kunnen voorbereiden, en dit is de laatste kans om toch een voldoende te halen: ze breekt in bij het hoofd van de school om de eindexamenopgaven te bemachtigen en de antwoorden in haar leerboeken op te zoeken.

Surprise your friend

Lucy's beste vriendin is jarig en ze schaamt zich dat zij voor haar geen cadeau heeft, want de vriendin had voor Lucy's verjaardag niet alleen een prachtig cadeau gegeven maar ook een verrassingsfeest georganiseerd. Lucy heeft haar al vaker teleurgesteld en ze wil niet dat het weer gebeurt. Over een kwartier begint het feestje, en ze heeft geen geld. Als ze iets uit haar eigen huis in een mooi papiertje zou wikkelen zou de vriendin het onmiddellijk herkennen. Bovendien kost het tien minuten om bij haar te komen. Ze heeft Lucy heel pertinent gevraagd om op tijd te komen.

De speler start in Lucy's huis waar de speler zou kunnen zoeken naar geld of naar spullen om zelf nog gauw iets te maken, maar de speler kan er ook voor kiezen om Lucy de deur uit te laten gaan. Ze moet alert zijn op wat ze tegenkomt en opportunistisch gebruikmaken van alles wat eventueel tot een cadeau voor haar beste vriendin zou kunnen leiden.

Protect your mother

Lucy komt erachter dat haar moeder een geheime relatie heeft met de huisarts, en dat ze elkaar die avond om middernacht op het kerkhof zullen ontmoeten. Er gaat een gerucht dat de huisarts zijn vorige minnares om zeep heeft geholpen. Lucy's moeder schijnt blind van verliefdheid te zijn. Haar waarschuwen heeft geen zin. Lucy wil een einde aan deze relatie maken door de dokter te vermoorden en het doen lijken op een mysterieuze aanslag van de kwade geest van iemand die daar begraven ligt.

We stonden te liften om naar de camping te gaan. De tractor, met Bart erop, stopte. Dat Nouchka en Sonja een blik van verstandhouding wisselden met Bart merkte ik niet, maar achteraf herinnerde ik me dat moment wel, toen ik het ontwikkelde super 8-materiaal zag, dat zij probeerden weg te moffelen.

'Eentje kan naast me zitten. De anderen kunnen in de kar,' nodigde Bart ons uit.

'Bedankt voor het aanbod, maar wij wachten op een sportwagen,' zei ik arrogant.

'Ik heb nog nooit op een tractor gezeten,' loog Nouchka.

(Ik wist nog niet dat ze de waarheid niet sprak.)

Ik bestuurde de tractor. Bart zat achter in de kar op het hooi, en Nouchka en Sonja stonden naast mij, met hun armen gestrekt, alsof ze vlogen.

Ik slingerde over de weg.

Veel en veel eerder gebeurde het volgende: Paul, een jongen van onze school dacht dat hij leuk was. Het was na school. Ik weet niet meer waar precies.

'Mag ik vier loempia's en één nasi speciaal alstublieft.'

Sonja sloeg haar ogen neer. Bram gaf Paul een duw. Ik kwam tussen hen in staan, greep met mijn hand naar het kruis van Paul, en klemde zijn ballen op hardhandige wijze tussen mijn vingers.

(Ik had dat in een tijdschrift over zelfverdediging gelezen en was blij dat ik het een keertje testen kon.)

'Ik zal twee hete bitterballetjes en een lauw knakworstje voor je klaarmaken,' dreigde ik.

'Mag ik jouw nagelschaartje even lenen?' vroeg ik Nouchka.

Ze maakte haar plastic doorzichtig toilettasje dat ze altijd bij zich had open, en reikte mij het schaartje aan. Ik zwaaide er uitdagend mee voor zijn neus. Paul kreunde en kromp in elkaar. Bart grinnikte.

(Misschien hadden Nouchka en Bart toen al stiekem verkering. En ik wist van niets.)

'Je bent pas nummer driehonderddertig met zo'n originele opmerking,' zei ik tegen Paul.

'Zohra, laat maar, kom nou mee,' zei Sonja.

Pim kwam onze richting op, en stopte vlak voor mijn voeten. Piepende remmen. Hij stelde de retorische vraag: 'Moet je je weer uitsloven, Paul?'

(Zou het daar begonnen zijn tussen Pim en Sonja? Maar ik had nooit gedacht dat Sonja net als Nouchka zou zijn.)

'Ik maakte alleen maar een grapje,' verontschuldigde Paul zich heftig.

'Maar ik niet,' zei ik, terwijl ik het nagelschaartje dicht bij zijn gezicht hield, zijn ballen niet losliet, en hem dreigend in de ogen keek.

GET A LIFE

De game doe ik in het Engels. Internet is internationaal. Maar eigenlijk maak ik het spel alleen voor hun tweetjes.

More risks, more lives to win: *Make a living from shoplifting, steal money from a gas station without getting caught, find a sugardaddy in the casino.*

Het kost me geen moeite om missies te bedenken die opwindend zijn. Maar er zouden ook wat bravere tussen moeten die desalniettemin de speler in de bedoelde flow kunnen brengen. Van die gewone taken, zoals bijvoorbeeld voor sluitingstijd medicijnen halen bij de apotheek voor je zieke baby, maar je band is lek, de brug is open, het stormt, vriest, is glad buiten, en je hebt geen babysit. Zelfs bij zo'n aardse, gewetensvolle missie raak je als speler in de misère en kom je in de verleiding om een auto te stelen, of zelfs een helikopter. Op de een of andere manier eindigen alle goedaardige missies die ik bedenk toch in de criminele of sensatie beluste sector met grote kans op fatale ongelukken en doorlopende en toenemende dreiging van een onontkoombare dood.

De chatcamping is nog lang niet af. Het is een hoop werk, en de structuur is nog niet voldoende ontwikkeld. Dimitri zegt dat je de structuren voor zoiets kan kopen, maar dat ze prijzig zijn. Ik wil dat ze op mijn site de camping binnenstappen en elke tent, elk personage uit hun jeugd herkennen, en elkaar vinden, als ze er onder de pseudoniemen van Nous Qua en Son-Ya naar Xohra zoeken.

HET VIERDE MEISJE

Iemand duwde mij ruw opzij. Nouchka werd door een houterig meisje met een bril en spillebenen vanachteren besprongen en vervolgens in haar gezicht geslagen. We waren perplex. Het meisje rende weg. Nouchka lag nog op de grond. Ik rende het meisje achterna, gevolgd door Sonja.

Nouchka, die ziedend was, haalde mij en Sonja in, dook naar het meisje, en trok haar uit alle macht op de grond. Wij gingen samen met Nouchka boven op het lange spichtige meisje zitten. Sonja drukte haar ene arm, en ik de andere tegen de grond. Nouchka zat op haar onderbuik. Het kind spartelde. Ze was iets ouder dan wij, en ze was niet van onze school.

Ik had haar in een wurggreep, en zei: 'Bied je excuses aan!'

Ze trok zich niks van mij aan, keek alleen naar Nouchka en alhoewel ik haar keel dichtkneep kreeg ze er nog heel wat geluid uit: 'Jouw moeder neukte met mijn vader toen mijn moeder van mijn broertje aan het bevallen was.'

Nouchka duwde mijn arm weg. Ik liet het meisje vanzelf al los. Sonja eveneens.

'Mijn naam is Hella,' zei ze, en ze stak haar hand uit alsof we op een huwelijksreceptie of bij een condoleance waren.

'Ik ben Nouchka van Wijngaarde,' zei Nouchka.

'Weet ik,' zei Hella. 'Ik bespied je al een hele week. Ik weet

173

waar je woont, en ik heb je op staan wachten.'

'Daar heb ik niks van gemerkt,' zeiden we alledrie in koor.

'Ik word later detective,' zei ze, 'privé-detective.'

Ze ging mee naar ons huis, want daar konden we ongestoord praten. Dimitri verboden we de toegang tot het huis.

'We moeten een plan bedenken,' zei Nouchka, 'een valstrik of zo.'

'Als het maar effectief is,' zei Hella. 'Mijn vader moet gestraft worden, en hij moet zo bang worden dat hij nooit meer vreemd zal gaan.'

Ze bleek al bijna zestien te zijn, twee jaar ouder dan wij, maar ze zag er, ondanks haar lengte, veel jonger uit. Zo'n klein kindergezicht, en dan met van die lange dunne benen, en nog geen borsten. Maar daar was ze vast niet rouwig om, ik was zelf erg blij dat ik nog geen beha nodig had.

'Lijk jij meer op je vader of op je moeder?' vroeg Sonja aan Hella.

'Op mijn vader, vrees ik,' antwoordde ze.

Ik zie in gedachten een viervrouwschap voor de toekomst, wat beter is dan een driemeidschap.

LIEFDE IN EEN STERIELE RUIMTE

'Artsen zijn niet te vertrouwen. Ze doen een witte jas aan en ze denken dat ze *God de lieveheer* zijn,' zei Hella, en ze voegde eraan toe dat ze haar vader haatte.

'Dus jouw vader is ook dokter?' vroeg Sonja. De dingen drongen altijd wat traag tot haar door.

'Gynaecoloog,' zei Hella.

Ze woonde in een andere plaats, en zat op school in weer een andere stad. Sinds ze erachter was gekomen dat haar vader met een andere vrouw scharrelde, spijbelde ze van school om alles tot in de details uit te zoeken. Toen haar moeder moest bevallen kreeg zij van de vroedvrouw de opdracht haar vader te gaan zoeken. Zo kwam ze erachter dat hij zich niet op zijn werk bevond. Uiteindelijk was ze via veel speurwerk het adres van Els op het spoor gekomen.

'Mijn moeder heeft eigenlijk al een vriend,' zei Nouchka, 'maar ja, dat zegt niks.'

'Hoe ziet haar vriend eruit?' vroeg Hella, 'want ik heb mijn vader twee keer bij jullie thuis gezien.'

Ik zweeg, maar ik wist zeker dat de man die regelmatig bij Els over de vloer kwam, en die aan Joyce en Judith was voorgesteld als Els haar nieuwe vriend, de vader van Hella was.

'Heet jij Dijkstra?' vroeg ik.

Hella knikte.

Op een dag dat Judith en Rob niet thuis waren gingen wij aan het werk in Robs werkkamer.

'Mag dit van je vader?' vroeg Hella.

Sonja kaftte een dik boek, en schreef erop: *Neuken naar wellust*.

'Mijn ouders zijn allebei mijn opa's en oma's opzoeken in België,' zei Sonja, 'die komen voorlopig niet thuis.'

Ik schreef op een stuk karton: *Liefde in een steriele ruimte*.

Gezamenlijk bedekten we alles in de kamer met lakens. Een behangtafel werd naast Robs bureau uitgeklapt. Nouchka, met een triomfantelijke blik, haalde uit een tas kledingstukken van Els, waaronder een nieuwe jurk met het prijskaartje er nog aan. 'Heeft ze gisteren gekocht, samen met mijnheer Dijkstra, en ik denk dat mijnheer Dijkstra heeft betaald.'

Hella had feestartikelen bij zich, zoals een erg grote babyfles. Sonja pakte uit Robs kast een witte doktersjas, stethoscoop en bloeddrukmeter. 'Nog van zijn studententijd,' zei ze, 'die gebruikt hij allang niet meer.' We gebruikten Robs werkkamer als studio. Hier namen we ons filmpje op. Alles wat we dagen tevoren hadden besproken werd hier door ons, bijna zonder enige discussie, uitgevoerd.

Na afloop vouwde Sonja de lakens op, en ontdeed het boek van het kaft. Ik nam het boek over en er vielen papieren uit, met daarop in pen geschreven: kopiëren voor Joyce, pagina 349.

Op die bladzijde stonden zinnen omcirkeld en onderstreept. Aantekeningen met potlood in de kantlijn. Een Engelstalig boek. Ik zag met vetgedrukte letters: *Pick disease*. Ergens ooit had ik dat eerder gehoord of gelezen.

Sonja boog naar mij over om mee te lezen toen ze mij naar de tekst zag staren. Ik klapte het boek haastig dicht.

Els ging gekleed in de nieuwe jurk. Het prijskaartje had ze eraf gehaald. Ze rookte een grote joint die ze gul voor een trekje afstond aan elke bezoeker die binnenkwam. Jaap Dijkstra, een van de eersten, gaf haar een klein cadeautje, een ingepakt doosje dat ze niet opende, maar in haar boezem schoof. Ze omhelsden elkaar. De huiskamer liep vol met visite. De muziek uit de jaren zestig klonk luid. Jaap nam ook een trekje van de joint, en begon te hoesten.

'Het is niet te zien dat je veertig geworden bent,' zei Joyce.

Wij hielpen met het inschenken van de drankjes, de koffie, het ronddelen van het gebak. Els danste en zong. Jaap Dijkstra was niet uit haar nabijheid weg te slaan.

Toen de bel ging duwde Nouchka Els, die aanstalten maakte om naar de gang te gaan, opzij.

'Die komt voor mij!' riep ze.

Els keek even verwonderd, maar raakte meteen in gesprek met een van de buren die alleen op de verjaardag van Els werden uitgenodigd, en verder op straat hooguit beleefd werden gegroet.

Ik haastte me met Sonja naar de voordeur, waar Nouchka opendeed. We stoven met Hella de trap op, naar Nouchka's kamer.

'Zullen we het geluid nog één keer oefenen?' vroeg Hella.

Ik vond het niet nodig, maar ik snapte dat ze zenuwachtig

was. Voor haar was dit als de première van een opera waarin zij zelf de hoofdrol zong.

Zelfs de stijve buren leken los te komen. Er werd heftig gedanst toen wij met ons viertjes de huiskamer binnengingen. Nouchka zette de muziek uit, en gebaarde de visite ruimte te maken voor de projector en een groot scherm dat we van een laken en een bezem hadden gemaakt.

'Wat moet dat? ... Dat kan echt niet,' reageerde Els op de chaos die we op haar feestje veroorzaakten.

'Het is ons cadeautje,' zei Nouchka zoetsappig.

Judith vroeg Els: 'Wie is dat meisje?'

'Nooit gezien!' zei Els kortaf en ongeïnteresseerd. Ze trok Nouchka aan haar arm. 'Weg met die spullen, het is mijn feestje, Nouchka, je gaat je filmpjes maar ergens anders afdraaien.'

Ik lette op Jaap. Hij dook in elkaar, kroop achter andere visite, en probeerde er onopgemerkt vandoor te gaan.

Hella was hem echter te snel af, voordat hij de huiskamerdeur had bereikt stond ze naast hem, legde haar hand op zijn schouder en zei: 'Nee, papa, jij moet blijven.' Ze duwde hem op de bank.

Joyce hield niet van problemen. Ze greep op haar manier in. Ik voelde haar arm om mij heen, en ze fluisterde in mijn oor: 'Zohra, het kan nu niet, met zoveel visite. Gaan jullie dan gezellig in ons huis filmpjes kijken.'

'We hadden het speciaal voor Els voor haar verjaardag gemaakt!' riep Nouchka verontwaardigd, alsof ze op punt van huilen stond, en misschien was dat wel zo.

'Laat ze toch, Els. Anders houd je dat gezeur de hele avond,' zei Rob. 'Hoeveel filmpjes heb je?' vroeg hij Nouchka.

Nouchka toonde het filmpje dat al op de projector was aangebracht.

'Drie minuten dus, ach dat kan toch wel even. Even bioscoopje spelen.'

Els gaf zich gewonnen. 'Het duurt niet langer?' vroeg ze.

'Duurt het echt maar drie minuten?'

We hingen het zelfgemaakte scherm op. Sonja en Hella zetten de projector neer, zetten hem aan, en alle vier verdwenen we achter het opgehangen laken, op de grond.

Ik riep: 'Dames en heren, wij vragen uw aandacht voor de première van de onvergetelijke film *Liefde in een steriele ruimte.*' We applaudisseerden zelf, en de visite deed mee.

Het filmpje

Scène 1

Hella is gekleed in een jurk van Judith met daaronder een kussen, zogenaamd zwanger. Ze neemt moeizaam plaats op een operatietafel en gaat met haar benen wijd liggen. Ze lijkt zware weeën te hebben. Tussen haar benen kom ik, gekleed als baby tevoorschijn, huilend en spartelend in een zogenaamde luier (van een laken). Ik pak een zuigfles ter grootte van een literfles uit mijn luier en sabbel op de speen.

(Vanachter het scherm voorzien wij het filmpje van dramatisch synchroon geluid.)

Scène 2

Sonja draagt haar vaders witte jas, stethoscoop om de nek, en heeft een dik boek (*Neuken naar wellust*) onder de arm. Sonja trekt een gordijn dicht, waardoor het beeld wordt afgedekt.

Scène 3

Op de operatietafel onderzoekt Sonja de patiënt Nouchka, die in de verjaardagsjurk van Els gekleed is. Het onderzoeken gebeurt op een nogal erotisch beladen wijze.

Scène 4

In dezelfde ruimte, aan de andere kant van het gordijntje, op de andere operatietafel zijn Hella en ik elkaar aan het troosten, als moeder en kind. Inmiddels liggen Nouchka en Sonja (in witte doktersjas met stethoscoop om de nek, onderwijl bladerend in het boek) boven op elkaar en bewegen zich machinaal alsof ze gemeenschap bedrijven.

Deze scène eindigt in Close ups en Inserts van het sabbelen van mij als baby aan de speen, het proppen van een handvol pillen in de mond door Hella, het stoten van de witte jas die Sonja aan heeft tegen de jurk van Els.

Vooral Nouchka produceert vanachter ons scherm de kreunende geluiden die bij het bedrijven van de liefde horen overtuigend. Sonja bootst het gehuil van een pasgeboren baby dramatisch na. Hella imiteert de zware kreungeluiden van een man. Ik kan op dat moment niet beoordelen of het lijkt op wat een man doet als hij zijn orgasme heeft, maar het heeft een onvergetelijke impact op mij, en ik zou liegen als ik zei dat ik ernaar uitkeek om dat eens van nabij mee te maken. Ikzelf doe het namaakhuilen van Hella iets te overdreven, maar huilen is niet mijn sterkste kant.

De verbijstering lag nog steeds op de gezichten van Els, Rob, Judith, Joyce en Jaap toen we het licht aandeden, de gordijnen opentrokken, en het filmpje terugspoelden. Hun monden stonden open van verbazing of ontzetting. Buren wisten zich niet goed raad. Joyce en Rob keken elkaar bezorgd aan zonder dat de anderen het doorhadden. Ik zag Robs hand naar Joyce grijpen, en Joyce die zijn hand wegduwde. Niemand zei een woord.

Hella, Sonja, Nouchka en ik ruimden alles geruisloos en zorgvuldig weer op. Totdat ik riep: 'Een applausje voor de jarige.' Het gezelschap, als een stel gedresseerde aapjes, klapte. Ik verafschuwde hun braafheid, dat iedereen probeerde ons filmpje te negeren, en daagde ze uit: 'Een applausje voor de makers van het filmpje *Liefde in een steriele ruimte*, hiep hiep hiep...' Gehoorzaam volgde weer de reactie van de visite: 'Hoera.' Het werd ondersteund door een zeer zwak applaus, alsof ze zich al tijdens het 'hoera' schaamden dat ze zich als kuddedieren achter mijn gejuich hadden geschaard.

Nouchka zette de muziek weer aan. Luid.

De buren begonnen te dansen. Jaap was weg. Naar huis, dachten we. Hella zei: 'Ik ga, tot ziens.'

We zagen haar nooit meer terug, waren vergeten haar adres te vragen, hadden het vaak over haar, maar deden geen moeite haar te vinden.

GEHEIMEN

Tussen Nouchka en Bart moet het vanaf het begin serieus zijn geweest, want op haar zeventiende ontmoette ze hem nog steeds stiekem zonder het ons te vertellen. Ik deed net of ik het niet wist.

Opeens had ze het over haar andere oma, de moeder van Els. Een grijze dame, die niks weg had van Els, zat in het fotolijstje waar eerder altijd de foto van Sherman met haar als baby in had gezeten.

Ik bekeek het nauwkeurig toen ze zei: 'Mijn oma. Els d'r moeder heeft stiekem contact met me gezocht. Voortaan ga ik elke woensdagmiddag na school bij haar op visite. Maar Els mag het niet weten.' Ze verstopte de lijst achter haar Barbiepoppen omdat Els niet zou mogen weten dat ze weer contact met deze oma had.

Ik kon aan de foto zien dat er iets niet klopte. Sinds ik uit de boom was gevallen snoeiden ze de takken en hielden ze de boom te kort om van mijn raam nog naar het hare te klimmen, maar er waren andere momenten dat ik op mijn gemak het lijstje met de foto nader kon inspecteren. Ze had hem uit een damestijdschrift geknipt.

Als een privé-detective ben ik in navolging van Hella's spionagelessen een paar keer achter Nouchka aan gegaan. Om haar op die lange rechte weg naar Barts boerderij ongemerkt te volgen was niet gemakkelijk. Ik kon me nergens schuilhouden. Maar ze was zo in trance als ze naar hem op weg was dat ze niet op of om keek.

Toen we de videocamera hadden filmde ik haar een keer stiekem zoals ze met hem in het hooi aan het stoeien was. Ik was van plan om de opnames quasi-toevallig een keer te laten zien, zodat ze zou weten dat ik van haar verkering met Bart op de hoogte was, maar er was nooit een geschikt moment, en het is er daardoor nooit van gekomen.

Eigenlijk dacht ik dat ze stiekem andere vriendinnen had, of dat ze Hella ergens ontmoette. Ik was diep in mijn hart gerustgesteld dat het alleen Bart maar was.

Ik zei niks tegen Sonja, en nadat ik Nouchka een paar keer had bespioneerd liet ik het voor wat het was. Het stak me dat ze geheimen had, maar op school liepen alle meisjes achter de jongens aan. Sonja en ik waren de enigen die er niet aan meededen. Sonja besteedde wel veel aandacht aan Pim, maar die was, dat moest zelfs ik toegeven, erg aardig, origineel, had grappige vondsten en leerde ons over zaken waar wij niks van wisten, zoals over de sterren en het heelal, over de werking van video en film, over computers en over andere landen. We mochten bij hem onze video-opnamen monteren, en hij las net als ik de *National Geographic* van a tot z.

Met de videorecorder die Sonja en ik op de camping uit een tent hadden gejat was het leuker spelen dan met film. Rob had voor ons van alles gekocht waarmee we op de zolder waar Riens oude fotospullen stonden het super 8-materiaal konden monteren. Maar het was een gepriegel, en video was handiger omdat we het resultaat onmiddellijk konden zien, en wij waren erg ongeduldig.

Alles wat we deden was een oefening voor later. We becommentarieerden elkaars acteerspel aan de hand van wat we hadden opgenomen, en onze kritiek op elkaar was meedogenloos.

Van alles maakten we spel. De keuken, tijdens het koken dat mijn taak geworden was omdat Joyce zo laat thuiskwam van het reisbureau, werd ons podium.

Tijdens de voorbereidingen voor een macaronischotel oefenden we ons in huilen terwijl we de uien aan het snijden waren voor in de saus. Zelfs als de tranen door de uien over mijn wangen biggelden lukte het mij niet om serieus verdrietig te zijn. Nouchka speelde te dik, en zwaaide een beetje met de opengesneden ui voor haar neus en ogen zodat het leek of ze door Bart aan de kant was gezet, maar er diep in haar hart erg blij om was. Ze was er zich niet van bewust dat haar zielige gezicht niet ontroerde maar op de lachspieren werkte. Ze dacht dat ze het huilen al redelijk onder de knie had gekregen. Ikzelf zou liever niet huilen in een film. Ik hield niet van sentimentaliteit en melodrama. Het verdriet zou ik op een andere manier spelen in plaats van zoals Nouchka door te veel ijver, de scène te bederven.

'Gewoon aan iets akeligs denken,' zei Nouchka.

'Dat iemand je probeert te tongzoenen, of dat je verkracht wordt?' spotte ik, omdat ik hoopte dat ze door mijn spot zou merken dat er aan haar spel ook nog het een en ander mankeerde, maar ook omdat ik in die tijd telkens opnieuw provocerende opmerkingen maakte om Nouchka ertoe te verleiden iets los te laten van haar geheime verkering met Bart.

De gedroogde pepers die ik in mijn mond had gestopt om tranen te forceren spuugde ik uit omdat het concentreren op iets droevigs toch niet lukte.

'Ik denk gewoon aan mijn moeder in Korea,' zei Sonja. Zonder uien had ze echte tranen. Nouchka, die lachte om Sonja's resultaat, probeerde ook ernstiger te kijken, totdat ze echt verdrietig leek, een donkere blik, en er in haar ooghoek een traan verscheen. Dat moment duurde niet lang, onmiddellijk daarop lachte ze haar witte tanden bloot. Trots, en tegelijk verbaasd over wat er met haarzelf gebeurd was, riep ze enthousiast: 'Ik dacht gewoon aan mijn oma op Aruba, dat ik haar mis, en toen ging het vanzelf.'

Ik kon niet meer achterblijven, maar zelfs toen ik de hele rauwe ui naar binnen werkte en mijn hoofd in de kom met de gesneden uitjes stak wilden de serieuze tranen niet komen.

'We kunnen nog genoeg oefenen voordat we toelatings-examen voor de toneelschool moeten doen,' zei ik, en vond het tijd worden voor een andere oefening. Huilen was hopeloos, en zo'n rol zou ik toch nooit accepteren. Venijn, nijd, wraak waren interessantere gemoedsstemmingen. Ik wilde woede proberen.

'Als je heel lang tegen de wind in fietst met je ogen wijd opengesperd, zonder een enkele keer te knipperen, ga je van-zelf huilen,' zei Nouchka.

Ze overtuigde mij. Ik liet de macaroni voor wat hij was, en we gingen met de fiets op pad.

Ik voel mijn ogen nog branden. De koude wind in mijn ge-zicht.

We fietsen zo hard als we kunnen, en we zijn vlak bij Barts boerderij. Het kost me moeite om mijn ogen wijd opengesperd te houden. De behoefte om te knipperen is als een fysieke mar-telende pijn. We juichen als de tranen over onze wangen lopen, vallen elkaar om de nek, en gaan vervolgens rechtsomkeert. Zo hard als we kunnen fietsen we terug naar ons dorp, weer met de ogen wijd opengesperd. Het voelt warm, gek, die kriebelen-de tranen over mijn gezicht. Sonja en Nouchka zien er zwaar behuild uit.

'Lijkt het een beetje?' vraag ik, als we het dorp weer in rij-den.

'Het is net echt,' zegt Sonja, met een beetje schrik in haar ogen over het resultaat.

In de straat, ter hoogte van onze woningen, remmen we alle-drie tegelijk af bij Judith, die juist de vuilnisbak binnenhaalt.

Nouchka en ik laten onze fiets spontaan op de grond vallen, popelend om de echtheid van onze acteerstemming te testen. Judith merkt onze betraande gezichten niet op, en daarom versterkt Nouchka het effect door erbij te gaan snikken en snuiven.

'Judith, er is iets ergs gebeurd,' zegt ze.

Nog steeds kijkt Judith ons niet aan.

Sonja, enigszins beschaamd, loopt met haar fiets aan de hand snel door en kijkt van een eindje verderop bezorgd toe.

'Hoezo?' vraagt Judith. Ze duwt de vuilnisbak onverstoord over het pad.

Ik kijk naar Nouchka. Bij mij zijn de tranen alweer opgedroogd, en mijn gezicht voelt er strak van, maar dat kun je vast niet zien. Ik probeer er nog wel wat uit te persen, maar er komt niks. Bij Nouchka is de mascara doorgelopen, en dat maakt een redelijk treurige indruk. Ze krijgt een duivelse twinkeling in haar ogen, gaat opdringerig voor Judith staan, die er met de vuilnisbak niet meer langs kan en toch blijft Judith onbewogen.

'Judith,' zegt Nouchka, 'Judith luister eens...', en als Judith nog steeds niet opkijkt schreeuwt ze, met haar gezicht vlak tegen haar aan, zwaar articulerend, alsof Judith bewezen heeft dat ze slechthorend is: 'Zohra's vader is dood.'

Judith reageert nu wel. Onthutst kijkt ze om zich heen, laat de vuilnisbak los, snelt op mij af, en werpt zich in mijn armen.

Ik haat Nouchka die me dit heeft aangedaan. Ik haat Judith dat ze zich zo aanstelt. Ik vecht tegen tranen die echt zijn, en meedoen met de valse, en ik haat mijn vader, dat hij niet al veel eerder dood is gegaan zodat dit nu niet had kunnen gebeuren.

('Ik kon het niet helpen, het kwam spontaan in me op,' verontschuldigde Nouchka zich naderhand tegen ons. 'Judith deed zo ongelooflijk ongeïnteresseerd. Ik wilde haar voor haar onverschilligheid straffen, denk ik. Stel je voor dat er echt iets ergs was gebeurd, dat Sonja verkracht was of zoiets, dan had ze ook niet willen luisteren naar wat we te vertellen hadden.')

Meestal zweepten we elkaar op tot grote hoogten. We waren heel bedreven in het shockeren van volwassenen. No mercy. Ook niet met onzelf. Als ik terugdenk aan situaties uit mijn puberteit met Nouchka en Sonja schiet ik ondanks de schaamte vaak in de lach. (Die vreugde delen kan ik niet.) Een mengeling van trots en schaamte. Blijdschap over wat er was.

DE MANNEN

Met mijn eerste vriendje, Anton, die ik leerde kennen toen ik al zes maanden geen contact meer met Nouchka en Sonja had, heb ik nooit over mijn femates gesproken. Ook de tweede vriend, Guido, met wie ik een maand of drie geprobeerd heb te hokken, heb ik nauwelijks iets over ze verteld.

Daarna kreeg ik een sterke behoefte om over ze te praten. Met mijn derde vriendje, Jeroen, sprak ik te veel over vroeger, en hij ging denken dat ik lesbisch was omdat ik vol heimwee was naar mijn vriendinnen, en hij en ik nooit samen lachten. Daardoor is het uitgegaan, doordat hij geen gevoel voor humor had. Hij wilde altijd maar praten. Door zijn houding kon ik bijna niet vermijden om bij vroeger stil te staan, en er iets over los te laten. Dus die relatie duurde niet lang.

De vierde vriend, Reinier, was zwijgzaam. Dat was een relatie vol hartstocht zonder tijd voor een gesprek. Toch duurde de liefde zestien maanden.

De vijfde was een vriend van Dimitri. Zijn naam was Jens. Die liefde was echt kort, maar bijzonder heftig. Ik zag het als een indirecte vorm van incest, alsof ik met mijn broertje vree. Dimitri en Joyce mochten het niet weten, terwijl hij de behoefte had om van de daken te schreeuwen dat hij verliefd op me was. Ik koester deze ogenschijnlijk verboden liefde stiekem, denk vaak aan hem, vooral aan hoe wij samen sliepen in een eenpersoonsbed, wat zelden gebeurde, alsof het zondig was.

De zesde was een schrijver die ik in de trein had aangesproken, zijn naam blijft geheim; hij was jong en nog geen bekende

Nederlander. Ik was voor hem niet meer dan een bron van inspiratie want het vrouwenpersonage in zijn laatste boek leek erg op mij.

De zevende was Rogier. Die vertrok op wereldreis. Met hem kon ik goed praten, maar hij vond me te moeilijk, wat ook wel zo is, en hij was zwaar jaloers op mijn vriendinnen. Woedend was hij dat ik dag en nacht besteedde om een spel te maken voor twee meisjes die mij – daar was hij van overtuigd – allang vergeten zouden zijn. Dat ik mij niet losmaakte van de computer en met hem ging trekken om de mooiste plekken van de wereld te gaan zien, vond hij een teken van gebrek aan liefde. Van hem hield ik, behalve van mijn femates, het meest.

PRATEN OVER VROEGER

Het makkelijkst praatte ik over het plezier dat we hadden. Onze belevenissen kan ik met smaak verklappen. Eenmaal in de stemming krijg ik, de schamele momenten dat ik onder mensen ben, de lachers redelijk snel op mijn hand. Wat ik verzwijg is de schaamte. Schaamte over te veel.

We waren grenzeloos. Het was of we doorgingen totdat iemand ons een halt toeriep. Zoals water altijd weer een gaatje, een kier, een lek vindt, zo vonden wij altijd weer een reden om de opwinding voorrang te geven boven ons geweten.

We waren in een koorts van actrices-in-wording, en twijfelden niet aan de noodzaak om het leven zelf als ons trainingsveld te zien. Opwinding was onze drijfveer, en toen we twee lesbische vrouwen op de camping ontdekten zagen we hun aanwezigheid als een belangrijke bladzijde uit ons levensboek, als een opdracht die volgens de regels van de spontane inval moest worden uitgevoerd om de uiteindelijke examenstof die van ons beroemdheden zou maken onder de knie te krijgen.

Het liet mij niet los, dat verliefde paar dat zo vanzelfsprekend de tijd met elkaar doorbracht, intimiteit deelde, samen boven een campinggasstel spaghetti kookte, en ik bestudeerde elke handeling van deze vrouwen, die feitelijk niks verschilde van die van onze moeders in de keuken, alsof achter elk gebaar, achter de wijze waarop ze een lucifer aanstreken, de wijze waarop het hete water van de gekookte pasta werd afgegoten, een geheim school dat ik ontdekken moest.

Niet alleen ik, ook Nouchka was gefascineerd door de twee vrouwen die van onze spionage niets in de gaten leken te hebben omdat ze alleen oog hadden voor elkaar, maar vooral Sonja was geobsedeerd door het fenomeen. We hadden niet meteen in de gaten dat er tussen die vrouwen meer dan vriendschap was. Aanvankelijk voelden we ons aangetrokken tot een van de twee, het prototype van een fotomodel, en hoopten te achterhalen of ze misschien een aankomende beroemdheid was van wie we iets konden leren. Toen we erachter kwamen dat het niet om twee females, maar om een seksuele relatie tussen twee vrouwen ging, wilden we er telkens opnieuw naartoe om ze te bespieden. Onze ziekelijke nieuwsgierigheid was als een prettige griep zonder pijnlijke symptomen die we honderd procent deelden.

Ik viel voor het fotomodel dat op een Harley Davidson reed. Ze was me buiten de camping, in het dorp al opgevallen, toen ik juist de supermarkt verliet en zij op de motor aan kwam rijden. Ik gaapte haar aan, want zoiets als zij, een vrouw die je in mijn ogen alleen in Hollywood aantrof, had ik in het dorp nog niet eerder gezien. Ze lachte naar mij, toen ze haar helm afzette, en merkte dat ik haar met open mond gadesloeg.

Ze vertolkte dat wat wij jarenlang koesterden, ze was de vrouw die alle Barbies deed verbleken, het verschijnsel vrouw in de meest ideale en enige acceptabele vorm, de vrouw die wij nog lang niet waren, maar de vrouw die wij op een dag hoopten te zijn, het einddoel van onze reis, een fata morgana voor levensdorstige meisjes die koste wat kost volmaakte vrouwen wilden zijn.

Lang, slank, geen make-up, stoer, jongensachtig en toch met

lang haar tot aan haar slanke taille, van dat dunne haar, natuurlijk blond, niet opgebleekt. We maakten vaak grapjes over NATURAL BLOND, en hadden een afkeer van namaak. Het echte blond boezemde een soort respect in. Die meisjes hadden wat voor ons niet was weggelegd.

Ik was liever een natural blond geweest. Als verreweg de lichtste van ons drietjes, dachten ze van mij gelukkig bijna nooit dat ik voor een kwart van Aziatische afkomst was, want de genen van mijn donkere moeder hadden niet veel invloed op mijn uiterlijk gehad. Geen amandelvormige ogen, geen uitstekende jukbeenderen, geen volle lippen, maar wel een grote mond, vooral figuurlijk, want al zijn mijn lippen niet smal, ze zijn zeker niet vol. Ik schijn te lijken op een van Riens zusjes door mijn groene ogen, donkerblond haar, en een blanke huid die echter wel snel bronsachtig wordt in de zon. Nouchka, Sonja en ik deden wie het bruinste was, en ik won net zo vaak als zij.

De dikte van mijn haar schijn ik van Joyce te hebben. Het is zwaar en veel. Joyce noemt het paardenhaar. Nouchka die haar eigen kroeskrullen haatte en Sonja die haar sluike haar te dun en te zwart vond, borstelden het mijne als ik het gewassen had. Terwijl ze de klitten er met veel zorg uit haalden bleven ze herhalen dat ze het zo dik, zo sterk, zo prachtig vonden, noemden het van goud, en ik waande me dankzij hun complimenten heel bijzonder.

De kleur, nooit goud – femate-liefde drukt zich uit in overdrijving –, is niet meer zoals hij was. Ik ben kastanjebruin geworden, een kleur die het gemiddelde lijkt van het zwart van Joyce en het blonde van mijn vader. (Het is niet eerlijk met die genen, de ene keer maken ze er hutspot van, de andere keer zijn de gemene genen de goede eenvoudigweg te slim af.)

Vaak voel ik de opwelling om het kort te knippen, omdat die haardos te warm is in de zomer, en omdat het zoveel tijd kost om te kammen, maar ik ben bang dat wanneer ik er de schaar in zet, ik mijn kracht verlies, zoals met Samson, de man in dat verhaal uit de bijbel, dat ik hoorde vertellen door die pastoor, of wat was hij, op de preekstoel, die keer dat ik vanwege mijn afgezakt aureool in het ziekenhuis lag.

De blondine zie ik nog precies zo voor me. Of misschien is haar schoonheid gigantisch gegroeid in de herinnering. Haar vriendin was echter onopvallend. De opzienbarende blonde langbenige motorrijdster trok op met een doodgewone vrouw, kort haar, klein, tenger gebouwd, maar, dat zag ik later, toen ik heel dichtbij kwam, met ongelooflijk lange wimpers boven ogen van oogverblindend blauw, en ze was geïnteresseerd in poëzie.

Vanachter de bosjes hadden we met onze gestolen video-camera opgenomen hoe ze tongkussend afscheid namen. De blonde, gekleed in een leren pak dat strak om haar lichaam zat, liet haar helm aan het stuur hangen, stapte op de motorfiets, reed heel langzaam weg, zette vlak bij de campingwinkel de helm op, en verdween vandaar met veel kabaal, een snelheid van honderdveertig per uur, de provinciale weg op. Dat laatste zagen we niet, maar dat hoorden we des te beter. Het geluid stond op onze videoband. Onderwijl was die kleine alweer aan het lezen. Ze lag op een soort matrasje voor de tent.

Nouchka zou filmen, en Sonja en ik zouden onze versier-een-vrouw-acteerles doen. Alles was in het kader van het toelatingsexamen voor de theaterschool. Sinds we de formulieren voor de hoogst aanbevolen toneelschool van het land hadden ingevuld pakten we het stevig aan met het oefenen van de emoties die je als actrice op bevel moet kunnen spelen. 'Alsof je voor een boudoir staat en je alleen een lade hoeft open te trekken,' zei ik tegen Sonja en Nouchka. 'Je moet het allemaal kunnen, alles moet je ready made in je reservoir hebben.'

Toch was het niet slechts de oefening. Er was een bijna desperate drang om te onderzoeken waarom die doodgewone vrouw de lesbische partner van die legendarische schoonheid was, en evenzo de behoefte te weten of deze vrouwen anders waren dan de vrouwen in het dorp, anders dan onze moeders, anders dan wij zouden kunnen worden, ook al deden we nog zo onze best. In een soort koorts liep ik op de lezende dame af.

'Hi, are you from Germany?'

'Nee, ik kom uit Amsterdam.'

'Heel Amsterdam is hier, geloof ik,' zei Sonja, die met haar timide stem een te snel groeiende sympathie voor die dame verried.

Ik toonde interesse in haar Engelstalige boek, en schoof dicht tegen de dame aan, die geen krimp gaf, en haar aandacht volledig bij het lezen leek te houden. Geen roman. Wat het wel was kon ik niet duiden. Iets filosofisch of psychologisch in elk geval, want ik zag een citaat van Freud in kleine lettertjes, en las dat hardop alsof ik mondeling examen Engels had. The th-klank met de tong tussen mijn tanden.

'The purpose of the defensive mechanisms is to avert dangers. It cannot be disputed that they are successful; it is doubtful whether the ego can altogether do without them during its development, but it is also certain that they themselves become dangerous. Not infrequently it turns out that the ego has paid too high a price for the services which these mechanisms render.'

'Spannend boek,' zei ik, 'daar krijg ik trek van. Sonja, koop jij even taart?'

Sonja, die je voor een boodschap kon sturen omdat zij altijd geld op zak had dankzij ouders die gebrek aan liefde met guldens compenseerden, haastte zich naar de campingwinkel. Ze had niet hoeven rennen. De taart was een spontane inval omdat ik alleen met deze vrouw wilde zijn, om sneller to the point te kunnen komen.

'Wie is de schrijver?' vroeg ik, en boog voor haar langs voor een blik op het omslag. Ze liet me begaan. *The anxiety of influence.* Alleen de titel zei ik hardop. Harold Bloom. Nooit van gehoord. *A theory of poetry*, kleine blauwe letters onder de titel. Wat heeft Freud met poëzie te maken? Misschien schreef ze zelf gedichten, en wilde ze begrijpen wat er achter haar zinnen stak. Of wilde ze erachter komen wat haar beïnvloedde bij het dichten. Haar vertellen over onze zelfverzonnen dichter Pierre van Dongen, was wat ik overwoog. Maar een actrice moet rolvast kunnen zijn, dus concentreerde ik me opnieuw alleen op haar, haar aanwezigheid alleen.

Ik kon haar ruiken, hetzelfde parfum als haar partner gebruikte toen ik haar voor de eerste keer zag bij de supermarkt, een odeur die boven de uitlaat van de motor uit gestegen was. Ik haalde diep adem, liet de geur mijn neusharen gladstrijken, en keek haar aan. Toen pas zag ik haar ogen. (Eigenlijk had ik behalve mijn moeder en mijn femates nooit eerder een vrouw van zo dichtbij geroken en aanschouwd – dat is het woord dat ik hier voor een dergelijke manier van kijken articulerend moet gebruiken.)

Ze sloeg de bladzij om, en ik ging weer gewoon naast haar liggen, mijn ogen op de tekst gericht. Maar lezen lukte niet. Zij las ook niet, ik wist het zeker. Haar ademhaling werd onrustig. Ik probeerde die van mij aan die van haar gelijk te maken, wat niet gemakkelijk was. De concentratie creëerde een stilte die broeide. Alsof er tussen haar en mij onzichtbare leidingen liepen, alsof een aureool ons verbond.

En toen verscheen Sonja met stijlloos campinggebak dat door de Amsterdamse werd geweigerd. Ze bleef lezen alsof het de gewoonste zaak van de wereld was dat twee onbekende zeventienjarigen naast haar op haar eenpersoonsmatrasje waren aangeschoven.

Onze ademhaling liep niet meer synchroon. Ik kon die van haar zelfs niet meer horen, en daarom gebaarde ik Sonja weer weg te gaan. Maar zij liet zich niet voor de tweede keer wegsturen, bleef aan de andere kant van de Amsterdamse liggen, en las nu ook, of deed alsof ze las. Ze trok iets te veel aandacht door te dicht op die vrouw te gaan liggen, waarmee ze de vooruitgang die ik had geboekt verstoorde.

Doe niet! Ga terug! Stiekem maak ik gebaren naar Nouchka, die gedreven door overmoed of vanuit de drang niet langer observator te blijven maar deel te nemen aan dit avontuur, te dichtbij kroop.

Ze moesten me even laten begaan. Als ze me nou allebei even met die vrouw alleen lieten en mij de kans gaven om belangrijke ontdekkingen op emotioneel acteergebied te doen, konden we er alledrie veel van leren. Ik was op weg. Er ging iets komen. Het was als een bezoek aan een stad die ik nog niet kende, zoals bij het liften instappen in een vrachtwagen zonder te vragen wat de bestemming van de bestuurder was.

Op haar gezicht ontwaarde ik binnenpretjes. Het leek of ze plezier had in onze brutale aandacht, en daar werd ik zelfverzekerd van. Expres morste ik gebak op haar arm en likte deze schoon. Ze gaf geen sjoege. Opnieuw morste ik opzettelijk, deze keer op haar rug, en likte ook dit weer op.

Sonja smeerde iets te veel slagroom op haar linkerarm, en begon haar van de andere kant als een hondje schoon te likken. Het was origineler en spannender geweest als ze zelf iets had bedacht door bijvoorbeeld met de vingers van de vrouw te spelen, of door haar zachtjes in haar bovenarm te knijpen of zo. Nu leken we net twee fantasieloze hijgerige hondjes.

De Amsterdamse zuchtte, en draaide zich naar Sonja, waardoor haar boekbladzijden overeind gingen staan, en openvielen bij Kierkegaards 'he who is willing to work gives birth to his own father', gevolgd door Nietzsches: 'When one hasn't had a good father, it is necessary to invent one'. En opnieuw was er Freud, die door de schrijver Bloom wel erg vaak werd aangehaald. 'Freud reminds us of our universal fear of domination, of our being trapped by nature in our body as a dungeon, in certain situations of stress.'

Ik las verder in haar boek om indruk te maken, om te tonen dat ik volwassen was, en slim genoeg om met haar over poëzie of desnoods filosofische en psychologische onderwerpen te discussiëren, maar ze keek niet om. Met haar rug naar mij en het boek gekeerd keek ze naar Sonja, die onverstoord doorging met het likken van haar arm. Terwijl ik eerder was begonnen, had ze mij tijdens die onnozele handelingen genegeerd, maar nu legde ze haar arm op Sonja's schouder.

Het was geen jaloezie, want ik was niet lesbisch en ik moest niks van die vrouw. Het was het gebrek aan respect van die would-be-poet. Hoe durfde zij net te doen of ik niet bestond?

(Het schijnt te komen door een toenemend adrenalinegehalte dat een mens opeens tot resoluut onomkeerbaar handelen komt, en de zwaarbewapende soldaten in je cortex uitrukken om dat te doen wat als verdediging van je ziel en zaligheid noodzakelijk wordt geacht. Zonder die adrenaline zouden we zoete lammetjes zijn die zich laten leiden door het belletje van een gedresseerde herdershond. Zoals Freud zegt: we zitten gevangen in ons lichaam.)

Voordat ze iets kon doen of zeggen sprong ik op alsof een wesp me te grazen had, duwde haar weg bij Sonja's schouder, en riep: 'Van deze handtastelijkheden zijn wij hier niet gediend. U bent hier niet in Amsterdam! Wij zijn nog minderjarig, mevrouwtje.'

Sonja ging net als ik staan, en alhoewel ze me verbouwereerd aankeek dat ik nu al deze fascinerende actie onderbrak, paste ze zich snel aan. We maakten ons zogenaamd verontwaardigd, oftewel zogenaamd woedend, uit de voeten richting Nouchka met de camera. Mijn zogenaamde woede was niet echt zogenaamd, want wat ik verzwijg, wat ik verberg, waar ik niet bij stil wil staan is wat mij altijd bijblijft, ook nu nog, zonder dat ik het zelf begrijp: mijn gespeelde boosheid was gestoeld op een onbekende pijn, een kwetsbaarheid die ik in mijzelf niet tolereerde, een zwerende, gezwollen wond die niet mocht openbreken.

De Amsterdamse trok zich terug in haar tent. Het boek lag eenzaam op het matras.

Nouchka greep mij vast en schaterde van het lachen. Het werkte aanstekelijk, die hartelijke lach, de kuiltjes in haar wangen, de blote tanden in haar grote, stralende mond, en ik lachte mijn onbekende woede weg.

193

Sonja zei: 'Eigenlijk vond ik er helemaal niks grappigs aan.'

We hebben alles op video, als Nouchka het tenminste heeft bewaard nadat ik met de noorderzon ben vertrokken. De herinneringen zijn vertroebeld. Wat is gebeurd zoals ik het mij herinner, wat herinner ik mij zonder dat het is gebeurd?

Niet alles wat we deden was beschamend. De reportage die we hadden gemaakt om op de toneelschool te vertonen was eigenlijk iets om trots op te zijn, althans zoals ik mij herinner dat hij was: een echt fragment uit het televisiejournaal. Van de camera trok ik me niks aan. Ik deed zelfs of ik er last van had, en was een bezorgde, ongehuwde moeder. Jammerend rende ik over de camping, en klampte elke toerist aan, ging bij elke tent naar binnen.

'Zonoson... Zonoson...,' riep ik. De angst dat mijn kind iets was overkomen was duidelijk hoorbaar in mijn ademnood.

De campingtoeristen stelden me vragen, hoorden me uit, riepen door elkaar heen: hoe ziet ze eruit? Hoe oud is ze? Wanneer heb je haar voor het laatst gezien? In de war door alle tumult liet ik me op de grond vallen, mijn hoofd tussen mijn knieën. Ze zakten met mij mee op hun hurken, en bleven me overvoeren met vragen die ik niet kon beantwoorden omdat er te veel tegelijk op me werden afgevuurd. Mijn gespeelde paniek ging over in een daadwerkelijke angst door de wisselwerking tussen hun oprechte ongerustheid en mijn groeiende bezorgdheid dat ik misschien nooit meer aan deze situatie – als moeder zonder kind – kon ontsnappen. Niemand stelde me gerust. Ik werd omringd door zweet, veel blote benen, blote armen, en de geur van alcohol. Na alle misbaar snikte ik (zonder tranen weliswaar) zacht met mijn hoofd in mijn handen.

'Ze is een ongehuwde moeder. Verkracht... Door een familielid... en daar is Zonoson, dat kind van gekomen,' was Sonja's uitleg aan de mensen om mij heen. Het schudt mij wakker, verbreekt de magie van even volledig een ander mogen zijn.

Het spelen van de angst ontsloeg me van de dagelijkse zwaarte altijd flink te blijven, maar nu voelde ik me betrapt op het genoegen waarmee ik me had ingeleefd in de desolate moeder en op mijn uiterste zorg om het gespeelde echt te laten zijn. Ze had niet moeten overdrijven, Sonja, gewoon een moeder was dramatisch genoeg geweest.

Nouchka, minstens zo luid, als een op sensatie beluste televisiereporter liet weten: 'Wij zijn van de Nederlandse televisie-omroep op de wereldberoemde camping te H...'

'En dit is de laatste keer!' sloot de barse stem van de campingeigenaar die haar de camera uit de handen rukte mijn leven als moeder af. Zijn hoofd was rood van opwinding, en achter hem stond zijn echtgenote, die ons de vorige dag in de campingwinkel snapte met ijsjes onder onze Winny de Pooh T-shirts.

'Alweer die zwartjes! Bel jij onmiddellijk de politie, Trees.'

Vanaf dat moment liep de camera gewoon door. Schoenen, voeten op slippers of in sandalen, de modderige grond van de camping, de stenen vloer van de campingreceptie, het pad met de kinderhoofdjes, de bodem van de politieauto, en daarna was het bandje schijnbaar vol.

Totdat Nouchka zich als verslaggeefster opwierp waren de opnames levensecht. Je zou zweren dat ik werkelijk een kind was kwijtgeraakt.

Alles wat we deden was uit liefde voor theater, nooit om de medemens dwars te zitten, of om anderen kwaad te berokkenen. We waren leergierig, en bereid om alles te doen om onze acteervaardigheden te ontwikkelen. We gingen op in de voorbereidingen, dan weer bij Nouchka, dan weer bij mij, en soms ook bij Sonja op de kamer. We waren kritisch en meedogenloos omwille van onze ambitie die niet alleen de ambitie was om ster te worden, maar misschien nog meer om te zijn wie we wilden zijn, en niet degenen die we door omstandigheden zouden worden.

We hadden ons verkleed. Ik droeg een van de pruiken die Nouchka uit de Cariben had meegebracht, een afrokapsel en voelde me een ander met het rastahaar. Sonja had een Afrikaans kapsel waardoor ze regelrecht uit de Kongo of Zimbabwe leek te komen. Nouchka had een pruik met steil haar, met plastic glans over het kapsel. We hadden elk een jurk van Joyce aangetrokken die we met grote haastige steken hadden gezoomd, want zij droeg haar rokken zowat tot op de enkel. Met zware make-up meenden we boven de twintig te lijken, en dat was vooral bij mij goed gelukt.

In de bar van de camping zat er een enkele toerist aan de bar. Voor de zoveelste keer stelde ik de nerveuze Sonja, die niet ophield met zeuren dat we door de eigenaar te gemakkelijk te herkennen waren, gerust. Met mijn zwarte rastahaar voelde ik me mooi en veilig, Sonja had niks meer van een Aziatische, en alleen Nouchka leek nog op Nouchka door haar opvallende mond en haar grote ogen, maar we hadden haar de bril van Judith opgezet, en haar decolleté aangevuld met maandverband zodat ze veel volwassener zou lijken. Ze zouden denken dat al die zwartjes hetzelfde zijn, maar niet doorhebben dat zij de jonge fake reporter was van gisteren.

Nouchka werd vriendelijk door de toerist toegelachen. Ze schoof met de barkruk dichter naar hem toe, een Duitser, die ons een sex-on-the-beach aanbood. Haar vingers trommelden op de videocamera in haar tas, die ze niet tevoorschijn moest halen, want die zou ons verraden. Op het politiebureau waren we er de vorige dag redelijk goed van afgekomen omdat we niks kwaads hadden gedaan, niks gestolen, niemand pijn gedaan, niemand beledigd, maar we kregen een waarschuwing dat we het terrein van de camping niet meer moesten proberen te betreden.

Ik toonde mijn polaroidcamera, en vroeg: 'Would you mind that I make a picture of you with my two friends.' Hij wilde weten uit welk land we waren, dus vertelde ik een verhaal over de woestijn in Arizona en zei: 'Why don't you marry the three of us? So you can live with us in the desert.'

Op dat moment kwam de campingeigenaar aangelopen met de twee politieagenten van de vorige dag en werden we hardhandig meegenomen. De Duitser was stomverbaasd en aarzelde of hij zich ermee zou bemoeien. Ik riep: 'Rescue us, they think we are prostitutes and he will put us in jail. Help us, we are innocent virgins, desperate for love.'

Maar de lafaard deed niks. Die lafhartige kop van hem had ik op de polaroid gelukkig buiten het kader gehouden. De sex-on-the-beach-cocktails verdrongen hem voornaam uit het beeld. Ik zie nog altijd hoe hij ons nakeek, tenminste, zoals dat op de video was opgenomen door Nouchka, die, terwijl we werden weggevoerd, de camera uit haar tas pakte en nog gauw alles vastlegde, ook hoe de agent mij bijna wurgde om ervoor te zorgen dat ik ophield met schreeuwen.

We hoefden niet mee naar het bureau, maar we kregen een uitbrander dat we honderd meter bij de camping vandaan moesten blijven of ze zouden ons een nacht knijp zetten en kregen een strafblad. Van dat strafblad schrok vooral Sonja, de meest ambitieuze van ons drie.

EEN OF GEEN EEN
MORAAL AAN DE HAAL
MEER GEMENE GENEN

We verplaatsten onze activiteiten naar het terrein van de hockeyclub, waar onze leeftijdgenoten zich in de weekeinden ophielden, toen er in de kantine een dorpsfeest voor jongeren werd gehouden. Een evenement waar wij onze neus voor ophaalden, maar dat ik wel geschikt vond als levendige locatie voor onze repetities.

Nouchka leek opgetogen om op zo'n dwaas kinderpartijtje aanwezig te zijn, en scheen zich nogal met Bart te vermaken.

197

Door de vele biertjes vergat ze dat ze haar geheime verkering met hem verried door zo openlijk interesse in hem te tonen. We hadden een plan gesmeed als oefening voor ons toelatingsexamen, maar ze danste binnen met Bart en liet ons meer en echt niet minder in de steek.

Pim was er ook, verrast ons hier te zien, rookte een joint, en gaf ons een trekje. Sonja inhaleerde diep. Ik weigerde, wilde nuchter blijven en eerst onze oefeningen doen.

'Dansen jullie niet, meisjes?'

Paternalisme uit zich door het gebruik van het woord 'meisjes', 'dames', of 'kinderen'. Meestal lette Pim wel op zijn woorden, maar nu gedroeg hij zich precies zoals die andere boertjes die hier rondliepen en zich heel wat voelden omdat ze zes pilsjes achterovergeslagen hadden. Maar als het moest dronk ik al die jongens er gemakkelijk uit.

'Gaan jullie mee naar binnen?' vroeg hij, doofde de joint op een steen, en bewaarde hem zorgvuldig in het borstzakje van zijn overhemd.

'We bereiden ons mentaal voor op het toelatingsexamen voor de toneelschool,' zei ik, wat betekende: laat ons met rust.

'Maak je geen zorgen, jullie hebben talent,' zei Pim, 'jullie waren heftig op de schoolavond. En ik vond jullie drie het allerbest in de musical.'

Gênant dat hij die optredens noemde, want dat ik daaraan mee had gedaan was enkel en alleen omdat Nouchka het per se wilde, en zij er zonder ons ook aan deel zou hebben genomen. Ze had aanvankelijk de hoofdrol met Bart, maar door onze bemoeienissen met het script, en onze kritiek dat het clichématig en seksistisch was, kreeg de musical drie in plaats van twee hoofdrollen, gespeeld door ons drietjes, en veranderde Barts rol in een bijrol van generlei betekenis.

'Ach, dass war nur Kinderspiel,' zei ik theatraal.

'Maar verdomde goed,' overdreef Pim, en ik verdacht hem ervan dat hij iets van Sonja wilde dat hij zich zo uitsloofde met complimenten. 'Ik heb altijd aspiraties gehad in de richting van acteren, maar als ik jullie bezig zie denk ik, Pim blijf maar thuis en word maar loodgieter, want dat natuurtalent van hen dat bezit je niet.'

Sonja leek in zijn geslijm te trappen, maar ik was op mijn hoede.

'Dansen?' vroeg Pim opnieuw, en hij keek mij daarbij als een bedelend hondje in de ogen, alsof hij mij persoonlijk ten dans vroeg.

'Amoureuze bedoelingen?' vroeg ik hautain. 'We zijn hier om te werken, niet om te feesten. Maar als je toch naar binnen gaat, roep Nouchka even, we hebben haar nodig.'

Pim pakte onverschillig zijn joint weer voor de dag, stak hem opnieuw aan, en bleef waar hij was. Ik beval Sonja: 'Roep jij Nouchka even.'

Ze ging naar binnen, en kort daarop stonden ze beiden weer buiten, gevolgd door Bart. Pim gaf de joint aan Nouchka, die erg geroutineerd inhaleerde en de joint als vanzelfsprekend doorgaf aan haar geliefde die niet geheim meer was.

'We gaan aan het werk,' zei ik streng.

'Werk?' vroeg Nouchka onnozel.

Ik trok ze mee door het donker, naar de andere kant van het gebouw. Onderweg botsten we een paar keer tegen zoenende jonge koppels. Bart, met een pilsje aan zijn mond, en Pim met zijn joint, volgden ons in slentertred, maar ik riep ze toe: 'Weg-wezen, dames.'

En als gehoorzame discipelen stonden ze stil.

Fluisterend herinnerde ik mijn femates aan wat we die mid-dag hadden besproken.

'Wie nemen we?' vroeg Nouchka.

Ik wees naar Bart, die met zijn rug naar ons toe stond, en geen idee had wat hem te wachten stond.

'Nee, niet bij hem,' zei Sonja.

'Jawel. Hij is precies degene die we moeten hebben,' zei ik.

'Ik doe niet mee als je hem uitkiest,' protesteerde Nouchka.

Het luchtte op om tegen haar uit te vallen. Ik walgde van haar. Ze deed zelfs geen poging meer om haar gevoelens voor dat boertje te verbergen. 'Wat hecht je een waarde aan het zwakste geslacht! Je begint echt op je moeder te lijken. Zou het dan toch in je genen zitten?'

Sonja en zij keken mij onthutst aan en leken zich af te vragen waarom ik zo onaardig was, dus haastte ik me te zeggen: 'Sorry, grapje.' Maar ze konden zien en horen dat mijn berouw nog niet leefde; de spijt kwam vele, vele jaren later.

Ik ging recht op Bart af, danste uitdagend om hem heen, dicht tegen hem aan, met verleidelijke bewegingen, gooide mijn borsten en billen in de strijd. We deden het wel vaker, op feestjes van de camping, en met elkaar, dit dansen waarmee een vrouw, althans dat vermoedden we, een man plat kon krijgen, en Nouchka zei dat het op de Cariben heel normaal was om tijdens het dansen de billen en borsten als het ware aan elkaar aan te bieden als onderdeel van de dans. Ze vonden je een hark als je dat niet deed.

Maar ik had onze ultieme verleidingsdans nog nooit met jongens gedaan die ik van school kende. Mijn uitdagende blik, de kom-maar-op-als-je-durft-ogen moest ik laten varen om hem in mijn spel mee te krijgen. Ik kreeg er plezier in hem te behagen, keek hem in zijn blauwe ogen, deed mijn best hem te doen geloven dat ik hem heel erg aantrekkelijk vond, en ik voelde dat mijn eigen blik, als onderdeel van het spel, zacht werd, een wapen dat ik nog niet eerder tot mijn beschikking had. Hoe oprechter ik keek, hoe gevoeliger hij voor mijn spel leek te worden. Hij leek te smelten, het kille dat hij meestal in zijn blik had als hij zich tot mij richtte verdween.

Dat ik hem kon doen geloven dat ik hem leuk genoeg vond me zo voor hem uit te sloven maakte me trots, en gaf me zelfvertrouwen, en tegelijk voelde ik afkeer voor hem dat hij zo goedgelovig was, en zelfs minachting dat hij het waagde te denken dat ik werkelijk de intentie had hem te verleiden.

Ik hoorde niet wat ze zeiden, maar ik wist waarover ze spraken toen ik vanuit mijn ooghoeken tersluiks naar Nouchka en Sonja keek die volgens afspraak een paar meter verderop stonden te wachten. Alles verliep geheel volgens plan.

'Waarom nou juist hij?'

'Je weet hoe ze is. Kom op. Nu jij.'

'Ga jij maar eerst.'

Sonja voegde zich bij mij, en wij omringden hem beiden dansend op de maat van de muziek uit het clubgebouw waarvan we alleen de bastonen en de drums konden horen. Sonja zag er sexy uit. Haar tepels waren zichtbaar door haar t-shirt. Zij en ik weigerden hardnekkig een beha te dragen, alsof we op die manier onze volwassenwording konden uitstellen, en nu zag ik voor het eerst wat het gevolg was als je de beha achterwege liet wanneer er een fris briesje was, en ik probeerde onopvallend mijn eigen borsten te bestuderen, of de mijne ook zo provocerend door mijn truitje heen te zien waren.

Bart, die niet naar ons durfde kijken, misschien vanwege onze priemende tepels, danste op zijn eigen houterige wijze mee. Hij keek vooral naar de grond. Zijn benen bewogen niet meer op de maat van de muziek, maar misschien bleef zijn ritmegevoel over het algemeen al beperkt tot de klompendans. Ogenschijnlijk liet Bart het over zich heen komen, ons vrouwelijk offensief, maar hij raakte, zag ik, enigszins in de war, zolang ik volhield door mijn voorgevel, ondanks de toch wel beschamende aanblik van mijn harde tepels, onder zijn aandacht te brengen, en mijn verleidingstactiek was agressief.

Ik danste zoals ik dacht dat ze in nachtclubs deden, zoals we op Judiths salontafel geoefend hadden sinds onze kleutertijd, en ik zette alles op alles om Nouchka duidelijk te maken dat deze jongen die zij adoreerde net zoals elke andere man met enkele heupbewegingen te verleiden was en haar net zo ontrouw zou zijn als Sherman ontrouw aan Els was en Els aan Sherman.

Ik ging achter hem staan, zodat hij mijn gezicht niet zag, en begon zijn lichaam te strelen terwijl ik grimassen maakte naar Nouchka dat zij er nu onmiddellijk bij moest komen en geen spelbreekster moest zijn.

Met tegenzin naderde ze ons, niet dansend met overgave, zoals ik van haar gewend was, maar koel, arrogant, met haar kin omhoog en koude ogen. Nouchka droeg al beha's toen zij er nog geen nodig had. Ze had haar kin opgeheven, en danste alsof ze verveeld was, met trage bewegingen vanuit haar heupen, en de rest van haar lichaam hield ze vrijwel stil.

Niet geheel volgens afspraak zei ze: 'Bart, ik vind je de leukste jongen van het dorp.'

Bart, die mijn linkerhand over zijn borst voelde gaan, terwijl mijn rechter zakte en in de buurt van zijn navel strelende omcirkelende bewegingen over zijn buik maakte, wist kennelijk niet wat te antwoorden na deze publiekelijke liefdesbekentenis van zijn geheime geliefde.

Sonja zei: 'Bart, je bent de leukste.' Dat was eigenlijk onze openingszin. Nouchka had pas na Sonja met haar mededeling op de proppen mogen komen.

Ik hield mijn handen op Barts lijf, maar bewoog mij langs zijn heupen naar een meer frontale positie, zodat ik bijna tegen zijn buik aan wreef met mijn buik en borsten als ik op en neer bewoog. Ik zei: 'Kom Bart, neem ons drietjes mee naar een bankje om te zoenen.'

Bart was fysiek volkomen in 't nauw. Nouchka omarmde hem haastig, en Sonja was met haar gezicht dreigend dicht bij zijn borst. Nouchka werd door mijn arm tegen hem aan gedrukt, en ik schoof mijn rechterhand achter in zijn spijkerbroek, naar zijn kont, en wurmde mijn vingers in de richting van zijn bilspleet.

Bart rukte zich plotseling met geweld los: 'Nee, één of géén een!'

Nouchka rende weg, de bosjes in, en het kostte een tijd voordat we haar weer vonden. Ze zei dat ze moe was en naar huis wilde. Eigenlijk was dat met Bart slechts een oefening die we daarna met een ander zouden uitvoeren, met de camera ergens verdekt opgesteld.

(Mea culpa mea culpa, zeiden ze in die katholieke kerk van dat ziekenhuis waar ik van Joyce moest blijven voor boetedoening omdat Jezus wel voor de zonden van andere mensen wilde boeten maar mij vergat.)

Mea culpa. Er moest nog veel gebeuren voordat ik begreep dat spijt een vorm van pijn is waar geen pleisters voor bestaan.

TOELATINGSEXAMEN. TOERIST. TOEVAL

Nouchka liet zich niet kennen. Ze deed enthousiast mee aan al onze acteerlessen, ook al was er tussen haar en Bart sinds die avond bij het dorpsfeest iets veranderd.

'Laten we weer gaan versieren. Zullen we weer eens een boertje beetnemen,' zei ik, toen we in het zwembad al een tijd hadden liggen bruinbakken.

'Ik ben voor een toerist,' zei Nouchka.

'Ja, iemand van de camping,' steunde Sonja haar.

'Iemand met kinderen,' zei ik.

Nouchka: 'Nu mag ik hem aanwijzen.'

'Die man, die komt uit Amsterdam, dat zie je zo. Die denkt dat hij een bink is. Laten we hem nemen,' zei Sonja opgewonden.

Ik merkte dat er iets was veranderd. Nouchka en Sonja leken een verbond te hebben waar ik buiten stond. Er was geen bewijs, maar ik kon het ruiken.

De toerist, met een vlot stads uiterlijk, blies zwembandjes op voor zijn twee kleine kinderen, en ging op een afstandje van het voetenbadje op een handdoek zitten om zijn twee peuters in de gaten te houden.

Nouchka filmde hem vanachter de bosjes waar ze zich met Sonja schuilhield.

Ik verscheen in mijn bikini, gaf hem een compliment over zijn Calvin Klein-zwembroek die echt hot was, en nieuw, want ik herkende hem uit een glossy maandblad en we raakten in een geamuseerd gesprek over mode gewikkeld.

Hij vond me leuk, zijn ogen gingen naar mijn bikini maar ook naar mijn onbedekte lichaamsdelen toen hij vroeg wat voor merk bikini ik dan wel had. Het was er een van de Hema, maar ik zei dat hij van Dolce & Gabana was, en daar trapte de geilbek in.

Ik vond hem leuk, die man. Hij had humor, en hij rook goed. Lastig om hem aantrekkelijk te vinden, maar het hielp omdat ik het daardoor niet erg vond om hem aan te raken.

'Je verbrandt,' zei ik, 'moet ik je niet even insmeren?'

'Oja?' vroeg hij verbaasd, 'heb ik eigenlijk nooit last van.'

'Nou echt, je bent rood op je rug,' en ik hield hem mijn zonnebrandmelk voor, die ik bij me had als enige bagage voor de eeuwenoude versiertruck met gegarandeerd succes.

Hij lachte, liet mij begaan, en het was waar, hij had een mooie gebruinde huid die niet van streek raakte door een Nederlands zomerzonnetje.

'Wil je mijn rug ook even doen,' vroeg ik, en ik forceerde mijn stem een beetje, zodat hij laag en sexy klonk.

'Natuurlijk,' zei hij, verrast vanwege al die aandacht, en misschien ook geamuseerd dat er in de provincie van zulke bijdehante dames zijn. Omdat hij, waarschijnlijk door enige mate van gêne, stroef en onhandig smeerde moedigde ik hem aan: 'Goed op alle plekken hoor.'

Terwijl hij met zijn handen over mijn rug gleed deed ik het bandje van mijn beha los, en ik merkte dat hij aarzelde – een kleine stagnatie – en toen weer verderging.

Plotseling draaide ik mij om, trok mijn schouders naar achter, en zei: 'En nu mijn borsten graag.'

Halfnaakt zat ik voor hem, dicht tegen hem aan. Hij beet verlegen op zijn lip. Een mooie vent. Beetje stoppeltjes. Groene ogen net als ik. Hij keek even schichtig om zich heen, en bracht wat van die melk in mijn hals en op mijn buik aan. Hij deed het snel en vluchtig, maar ik wees hem op mijn borsten, die hij oversloeg, ook naar mijn rechtertepel: 'Daar nog, alsjeblieft.' En toen, poeslief: 'Hoe heet je?'

'Papa.' Zijn twee peuters kwamen uit het voetenbadje op ons afgerend.

Dramatisch, alsof ik me bedrogen voelde, rukte ik de zonnebrandmelk uit zijn handen, deed mijn beha weer aan en foeterde hem uit: 'Bah, viezerik. Zijn dit uw kinderen? Hoe durft u mij het hof te maken met zulke bloedjes van kinderen in de buurt.' En toen dreigend en zwaar articulerend, met mijn wijsvinger heen en weer: 'Je loon waadt geschied.'

Zogenaamd zwaar beledigd verwijderde ik mij van hem, met grote stevige stappen. Later, op de videoband, zag ik hoe hij mij verbaasd nakeek en boos werd omdat hij Nouchka en Sonja met de camera ontdekte.

'Ja, hij heeft het door. Zullen we naar de camping gaan en hem chanteren, zullen we hem bang maken?' stelde Nouchka voor.

'Het ging om de oefening,' hield ik haar bij de les, 'het gaat erom dat wij ons toelatingsexamen voor de toneelschool halen, en niet dat we geraffineerde afpersers worden.'

Nouchka, sinds ze afgewezen was door Bart, althans dat vermoedde ik, want ze hoefde nooit meer naar haar zogenaamde oma, had er extra plezier in om het mannelijk geslacht onder het mes te nemen. Het ging zelfs mij soms iets te ver.

Het zwembad was onze belangrijkste oefenruimte geworden omdat de camping verboden terrein was, en we te scherp in de gaten werden gehouden door de eigenaar.

'Vandaag doen we een Duitser,' stelde Nouchka voor.

'Nee, de badmeester,' opperde ik, want die uitslover, die altijd even wilde laten zien dat hij de baas in het zwembad was, met zijn kapsones, wilde ik graag wat toontjes lager laten fluiten.

'We kunnen beter iemand nemen die we nooit meer terugzien,' zei Sonja, die bang werd voor de gevolgen van ons spel. Zij zag altijd overal gevaar.

'We moeten elke keer de moeilijkheidsgraad verhogen! Je denkt toch niet dat je met wat amateurisme op die toneelschool toegelaten wordt?' protesteerde ik.

Het werd de badmeester, en Nouchka bood zich aan. Ze was zo gretig, leek wel, alsof ze haar sex-appeal doorlopend wilde testen sinds het uit was met Bart.

Kontwiegend liep ze op de badmeester af. Haar verleidingspose had meteen succes, want toen ze met hem begon te praten kon hij zijn handen niet van haar afhouden, en als er een hele kleuterklas was verdronken was het volkomen aan hem voorbijgegaan.

Sonja en ik zaten er te ver vandaan, maar we konden niet dichterbij komen zonder in de gaten te lopen.

In de rechterhoek van het kader zag ik Bart, die uit de kleedhokjes kwam, en Nouchka onmiddellijk in de gaten kreeg, zoals ze met grof geschut de badmeester het hoofd op hol bracht. Zij zag hem pas daarna, toen hij geschokt rechtsomkeert maakte en zich in ijltempo terug naar de kleedkamers begaf.

Nouchka rende hem direct achterna, maar leek zich te realiseren dat ze door ons gefilmd werd en begon toen overdreven sexy te snelwandelen, alsof het om een nieuwe verleidingsact ging en verdween, zo snel als ze kon, achter haar ex-geliefde aan naar de mannenafdeling.

'Waar gaat ze nou naartoe?' vroeg ik terwijl ik het antwoord wist.

'Misschien de badmeester jaloers maken,' zuchtte Sonja, die zich net zo van de domme wilde houden.

'Met zo'n zielig boertje zeker?' Ik imiteerde Bart zoals hij zich op het dorpsfeest tegen onze aanval verweerde: 'Eén of geen een.'

We zetten de camera stop.

'We gaan haar achterna,' zei ik.

Sonja hield mij tegen. 'Wacht even, ze komt zo weer terug.'

'Nee, we gaan,' zei ik, en ik vond het verdacht dat Sonja me ervan wilde weerhouden. Ik stond op, en wilde met de camera naar de kleedhokjes rennen.

Sonja ging echter voor me staan, en duwde me letterlijk terug op het gras.

'Mijn ouders gaan scheiden,' zei ze.

Dat was pittig nieuws. Ik liet de camera los, en hoorde hoe mijn stem ondanks mijn schrik onverschillig klonk: 'Oja?'

'Het ging al jaren niet goed, zeiden ze. Mijn moeder gaat naar Markelo verhuizen. Mijn broertje en ik moeten mee.'

'Je vader blijft hier?'

'Ik geloof het wel. Dus ik ben hier wel gewoon in het weekend... Wist je da...'

Ik onderbrak Sonja bot: 'Binnenkort gaan we naar de toneelschool, en in Amsterdam wonen. Dan hebben we niets meer met dit pathetische dorp te maken...' Ik stond op, trok haar aan haar arm, met de camera in mijn andere hand, en zei kordaat: 'Zullen we Nouchka even ophalen uit die mannenkleedkamers, voordat ze al die mannen daar heeft verkracht?'

In de algemene kleedruimte van de mannen, waar talrijke kleedhokjes op uit keken probeerde Nouchka Bart – beiden de enigen in de ruimte – te omhelzen. Bart ontworstelde zich met moeite aan haar greep.

'Je mag hier niet komen,' verweerde hij zich.

Nouchka stak haar hand in zijn zwembroek. 'Morgen om vier uur in de hooiberg?'

Bart duwde haar weg: 'Laat me met rust. Ik zie het niet meer zitten. Ga naar die verknipte vriendinnen van je. Ik wil nooit meer iets met je te maken hebben.' Hij rende weg met zijn bundeltje kleren onder de arm, in de richting van de uitgang, nageroepen door Nouchka. 'Oké, doe het voortaan met je tractor, lulletje!'

Het stond op video, maar Sonja spoelde het eraf en ging er

met andere opnames (van de broertjes die tegen het verbod van de directie in op het grasveld van het park van Zonnehof voetbalden) overheen. 'We moeten die enkele keer in het leven dat onze engelachtige broertjes zondigen absoluut vereeuwigen,' zei ze.

Overigens kwam Sonja die dag nog op de scheiding van Rob en Judith bij mij terug.

Ze zei, toen we in de doucheruimte van het zwembad in onze bikini's onze haren wasten: 'Ze blijven gewoon vriendinnen, Joyce en Judith, zegt mijn moeder.'

'Ja, dat snap ik ook wel,' antwoordde ik, en verder zei ik niks totdat ik zag hoe ze met haar schouders gekromd onder de douche vandaan ging en haar gezicht en haren met de handdoek bedekte.

'Wij ook,' riep ik. Ik spetterde water in haar richting, en trok een zo vrolijk mogelijke grimas om haar aan het lachen te krijgen. (Wat niet lukte.)

'Wat jullie ook?' vroeg Nouchka, die in haar blootje binnenkwam omdat ze er nooit mee zat om in haar nakie rond te lopen.

'Wij drietjes blijven altijd vriendinnen,' zei ik.

'Ja, logisch,' lachte Nouchka, en ze zette de douche aan. Een krachtige straal. Ik lette op Sonja die met haar rug naar ons bleef toegekeerd.

DE DAG VAN HET TOELATINGSEXAMEN

DE DAG VAN DE TEST

DE DAG DES OORDEELS

DE DAG DES ONHEILS

De kat leek ziek. Joyce en ik bogen ons over Kleintje. Ze at niet, lag steeds onder het bureau, en miauwde zielig. Ik aaide het beest, speelde met het medaillon om haar nek, en dacht te voelen wat de kat voelde: steken in mijn buik, hoofdpijn, en de behoefte me te verstoppen.

'Ik ga wel met d'r naar de dierenarts. Misschien heeft ze iets verkeerds gegeten,' trachtte Joyce mij te troosten.

Ik zag het als een slecht voorteken, had geen zin meer om naar het toelatingsexamen voor de toneelschool te gaan, wilde alleen nog in bed liggen met Kleintje tegen mij aan. Ergerde me aan Joyce die het goed bedoelde, maar die te aardig was, op de een of andere manier te behulpzaam. Alsof het haar werkelijk wat uitmaakte of mijn vriendinnen en ik actrice zouden worden, alsof ze iets om Kleintje zou geven terwijl ze niet eens wilde dat ik die kat hield toen ik er lang geleden mee thuiskwam. Het interesseerde haar niks, en ik kon er niet tegen dat ze nu opeens voor bezorgde moeder en katliefhebster ging zitten spelen.

(Ik geef toe, Joyce was nooit rot tegen Kleintje, ook al had mijn kat rare gewoonten zoals plassen en poepen buiten de kattenbak als we te lang van huis waren geweest, of haar nagels slijpen aan elke leren handtas van Joyce, of die nu oud was of net gekocht. En de jongen van Kleintje, die inmiddels groter en dikker waren dan de moederkat, werden door Joyce beter verzorgd dan door mij, want ik gaf verreweg de voorkeur aan Kleintje.)

Nouchka en Sonja zaten vol zelfvertrouwen op een bankje tussen vele andere aankomende studenten op hun beurt te wachten, maar ik liep nerveus heen en weer. Niet dat ik me druk maakte om het examen, want we waren van plan om alleen onze videoopnames te laten zien, en hen te wijzen op onze gezamenlijke acteerprestaties. Daarmee konden we voorkomen dat een van ons wel toegelaten werd en de andere twee niet.

Ik zag een publieke telefoon in de hal, en belde naar huis, om te horen hoe het met Kleintje ging. Juist toen ik het nummer draaide, zag ik Bart binnenkomen. Ik had hem wel eens horen zeggen dat hij naar de toneelschool wilde, maar had dat nooit geloofd. Dat hij meedeed aan de musical en het schooltoneel zag ik als een liefdesbetuiging aan Nouchka, maar niet als een uiting van de innerlijke drang om ooit in Hollywood terecht te komen. Hij zag mij niet. Aan het begin van de gang ontdekte hij wel Nouchka en Sonja. Hij liep snel terug, rakelings langs mij heen, greep een filmkrant van een stapel en begon erin te lezen. Met de krant voor zijn gezicht passeerde hij de wachtenden op het bankje en redde het om ze ongezien voorbij te gaan, dankzij zijn nieuwe broek en zijn nieuwe schoenen, want Nouchka zou zijn spijkerbroekbenen uit duizenden hebben herkend.

Ik draaide het nummer van ons huis. De telefoon ging over maar er werd niet opgenomen. Ik liet hem lang overgaan en hing pas op toen de gesprekstoon mijn poging tot contact verbrak. Daarna draaide ik het nummer van het reisbureau. De stem aan de andere kant van de lijn was van de dochter van de eigenaar.

'Reisbureau De Wijde Wereld, met Elly.'

'Met Zohra, kan ik Joyce even spreken?'

'Zohra, je moeder komt later. Ze is naar de dierenarts.'

'Heeft ze gezegd hoe het met mijn kat is?'

'Nee, ik weet van niks. Maar ik verwacht haar over een halfuur, of hooguit drie kwartier.'

Ik had geen zin om terug te gaan naar de anderen. Het was of ik moest kotsen. Dat had ik ook al toen Kleintje in de ochtend aan het overgeven was. Op dat moment werd ik gepasseerd door iemand die ik eerder had gezien, maar die ik niet meteen kon thuisbrengen totdat hij stilstond en mij vorsend in de ogen keek. Hij hield zijn pas in, en leek mij evenzeer te herkennen. Zijn bedenkelijke blik ging van mij naar de gang, waar, dat vermoedde ik, hij Nouchka en Sonja kon zien zitten op het bankje. Hij aarzelde, en verdween vervolgens door een deur waarop een papier met punaises was vastgezet: *Melden bij de receptie.*

Er bestond geen twijfel meer.

'We kunnen net zo goed naar huis gaan.'

'Zou hij echt dezelfde zijn?'

Ik wendde mij tot de receptioniste. 'Wie was die man die net die kamer binnenging?'

Ik plofte naast Nouchka en Sonja neer. 'Hij zit in de toelatingscommissie, verdomme!' Nouchka graaide in de cameratas, op zoek naar de tape die we niet voor het toelatingsexamen hadden uitgekozen maar wel voor de zekerheid bij de camera in de tas hadden gestopt. Ik keek de gang door, en zag hoe Bart zich helemaal aan het einde van de gang achter de opengeslagen *Filmkrant* schuilhield. Nouchka en Sonja hadden hem nog niet opgemerkt. Koortsachtig zochten we op de tape de scène van de Amsterdammer met de peuters. Ik was te onrustig om het fragment te vinden, schoot van het einde terug naar het begin en vice versa. Sonja bleef kalm, en nam de camera over.

'Hier is hij,' zei ze, 'kijk even, Zohra, is hij dezelfde?'

Ik zag het laatste gedeelte, waarbij hij in de camera keek, iets waar we om hebben moeten lachen, maar nu leek het of hij dreigde: Wacht maar af, ik krijg je wel.

De zoemer ging. Een stem door de luidspreker riep: 'Nouchka van Wijngaarde.'

Nouchka stond onmiddellijk op, maar ik ook, en ik trok Sonja mee om alledrie tegelijk naar binnen te gaan. We werden tegengehouden door de receptioniste.

'Wie van jullie is Nouchka van Wijngaarde?'

'Alledrie of geen één,' zei ik erg hard, zodat iedereen van de wachtenden naar ons opkeek behalve Bart.

'Dan zoeken jullie het zelf maar uit,' zei de receptioniste, en ze keerde ons de rug toe.

Een van de kandidaten op de bankjes overschreeuwde zichzelf met: 'Zo schieten we lekker op.'

Vijf commissieleden zaten naast elkaar achter een grote tafel. Een van hen was de toerist die mij in het zwembad met antizonnebrandcrème had ingesmeerd.

'Zet uit dat ding,' zei de toerist, toen ik hem meteen bij binnenkomst begon te filmen. Ik stopte niet, voelde me lekker met mijn gezicht achter die camera.

'Niks laten merken. Hij is net zo bang als wij,' fluisterde ik Sonja in haar oor, want ik zag aan de kromme schouders dat ze op het punt stond om te huilen.

'Die camera moet weg, dames. Opnames zijn verboden,' zei de paternalist in het midden van de rij met pedante mannetjes.

'Waarom zit er geen vrouw in de commissie?' vroeg ik, met een geforceerde glimlach, om vanaf het begin in de aanval te zijn.

'Er zaten eigenlijk twee dames in onze commissie maar beiden hebben vanmorgen wegens ziekte afgebeld. Ik vrees dat jullie vrouwen de titel zwak geslacht eer aandoen, als ik zo vrij mag zijn. Dus vanwege het zwakke gestel van de leden van het zwakke geslacht zijn jullie vandaag aan een wat sterker geslacht blootgesteld,' zei de middelste man sarcastisch.

De anderen lachten. Ik legde de camera even neer op de grond en applaudisseerde. Sonja en Nouchka klapten uitbundig mee.

'Wie is Nouchka van Wijngaarde?' vroeg de middelste, die kennelijk de belangrijkste van het gezelschap was.

'Ik, mijnheer,' zei Nouchka.

'Willen de andere dames dan zo vriendelijk zijn deze ruimte te verlaten en op uw beurt wachten?' vroeg hij zonder ons daarbij aan te kijken.

Sonja wilde onmiddellijk gehoorzamen, maar ik hield haar tegen, en zei strijdvaardig: 'Alles wat we kunnen staat op video. Mag ik u even een bandje van onze repetities laten zien?'

Een van de heren die zijn mond nog niet had opengedaan stond op, en wilde ons met fysieke overredingskracht de kamer uit zetten. Hij verborg zijn groeiende ergernis niet.

De man van het midden hield hem tegen, en fluisterde iets onverstaanbaars in zijn oor. Toen richtte hij zich uiterst vriendelijk tot ons: 'Doen jullie maar wat je denkt dat je moet doen om op deze academie toegelaten te worden.'

Ik versleepte het meubelstuk waarop een televisie en een videorecorder stonden van de hoek naar het midden, tot vlak voor de tafel waaraan de heren zaten. Nu pas besefte ik dat we zonder die televisie gedoemd waren om ze een voor een door de camera te laten kijken. Ik zag het als een goed voorteken, de aanwezigheid van die televisie, verbond de snoeren, zette alles aan, en toonde niet de band die we voor het toelatingsexamen hadden voorbereid, maar de band met de opnamen in het zwembad, met het commissielid in het broekje van Calvin Klein.

Triomfantelijk keek ik naar Nouchka en Sonja, voor wie dit ook een verrassing was, want die rekenden erop dat ik gewoon zou tonen wat we hadden afgesproken, de scènes waarin we lieten zien dat we geschapen waren voor film, televisie en toneel.

Wat me bezielde weet ik niet. Trots, vermoed ik, hoogmoed misschien, de behoefte om de toerist die daar vol arrogantie commissielid zat te zijn in zijn ballen te treffen.

Het commissielid, ofwel de toerist, brak zijn potlood in stukjes, en wij werden vriendelijk maar dringend verzocht naar huis te gaan. 'Jullie krijgen bericht.' Meer werd er niet gezegd.

Buiten plofte Nouchka neer op de trap van het huis aan de zijkant van de school. Sonja ging naast haar zitten, dicht tegen haar aan. Er was nog wel een smalle plek naast Nouchka, maar het voelde onnatuurlijk om mezelf tussen de muur en haar in te wringen, en het leek er niet op of ze beiden iets meer plaats zouden maken voor die idioot die hun kans om in Hollywood te belanden had verpest. Ik wist niets beters te doen dan een beetje van de ene op de andere voet te wippen. Niemand verweet me mijn spontane inval. Hadden ze dat maar gedaan, dan had ik genoeg argumenten gehad om me te gaan verdedigen, maar nu voelde ik me ziek, ellendig, misselijk, en haatte ik mezelf zoals ik nooit eerder had gedaan.

Nouchka zuchtte: 'Zullen we gaan stappen? Nu we hier toch zijn kunnen we maar beter stevig uitpakken.'

'Nee, ik wil naar mijn kat toe,' zei ik.

Sonja zei zacht, alsof ze zich met tegenzin bij mij aansloot: 'Ik ga ook liever terug.'

Ondanks het besluit van mij om direct naar huis te gaan bleef ik nog hangen, en deed Sonja evenmin aanstalten om richting station te gaan. Nouchka bleef doodstil zitten op het trapje. Niks voor Nouchka om zo stil te zijn, en in het geheel niet te bewegen.

Zij hadden het niet door, ze keken te veel naar de grond, maar ik zag de toerist of het commissielid, wat zal ik zeggen, ons passeren met een stapel boeken in zijn hand. Misschien zag hij ons zitten, want hij versnelde zijn pas, met zijn hoofd gebogen.

Toen zuchtte Nouchka opnieuw, dieper dan tevoren, stond op, en zei: 'Nou, ik ga nog even een leuke jurk stelen. Wie gaat er mee?'

Te veel slechte voortekens. We worden betrapt als we dat doen, wilde ik zeggen, maar ik kreeg geen woord uit mijn mond.

Sonja schudde nee.

Nouchka leek zwaar teleurgesteld in ons beiden. 'Nou ik wel. Ik moet mezelf troosten,' zei ze. Haar stem klonk opgewekt, alsof ze zich alleen al bij de gedachte aan een nieuwe, mooie jurk stukken beter voelde.

Er was niemand thuis. Het mandje van Kleintje was leeg. Ze was niet onder het bureau, niet op mijn bed. Ik riep haar naam steeds harder, schreeuwde alsof mijn leven ervan afhing. Mijn keel deed pijn. Mijn stem werd schor. Ik viel neer op de sofa en wist niet hoelang ik daar lag toen ik de telefoon hoorde rinkelen.

Nouchka vroeg: 'Denk je dat we toch wel een kans hebben?'

'Wat maakt het uit?' zei ik.

'We kunnen ze toch altijd nog blackmailen?'

'Zonder die domme school redden we het ook wel,' zei ik, het lukte me niet om iets van troost te schenken. Het ergerde me dat het Nouchka was die belde, en niet Joyce om te zeggen dat alles goed was met Kleintje, dat ze bij haar op het reisbureau was, en dat ik me nergens zorgen over hoefde maken, of liever nog dat het Kleintje zelf was die miauwde: Dag Zohra, ik ben beter, en ik kom zo.

'Sorry hoor,' zei ik tegen Nouchka, 'maar ik moet mijn kat even zoeken. Dag.' En ik legde neer zonder op haar groet te wachten.

Toen draaide ik het nummer van Joyce, op haar werk.

'Ja... met mij... waar is Kleintje?'

'Hoe ging je toelatingsexamen, Zohra? Ik had je niet zo vroeg thuis verwacht.'

'Waar is mijn kat?'

'De dierenarts wilde haar daar houden. Ik heb geen leuk nieuws voor je. Het is kanker. Ik zei dat jij er misschien bij wilde zijn als hij haar een spuitje geeft. We mogen ook na zes uur nog komen. Of we bellen, en dan doet de arts het zonder ons.'

'Ik wil mijn kat terug.'

'Je wilt toch niet dat ze pijn lijdt? Kleintje kan niet meer beter worden.'

'Ik wil mijn kat terug. Nu meteen. Hoe heb je haar daar achter kunnen laten?'

'Als ik hier klaar ben haal ik haar op. Ga jij dan nu eerst bij papa op bezoek. Je bent er al twee weken niet meer geweest... dan sla ik hem vandaag over.'

'Stuur Dimitri maar, ik ga Kleintje nu meteen zelf ophalen.'

'Nee, laat mij dat maar doen, met die zieke poes op de fiets dat is niks. Dimitri is naar voetbaltrainen, dat weet je toch.'

'Ik snap niet dat je Kleintje daar achter hebt kunnen laten. Je hebt geen hart jij!'

Woedend, nee dat is het woord niet, driftig gooide ik de hoorn op de haak.

Ik gehoorzaamde, fietste naar Zonnehof, waar ik al een tijd niet was geweest omdat we te druk waren met het repeteren voor de toneelschool. Onder het rijden kalmeerde ik een beetje. Niet echt, want ik verweet mijzelf te veel, dat ik lang niet bij Rien was geweest, dat ik die tape van de toerist had laten zien, dat we niet gewoon net als de anderen een voor een naar binnen waren gegaan, omdat we immers goed waren en heus wel alledrie zouden zijn aangenomen, en dat die toerist mij dan vast niet had herkend, of toch wel, en dat ik niet zo kattig tegen Nouchka had moeten doen, en evenmin tegen Sonja in de trein toen ze was begonnen over het landschap, dat ze Nederland mooi vond, niks anders dan lege klinkklare onzin om de stilte te verbreken, en dat ik toen zei dat ze haar kop moest houden of dat ik zou gaan kotsen, dat ik wilde dat ik alles, alles vanaf de basisschool, of liever nog alles vanaf de kleuterschool opnieuw mocht doen, alles anders, een ander zijn, misschien alles anders vanaf mijn geboorte, of nog verder terug beginnen bij nul, een andere bevruchting, andere zaadcellen, een ander eitje, dat ik bang was, dat angst iets was wat ik haatte te voelen en dat ik niet meer wist hoe ik angst uit mijn verdomde kloteleven bannen moest.

Riens bed staat er niet. De plek is leeg. Een broeder komt aangesneld, en legt zijn hand op mijn schouder.

'Je vader was naar de intensive care gebracht, maar het mocht niet baten. We hebben net je moeder op haar werk gebeld, die is al onderweg hiernaartoe. Wil je een kopje koffie?'

'Wanneer? Wanneer heeft u haar gebeld?'

'Nog geen tien minuten geleden, denk ik,' zegt hij, 'ik zei al, alles is nogal snel en plotseling gegaan.'

Ik staar naar de lege plek, ruk me los en ren weg.

Ik sta op mijn voeten, maar zit op mijn zadel, schud aan de kattenmand die ik achter op mijn bagagerek heb vastgezet, controleer of hij stevig genoeg bevestigd is, en fluit op mijn vingers onder Sonja's raam. Ze steekt haar hoofd uit het slaapkamerraam, wuift, en maakt een gebaar dat ze komt.

Nouchka verschijnt juist om de hoek. Het uitgaan in de grote stad viel zeker tegen. Ze is buiten adem als ze naast ons staat, trekt iets roods uit haar jaszak en wappert ermee.

'Nieuwe jurk,' zegt ze, 'en ik heb voor jullie ook iets meegenomen.' Ze gooit ons elk een slipje toe. Ik raap het mijne niet op. Sonja bukt voor beide.

Zo hard als ik kan fiets ik tegen de wind in richting dierenarts. De zon schijnt, de lucht is tamelijk helderblauw. Het kost ze moeite om mij bij te benen. Ze halen me hijgend in als we al een eind buiten het dorp zijn. De dierenarts woont niet in een woonwijk, maar een beetje tussen de boeren, niet ver van het bos en de camping.

'Wat is er, Zohra?' vraagt Nouchka. Haar stem klinkt welgemeend bezorgd, en toch niet overdreven, precies wat ik in haar waardeer.

'Waar fietsen we naartoe?' vraagt ze.

'Je hebt altijd zo'n haast,' klaagt Sonja, 'we moeten altijd met je mee, het moet altijd onmiddellijk want anders word je boos, maar we weten nooit waarnaartoe.'

'Ik ben zo bang dat ze hem een spuitje geven,' zeg ik, zonder te willen schreeuwen, en zonder vaart te willen verliezen door het praten.

Ze heeft me verstaan, ook Sonja. Of misschien toch niet, want Nouchka vraagt: 'Je vader?'

Mijn vader? Wat mijn vader. De ergernis is onmiddellijk terug. De niet in te tomen drift, die een gevecht voert met de angst. 'Is het toorn of is het vrees die mijn gedachten teistert?' Die gekke zin maalt door mijn hoofd. Is het toorn of is het vrees die mijn gedachten teistert? Komt hij van professor Blink, heb ik hem ergens gelezen, of komt hij uit mijn eigen niet te controleren brein? Het is of de gedachten dwarrelen, en of sommige zinnen neerstorten, en of af en toe alleen woorden of kleuren worden opgerispt vanuit mijn maag. Alsof braaksel door mijn neus in mijn denken belandt.

'Ben je bang dat ze je vader een spuitje geven?' vraagt Sonja. Is ze Nouchka's tolk geworden?

'Nee, mijn kat,' snauw ik, omdat het uit moet zijn met het gepraat over mijn vader. Waar halen ze het lef vandaan om over hem te beginnen als ik het over spuitjes heb?

'Daar hoef je niet bang voor te zijn hoor,' zegt Sonja met de bedoeling mij gerust te stellen, 'dat mag niet zonder jouw toestemming.'

Ik sta plotsklaps op de rem. Dat doe ik niet, dat gaat vanzelf, dat lijkt buiten mijzelf om te gaan, dat ik het ineens uitschreeuw: 'Misschien hebben ze mijn vader ook wel een spuitje gegeven, godverdomme.' (Ik weet niet of ik het geschreeuwd heb of alleen gedacht. Mijn keel was al schor. Ik kon allang niet meer praten.)

Ik trap weer als een bezetene. Als je tegen de wind in fietst met je ogen wijd opengesperd, en volstrekt niet knippert kun je het niet helpen dat je ogen na verloop van tijd doen wat jij niet wilt. Wilskracht heeft een grens. Er is een limiet aan het menselijk functioneren.

'Je vader?' vraagt Sonja.

'Meer dan tien jaar lang is hij een plant, en nu opeens van het ene moment op het andere is ie dood. Het klopt gewoon niet,' schreeuw ik tegen mezelf meer dan tegen hen. Mijn gezicht wordt raar warm van lopend vocht. (Nogmaals, zeker weet ik het niet of ik dit alles heb gezegd, geroepen, of gefluisterd.)

Sonja vraagt: 'Is je vader dood?'

Nouchka: 'Is je vader echt dood, of maak je een grapje?'

Misschien heeft die dierenarts mijn moeder op ideeën gebracht, misschien hebben Rob en Joyce hem om zeep geholpen opdat ze dan hun gang kunnen gaan nu Judith en Rob gaan scheiden. Misschien hebben ze hem elke dag een beetje vergiftigd, jarenlang, steeds wat door zijn eten. En Kleintje ook. Ze hebben de kat en mijn vader gif gegeven. Ik kan mijn denken niet stoppen. Ik weet dat het ongeloofwaardig is wat ik bedenk, maar ik kan niet geloven dat wat er in mijn hoofd rondspookt alleen maar verzinsels zijn. Er moet een grond van waarheid in zitten, als iets in je opkomt dan is er een bron, er is een oorzaak, alles heeft een aanleiding, anders zou het niet worden gedacht.

Nouchka en Sonja hebben moeite mij bij te houden. Ik moet Kleintje redden, denk ik bij elke trap, Kleintje redden, Kleintje redden, Kleintje...

Een zware donderslag klinkt, ondanks de vrijwel helderblauwe hemel. Of komt het donkere zwerk ons achterop? Sonja en Nouchka kijken bezorgd naar de lucht. Ik heb geen last van de bliksem. De lucht verandert van blauw in lila, violet, paars, regen.

Naast de deur van de dierenarts, voor het raam hangt een bordje *Gesloten*. Ik bel aan. Iemand schuift de vitrage opzij, en doet vervolgens open met Kleintje op de arm. Ik neem de kat over, en zet haar in het mandje achterop.

'Wil je een deken?' vraagt de dame. Ze is niet de dierenarts, ze is zijn assistente.

Ze schudt haar hoofd. 'Je kat is ernstig ziek, Zohra. Zohra heet je toch? We kunnen beter doen wat we met je moeder hebben besproken.'

Ik negeer het mens, trek mijn jas uit, en wikkel deze om Kleintje heen, tegen de regen. Kleintje ziet er vreemd uit. Je kunt niet zeggen dat ze bleek ziet, bij een witte kat die een zwarte vlek heeft als een zeerover, maar ze komt kaal en bleek over, alsof er iets ontbreekt.

Dan fietsen we terug naar huis. Het lijkt niet of de wind nu meegaat, de wind voelt nog altijd tegen.

De auto van Joyce stond voor de deur toen ik met Kleintje op de arm de sleutel in het slot van de voordeur stak. Sonja en Nouchka waren elk naar huis gegaan, nadat ze gewacht hadden totdat ik Kleintje uit het fietsmandje had getild, en de voordeur opendeed.

'Tot morgen,' zeiden we alledrie tegelijk. Dat doen femates. Zonder te plannen zeg je dezelfde dingen.

Joyce en Dimitri zaten samen knus tegen elkaar op de bank. Het voelde of ik stoorde. Of ik niet gewenst was. Ik zag het lege mandje, en legde Kleintje erin, droogde haar met een theedoek.

'O, heb je Kleintje opgehaald!' Joyce stond op van de bank, en liep naar me toe. Dimitri volgde haar als haar schaduw.

'De broeder had geen idee waar je was,' zei ze, ze ging op haar hurken naast me zitten, en streelde Kleintje.

Ik liep weg, pakte een batikdoek van de sofa, en wikkelde Kleintje erin.

'Wat hebben ze met je gedaan? Je ziet er zo anders uit?' mompelde ik in het oor van mijn zieke kat.

'Zohra, kom even met ons op de bank zitten,' vroeg Joyce.

Ik rukte me los.

'Zohra,' zei Joyce zacht, 'kom even bij ons...'

'Heeft papa soms een spui...?' Maar ik maakte mijn zin niet af. Wat had het voor nut? Ik moest blij zijn dat hij dood was. Dat had ik toch zo vaak gewenst, dat ik niet meer naar Zonnehof hoefde, dat ik me niet meer hoefde schamen voor die man die zogenaamd mijn vader was. Ik rende naar boven met de kat op mijn arm, en deed de deur van mijn kamer op slot.

Even later klopte Joyce, maar ik deed niet open.

'Zohra, Rien had een hartstilstand. Een uur eerder had de broeder hem nog met zijn thee geholpen.'

DE DAG VAN ZIJN BEGRAFENIS

Een pad van grind. Ontelbaar veel stenen. Grote ronde, platte, veel platte, kleintjes, veel witte, een grijze met een kruis, ik vul mijn zakken. Ik struikel over iemands voeten maar Nouchka en Sonja vangen mij op.

'Kijk, deze, zo-een heb ik nooit eerder gezien.' Ik heb een groene, zo-een zou Rien voor mij hebben opgeraapt.

Er is alleen maar schaduw.

Rien is er niet meer, maar Rien was eigenlijk al dood. Dat wilde ik immers, want zo had ik toch niks aan hem. Dat ik niet loog als ik tegen mensen zei: 'Ik heb geen vader.'

We staan rond een gat. Hier valt niks te rapen. De kist. Zand. Mensen. Een paar die ik niet ken. Van toen Rien nog jong was, zei mijn moeder.

Judith en Rob staan naast elkaar alsof ze niet morgen of vandaag gingen scheiden, ook naast Joyce die hand in hand met Dimitri staat.

Hij wist niet wie je was, huilebalk. Schijnheilig ventje. Hij kende je naam niet, stuk sekreet, nomen est omen.

Joyce gooit zand op de kist, en Dimitri doet het ook. Iedereen kijkt mij aan. Al die gezichten. Wat moeten jullie van mij? Ik heb hem niet doodgemaakt, dat hebben ze in het ziekenhuis gedaan, ze hebben hem vast een spuitje gegeven omdat hij lastig was om voor te zorgen.

Sonja fluistert in mijn oor: 'Zohra, gooi een handvol zand op de kist.'

Ik buk. Ik buig voorover. Een handvol aarde. Een handvol stenen zou beter zijn. Papa, papa, kijk, ik heb heel mooie stenen gevonden.

De mensen staan op hun kop. Voeten in de lucht. Hoofden op de grond. De kist wordt wazig. Rien komt overeind, gaat zitten, strekt zijn hand uit naar mijn hals.

'Het is al te laat voor mij, Zohra...' Hij doet mij de ketting met het medaillon van zijn moeder om. Ik ken zijn moeder niet, ze was al dood toen ik werd geboren.

Een grote schep zand valt op zijn gezicht. Wie doet dat, wie gooit dat zand op zijn gezicht?

Ik voel aan mijn nek. Rien voelt aan de zijne. Ik kijk naar mijn hals. Waar is de ketting?

Zijn nek is bloot. Hij voelt koortsachtig met zijn vingers zijn hals en borst af.

'Niks aan mama zeggen, Zohra, het is ons geheim...'

Hij strekt zijn handen naar mij uit. Zijn handen om mijn nek.

Ik vecht tegen de greep van zijn krachtige armen. Zand wordt over hem en mij gegooid. Dan laat hij mij los, valt terug. De deksel van zijn kist in het slot.

Ik grijp naar mijn keel.

Mijn kat. Kleintje. Hij had geen ketting meer om. Ik zet het op een lopen.

Ik voel de stenen schudden in mijn zakken. Het tikken van de kiezels tegen elkanders harde huid of hart. Een steen is alleen maar huid of alleen maar hart, een hard hart. Zo denk ik als ik ren, een hard hart of een harde huid, de steen, mijn kat, mijn medaillon. Ik ren en ren en ren.

Het is ver van het kerkhof naar huis. Buiten adem bereik ik Kleintje, die in zijn mandje ligt, inderdaad zonder ketting, zonder medaillon. Als een bleke zeerover van het vrouwelijk geslacht.

Toen ik het tuinpad oprende botste ik tegen de postbode op, die de moeite nam mij van harte te condoleren met een man die hij nooit had gezien. Hij werd ruw door mij weggeduwd. Daar kwam ik er pas achter dat Nouchka en Sonja mij waren gevolgd. Met Kleintje in mijn armen, herinner ik me de stemmen, als een echo. Dat Rob me wilde tegenhouden, en dat Joyce zei: 'Laat haar maar, we moeten Zohra niet dwingen.'

Nu, zoveel jaar later is het net of ik een band terugspoel en in de achteruit op de band van mijn geheugen kan zien wat er is gebeurd.

Sonja pakte de post aan, ook die van haar en Nouchka, bleek later.

Ik sprong op de fiets. In een race naar de dierenarts, die weer een bordje *Gesloten* op het raam had, en een ander bordje met de naam en het adres van de dienstdoende dierenarts, spreekuurtijden, telefoonnummers en gegevens waarin ik niet geïnteresseerd was op de gesloten deur. Ik belde als een bezetene, maar er werd niet geopend.

Op zoek naar een grote kei keek ik tussen de struiken. Er waren geen losse stenen, maar er was een keurig aangelegd tegelpad. Met mijn nagels heb ik een tegel uit de grond losgetrokken en tegen het raam geslagen totdat het gat groot genoeg was om doorheen te gaan.

Nouchka volgde mij, Sonja na enige aarzeling, denk ik, als ik me probeer te herinneren wat er toen was gebeurd.

Het alarm ging af. Ik hoorde het wel, maar hoorde het ook niet. Niks drong tot me door, ook de vragen van mijn femates niet.

'Zoek je iets? Wil je medicijnen voor de poes?'

'Kijk, hier staat het vol met medicijnen.'

Ik zocht zwijgend, gooide prullenbakken leeg, keek in laden en kasten. Je ziet het wel eens in films. Mensen in paniek. Ze komen een geordende mooie ruimte binnen en laten een ravage achter. Ik was niks aan het oefenen deze keer. Ik was in een koorts, of heet dat roes? Ik was mezelf niet, of juist meer dan ooit wie ik was.

Sonja leek bezorgd om de chaos die ik creëerde, en ruimde alles zoveel mogelijk achter mij weer op. Ik weet dat nu, toen had ik het niet in de gaten. Ze liep me continu in de weg. Ik kon mijn kont niet keren of daar stond ze weer. Ik zie nog, als een spoor op mijn netvlies, hoe ze de prullenbak weer goed zet en deze vult met wat ik eruit heb geschud.

'Zohra, we moeten hier weg!' Dat hoorde ik haar telkens zeggen.

Nouchka propte haar zakken vol met medicijnen, die hielp zo goed en zo kwaad als het ging zonder te weten wat ik wilde vinden.

'Ja, we moeten ervandoor. Wat heb je nog meer nodig, Zohra?' vroeg ze, en vol trots toonde ze mij haar volle zakken.

Toen stond ineens die agent achter haar die haar van achteren beetpakte en haar door elkaar schudde. Op datzelfde moment dook ik in de hoek van de kamer waar ik nog niet was geweest, waar de plantenbakken stonden en ik zag glinsteren wat ik zocht.

Nouchka kreeg handboeien om. Sonja werd door een andere politieagent in de handboeien gezet. Alsof we misdadigers waren. Ik verzette mij met hand en tand, rukte me los, dook in de hoek, naar de plantenbak met cactussen, waar het medaillon eenzaam lag, nog net zo aan het kettinkje, gehaakt aan de cactus. Ik voelde het steken van de cactus niet. Ik kronkelde over de grond, bang dat ze het medaillon van me af zouden pakken, slikte het in, net zoals ik ooit met kwartjes had gedaan die ook gewoon weer naar buiten kwamen. Wat de maag niet wil verteert hij niet.

Ze stopten ons in iets wat ze een cel noemden, maar het leek meer op een sombere kamer. Alleen aan de tralies voor een klein raampje kon je zien dat het een gevangenis was. Nouchka zat in een hoekje te grienen. Stom van haar, want dan geef je je gewonnen, dan denken ze dat ze machtig zijn en met je kunnen doen en laten wat ze willen. Sonja beet op haar nagels, wat ik haar nog nooit eerder had zien doen. Ze zat helemaal in elkaar gedoken, als een schildpad zonder schild.

Ik was niet van plan om die agenten te laten denken dat dit bezoekje aan hun politiecel mij iets deed. Alles is relatief. De gedachte dat je in een gevangenis zit mag dan onaangenaam zijn, maar als je de situatie objectief bekeek was hij in ons voordeel. We hoefden nu niet te helpen met de enorme afwas die er zou zijn van de koffie en de broodjes en wat ze nog meer serveren als er iemand is doodgegaan. En de cel was interessant. We hadden hem helemaal voor ons alleen, en het was een fraaie kale kamer, met grappige buizen bovenin. Niemand zou ons storen, en we konden er doen wat we wilden. Je kon het ook als een studio zien, je privé-studio. Als je zo'n ruimte ergens moet huren betaalde je vast net zoveel als voor een hotelkamer.

In de hoek liep een verwarmingsbuis, waaraan ik me naar boven op kon trekken. Langs de bovenrand van de cel, want hij sloot niet tot aan het plafond, kon ik bij de tralies van het raampje komen, en eraan hangen als oprekoefening. Een lekker gevoel als je gespannen bent, gewoon een beetje stretchen.

De deur van de cel ging open.

'Wie van jullie is Zohra?' vroeg de agent.

Sonja en Nouchka reageerden niet.

'Als Zohra van Dam zich niet onmiddellijk meldt dan is haar kans om haar moeder via de telefoon te spreken bij deze verkeken,' zei de agent.

Ik liet me vallen, en verzwikte mijn enkel. Mijn hand gloeide van de cactus. Misschien zaten er nog stekels in. Ik strompelde naar de deur, en volgde de agent.

'Vertel me niet dat jullie de rol van inbrekers aan het oefenen waren, Zohra?' zei Joyce. Ze wilde niet lullig doen, dat kon ik horen, probeerde zelfs tevergeefs om grappig te zijn. Ik was ervan overtuigd dat ze bij de hoofdcommissaris een pleidooi voor mij gehouden had. Zo was Joyce. Ze geloofde in het goede. En ze had gelijk: ik had geen keus vandaag. Mocht ik verder alles tot nog toe fout gedaan hebben, vandaag was alles gelopen zoals het heeft moeten zijn.

'Ben je daar nog?... Op je vaders begrafenis in een politiecel... Ik heb gepraat als Brugman, maar jullie moeten toch deze nacht zitten.'

Wat moet ik terugzeggen? Nog geen twee meter bij me vandaan zit de agent die me uit de cel heeft gehaald. Verderop zit er eentje achter een computer, en die zou ook elk woord uit mijn mond kunnen horen.

'Was het uit wraak, Zohra, omdat die dierenarts Kleintje een spuitje wilde geven?'

Ik zuchtte. Als ze foute conclusies ging trekken raakten we alleen maar verder van huis. Ik zocht, zocht hoe ik haar kon zeggen waarom ik geen keus had. Ja, ik zat er niet mee om het huis van die dierenarts te verbouwen, want natuurlijk haatte ik die arts, maar dat was het niet, dat moest ze weten.

'Zohra, je moet wel tegen me praten, ik kan op deze manier niets voor je doen.'

Snapte ze het dan niet? Ze had toch zelf ook kunnen zien dat Kleintje zonder medaillon was thuisgekomen? Was ze dan echt zo dom dat alles haar ontging?

'Zohra,' zei ze zacht, en eigenlijk liefdevol en bezorgd. Maar daar had ik nu geen boodschap aan.

'Mam, weet je nog van die kwartjes, die kwartjes, toen ik bang was, weet je wel. Wat had je me toen laten drinken?'

'Kwartjes? Wat bedoel je?'

'Toen ik uit het ziekenhuis kwam.' Waarom duurde het altijd zo lang voordat ze me begreep?

'O, toen je nog klein was? Na dat ongeluk van je in Zonnehof?'

Joyce onthield alles altijd op een aangename manier. Het was een ongeluk dat mij was overkomen, en later zou ik bij de dierenarts het kettinkje hebben opgehaald en beleefd in ontvangst hebben genomen. Joyce herinnerde zich uit mijn jeugd alleen maar dat ik vroeg zelfstandig was, en dat ik wist wat ik wilde, en dat ze aan mij geen kind had gehad.

'Wat heb je me toen laten drinken?'

'Dat was wonderolie. Hoezo?'

'Heb je dat in huis, want ik heb het morgen nodig.'

'Wonderolie?'

De agent gebaarde dat hij er genoeg van had. Een andere kwam bij me op zijn hurken zitten, met een verbanddoos. Ik duwde hem weg. Hij liet zich gemakkelijk aan de kant zetten. Geen gedonder aan mijn lichaam. Ik wilde terug naar de cel, strompelde ernaartoe op eigen houtje, weigerde de ondersteuning die de andere agent bood. Ga uit mijn buurt, man. De deur van het slot.

226

Nouchka en Sonja zaten nog op precies dezelfde plek als zo-even.

'Kun je nog wel filmster worden met een strafblad?' vroeg Nouchka toen de deur achter mij op slot was gedraaid.

'Nu weet je tenminste hoe je een gevangene moet spelen,' zei ik. De spot in mijn stem was niet zo bedoeld. Natuurlijk zaten zij hier door mij, en zou ik vriendelijker kunnen zijn, maar ik wist niet hoe ik anders moet zijn dan ik op dit moment was. Het was alsof ik met moeite mijn hoofd boven een moeras van te veel gedachten kon houden, alsof ik met geweld aan mijn voeten de drek van de somberheid in getrokken werd.

'O ja, helemaal vergeten!' Sonja haalde drie dezelfde brieven uit haar zak. 'Die kreeg ik van de postbode,' zei ze, quasi-vrolijk. Of was het een poging tot sarcasme? Ze gooide ons elk een enveloppe toe, en stak de derde terug in haar zak. Ik ving hem niet op, raakte hem niet aan, zag aan de letters waar hij vandaan kwam en de inhoud wist ik wel. Nouchka scheurde de hare echter haastig open.

Ze las voor: 'Wij delen u mede dat u op advies van de commissie reeds in de eerste ronde van de selectie voor de toneelschool bent afgewezen vanwege ontoelaatbaar wangedrag.' Op Nouchka's gezicht lag een diepe teleurstelling, alsof ze iets anders had verwacht. Ze begon erbarmelijk te snikken, kroop in elkaar, in foetushouding, en leek niet meer te kunnen stoppen. Besefte ze echt nu pas dat de toneelschool voor ons geen haalbare kaart meer was? Haar gebrek aan inzicht ergerde me. Ik kon niet tegen domheid. Het was walgelijk als mensen niet in staat waren door de dingen heen te kijken. Dat mijn beste vriendinnen naïef zouden zijn vond ik een onverdraaglijke gedachte.

Sonja kroop naar haar toe, en legde troostend een arm om haar heen. Die probeerde nu opeens favorite femate te worden. Ze groeiden steeds meer naar elkaar toe. Dezelfde interesses. Achter mijn rug om een verkering aanhouden en denken dat ik blind was.

Favorite femate, favorite femate. Het deuntje dat spontaan bij me opkwam begon ik te neuriën omdat het perfect onder deze twee woorden paste. Het gaf me rust in mijn hoofd, het was als een leuning bij een veel te steile, smalle trap, en zo voelde ik dat zuur in mijn maag niet zo. Het moeras zakte.

Nouchka begon opnieuw. Nu hartverscheurend, zonder schaamte, melodramatisch. Niet goed voor het moreel, want die agenten gingen denken dat we ons aan het bekeren waren en ons morgen in zouden schrijven in het klooster voor een vroom, boetevol en sober leven.

Haar gesnik. Die benen opgetrokken. Dat hoofd dat schudde. Ze draaide zich ook van Sonja af, en die stond beteuterd te kijken met die arm in zo'n rare bocht over Nouchka heen. Het zag er ongemakkelijk en gekunsteld uit. Favorite femate af.

Alsof er een koud zwart rubbergordijn over me heen viel. Zo voelde ik me opeens. Ik moest rillen. Ik had mijn arm ook om Nouchka moeten leggen, van de andere kant, maar er zat geen beweging in mij. Allereerst zat ik met die verstuikte enkel, maar bovendien leek ik van lood. Mijn ledematen wilden niet bewegen. Mijn geest ook niet. Ik zocht houvast bij mijn zelfverzonnen melodie.

Favorite femate. Het zou een tophit kunnen worden. Met zo'n nummer scoren op de hitparade, en interviewers vragen hoe we aan die fantastische titel komen.

'Verzonnen toen ik in de gevangenis zat. Een moment van inspiratie.'

'Heeft u gezeten?'

'Een enkel nachtje in een politiecel, heel avontuurlijk, goed voor je algemene ontwikkeling, ik kan het iedereen aanraden die het ver wil schoppen als acteur, je komt jezelf tegen, en als je wilt spelen moet je je eigen grenzen toch wel hebben ontdekt.'

'Was u opgepakt vanwege het gebruik van drugs?'

'Vanwege het najagen van mystieke krachten.'

'Kunt u daar iets meer over vertellen, of misschien iets laten zien?'

'Dan zou ik nu moeten kotsen.'

Jammer dat ik geen pen en papier had. Er was veel op te schrijven. Tekeningen, woorden, mijn hoofd liep vol. Ik kon ze wegsturen, die gedachten, mijn ogen dicht, en proberen niet meer te bestaan. De woorden waren te vluchtig in mijn hoofd om ze hardop uit te spreken. Een pen had geholpen, dan kun je krassen en zoeken. Ik zag de dwerg. De mongool. De in stukjes gescheurde bloemblaadjes op de cementvloer van het schuurtje. De mond van de vrouw in het wit die op de foto van de geblinddoekte Maria kauwt. Kleintje in het donker onder de stellage in die schuur waar ik hem had gestolen. Kleintje ziek. Kanker voor katten. Wie had dat bedacht dat katten kanker kregen. Katten hadden meerdere levens, kwamen altijd op hun pootjes terecht.

Sonja kuchte. Een arrogant kuchje. Ze zag mij met mijn ogen dicht en dacht dat ik sliep. Kon dat niet hebben, want ik moest lijden net als Nouchka. Als ik een potje was gaan janken zouden ze tevreden zijn geweest.

Ze keek mij woedend aan. Ik dwong mezelf iets te zeggen, zocht naar woorden die ons drietjes konden opbeuren, naar een plan, een spel, iets van troost. Omdat er geen woorden kwamen kroop ik overeind, zocht steun bij de muur, en leunde ogenschijnlijk nonchalant tegen de wand. Ik lette op mijn ademhaling. Ik wilde rustig blijven. Het trillen in mijn maag en darmen stilleggen, het rumoer in mijn hoofd sussen.

Uiteindelijk vond ik een opmerking die redelijk kon klinken, maar die ikzelf nog niet geloofde. Optimistisch, uitdagend, stoer en krachtig zei ik: 'We hebben die toneelschool niet nodig.'

Nouchka draaide zich resoluut van mij en Sonja weg. Sonja keek mij met nog meer verwijt dan tevoren aan, en zei sarcastisch, zoals ik haar nog nooit heb zien doen: 'We wachten gewoon totdat er een filmproducent naar de camping komt die Zohra van Dam dan met de prehistorische truc van zonnebrandolie gaat verleiden!'

Nouchka kwam overeind. Haar betraande gezicht recht tegenover mij was vernietigender dan de tekst uit haar verwijtende mond: 'Je had beloofd dat we hier weg zouden gaan en samen beroemd worden. Alles is naar de klote!'

Zoals ze zich met zijn tweetjes tegen mij afzetten en mij de schuld gaven dat we dit verschrikkelijke gat nooit zouden verlaten, was niet eerlijk. Ik had die school verprutst, dat was waar, maar ik kon niet ruiken dat die toerist een commissielid was. Toeval komt meestal ongelegen. Als toeval op een prettig moment komt, en goed uitpakt is het meestal geen toeval maar opzet.

Waarschijnlijk was hij niet eens een echt commissielid, en was hij er die ochtend op het laatste nippertje bij gehaald omdat de vrouwelijke commissieleden het lieten afweten. Wie weet waren die twee lesbiennes die we op de camping hadden lastiggevallen in het kader van onze acteeroefeningen voor een toekomstige carrière als wereldberoemde filmsterren wel de eigenlijke commissieleden. Het waren de risico's van het spel. Je deed iets, en het had consequenties.

Goed, die toneelschool had ik verpest, maar zij waren erbij, oud en wijs genoeg om mij te zeggen: Zohra, dit gaat te ver. Maar nee, ze vonden het allemaal net zo grappig als ik. Misschien was mijn oplossing ter plekke, tegenover die commissieleden niet de juiste, maar we waren al kansloos. Dan kun je je waardigheid beter bewaren door zelf het laatste doelpunt te zetten.

Eigenlijk vond ik het lafhartig van Nouchka nog naar die opleiding te willen. Het getuigde van gebrek aan zelfrespect. Als je jezelf niet respecteerde, wie kon het dan voor jou nog opbrengen?

Als ik nu net als zij bij de pakken neer ging zitten, dan werd het inderdaad niets, en eindigden we handen wassend in Zonnehof. Ze rekenden op mij, mijn femates, en ik had ze laten zitten, dat was ik bereid toe te geven, en dat was een rotgedachte die ik voelde knagen in mijn maag. (Of zou dat het medaillon zijn dat een weg naar beneden zoekt?) Maar ik hoefde niet door ze te worden veroordeeld. Zoals ze daar zaten, die twee, en op mij wachtten alsof ik het verlossende woord moest brengen, legden ze alle verantwoordelijkheid voor onze toekomst bij mij. Maar als mijn handelen in plaats van verlossing het tegengestelde opleverde kreeg ik de wind van voren.

De toneelschool was waarschijnlijk de beste en meest voor de hand liggende kans om onze carrière als actrice op te bouwen, en ik wist zo gauw geen betere, maar het was toch niet alleen maar mijn schuld geweest? Ze probeerden mij nu voor alles zondebok te maken. Sonja's bitterheid voelde als verraad.

'We moeten ons niet zo door iedereen op onze kop laten zitten,' zei ik, weer met een optimistische klank in mijn stem.

'Haha.' Sonja liet een schamper lachje horen. Kort. Het stak. Ik liet me niet kennen. Ze deed maar, dat kreng. Flink hoor, twee tegen een.

'Weet je wat moeilijk is,' zei ik zo onverschillig mogelijk, 'subtiel sarcastisch lachen, da's moeilijk, als je tenminste geloofwaardig over wilt komen als acteur.' Ik imiteerde Sonja's bijtende lachje, het korte 'haha', met de sporen ervan in haar half opgetrokken mondhoeken, een kramp die van haar gezicht wegstierf toen ik haar zo meedogenloos nabootste. En meteen deed ik de commissaris van politie ook even na, met zijn goedkope burgermansspot: 'Nou dames, denk maar niet dat jullie hier zo gemakkelijk van afkomen!'

Sonja slikte, en zei zonder enige spot, ernstig, hoofdschuddend: 'Moet je niet rouwen om je vader?'

Het was een trap onder de gordel. Ik liet me op de grond zakken, leunde tegen de muur, probeerde onverschillig te kijken, zocht naar een gezicht, een plooi waarin ik me kon verbergen, vocht tegen de grimas die van binnenuit aan mijn gezicht werd opgedrongen, als een masker dat van binnenuit werd gedirigeerd. Ik voelde de spanning in mijn kaken. Ik keek naar Nouchka, om hulp, denk ik, ik zocht hulp, maar ze zag mijn noodkreet niet.

Nouchka prutste aan haar jasje, trok de draad stuk, en ging er moedwillig mee door totdat de zoom en de voering loslieten.

'Ze hadden het zand nog niet eens over zijn graf gegooid en jij moest al misdadigertje spelen,' zei Sonja. Die valse kant in haar kende ik nog niet. In nood leer je je vrienden kennen, zo was het toch? Er staken echt wel wijsheden achter die oubollige spreekwoorden en gezegden die je op school uit je hoofd moest leren maar die je niet in je opstel mocht gebruiken omdat je voor clichés een onvoldoende kreeg.

Ik kromp in elkaar. Of nee, ik viel. Ik werd een afgrond in getrokken. Of was ik het die ondanks de bezeerde enkel ging staan en met vuisten en voeten op de muur stond in te beuken? Was ik het die schreeuwde, die jammerde, die als een baby krijste? Ik lag roerloos, maar toch stompte en schopte en schreeuwde ik diep in mij wat niemand hoorde. Klein en nietig als een foetus lag ik onbeweeglijk op de vloer van de cel, en snakte naar adem. Er was geen zuurstof meer.

Wat ik me verder nog herinnerde was dat Sonja in mijn oor fluisterde: 'Wist je niet wat je deed of zo, vanwege je vader... omdat je bang bent dat je zelf ook...'

Ik stoof op: 'Rien is mijn echte vader niet.'

'Zohra, het is jouw stijl niet om tegen je vriendinnen te liegen.'

'Ik ben een onecht kind.'

Sonja greep terug naar haar sarcasme: 'O ja, je echte vader woont in Amerika en is je suikeroompje die Sherman helpt om ons droomhuis te bouwen.'

Ik lachte (schamper) toen ik zei: 'Je zou nog eens versteld kunnen staan!'

Ik was hersteld, had weer moed, en zag weer mogelijkheden. Sonja ging zoals vaak te lang door. 'Oké, ik loog over mijn ouders in Korea. Het is niet waar dat ik met ze correspondeer. En we weten allang dat Sherman nog niet eens een zandkasteel in de Cariben voor Nouchka heeft gebouwd. We vragen hier om crystalk! Vertel jij nu ook de waarheid, alsjeblieft.' Ze had het een en ander van die psychiater van Judith opgestoken zo te zien.

Nouchka zat in elkaar gedoken in een hoekje.

Mijn schouders trok ik naar achteren toen ik weer recht overeind, in kleermakerszit, diep ademhaalde, en zei: 'Mijn vader woont in Hollywood.'

Sonja beet me toe: 'Zelfs als hij je natuurlijke vader niet is... Hij heeft toch voor je gezorgd.' Zo'n grote woede had ik nog niet eerder in haar ogen gezien. Een nieuwe Sonja. Sarcasme, spot, valsheid, drift. Een openbaring. Ik vond het plezierig, die woede, het gaf mij de energie die ik eerder miste. 'Voor mij gezorgd?' zei ik met dezelfde spot die ik eerder in Sonja had veroordeeld.

'In elk geval de eerste vier jaren,' zei ze zacht. Haar woede was uit haar ogen weg.

Hier legde ik het tegen mijn dierbare femate af. Ik haatte haar. Zwakte was niet geoorloofd. Femates vloeren elkaar niet, ze houden elkaar overeind. Ik schreeuwde, en overtuigde mijn femates, alleen mijzelf nog onvoldoende: 'Ik was een baby! Ik kan me die vier jaren niet eens herinneren. Die vier jaren kunnen me gestolen worden.'

Ik knapte. Zo heet dat. Je knapt en waar je bang voor was valt reuze mee. Ik stompte met mijn vuisten tegen de muur totdat mijn knokkels bloedden.

OPTIES

De kat toont acht opties.
KIES EEN MISSIE.
Opties:
a. Vind je vader op het slagveld van w.o.i.
b. Zoek een kloppend hart voor je geliefde die transplantatie nodig heeft.

c. Breng een tas met 10 miljoen dollar naar de andere kant van Central Park om 2.00 a.m.

d. Zoek de ouders van je geadopteerde kind in China zonder geboorteakte.

e. Zoek en vind en ontmantel de kneedbom in de Amsterdamse metro.

f. Zorg dat je cum laude slaagt voor je examen ondanks zeven onvoldoendes.

g. Reis door je onderbewuste en verwijder jeugdtrauma's voordat je de volgende moord als seriemoordenaar pleegt.

h. Bevrijd jezelf uit je eigen valstrik zonder het daartoe geschikte gereedschap.

De animatie van het meisje uit Mali dat in een onmetelijk diep gat tuimelt heb ik bijna af. Het is een erg klein onderdeel uit een ontelbare reeks van mogelijkheden. Je kunt je afvragen of deze route ooit door een speler zal worden bewandeld, maar ik heb hem als een van de eerste gebouwd.

Op de bodem krabbelt ze overeind. Je kunt haar vergeefs langs de steile wand laten klauteren. Ze valt telkens neer. Als een mol probeert ze zich een doorgang te graven, steeds fanatieker, met op het scherm dreigende boodschappen zoals: *Het zuurstofgehalte in de kuil neemt af.*

Het meisje beukt met haar vuisten tegen de muur. Als ze een wand opzij gevochten lijkt te hebben verschijnt er weer een wand van andere materie. Water spoelt naar binnen. Ze graaft zichzelf op een andere plek uit, gehinderd door het water, met meer afbrokkelende wanden. Dan lijkt ze het op te geven... Het water overspoelt haar.

Ze ziet een takje uit de wand komen. Een strookje licht. Ze werkt zichzelf omhoog, is uitgeput en valt terug in het water. Alarmsignalen maken kenbaar dat de missie niet geslaagd is, want er is een tijdslimiet, en die is helaas verstreken. Eenmaal in de put kom je er niet meer uit. *No more lives to live.*

Ineengedoken in het uiterste hoekje van de politiecel, probeer ik mijn snikken te onderdrukken. Opgerold als een slak. Leeg. Alle rumoer is weg. Ik ben gevallen, maar niet gewond. Alleen mijn enkel is wat dik, maar dat komt wel weer goed. Fysieke pijn is geen pijn, is mijn motto immers.

Sonja legt haar arm om mij heen. Hoelang we zitten weet ik niet, en of het nog avond is, nacht of alweer ochtend is onduidelijk.

'Het is goed dat je nu eindelijk om je vader huilt. Huilen is gezond volgens mijn moeders psychiater,' zegt Sonja.

Ze weet nog altijd precies die dingen te zeggen die mijn adrenalinegehalte in enkele tellen doet stijgen boven het toelaatbare.

'Ik huil niet om mijn vader,' zeg ik koppig, 'want hij is mijn vader niet.'

'Waarom huil je dan?' vraagt Nouchka oprecht nieuwsgierig.

En zonder dat ik hoef te liegen zeg ik: 'Omdat ik mijn poes moet laten afmaken.'

Ik werd wakker van de agent die bij het openen van de celdeur het daglicht als een aura om zich heen had. Daardoor leek hij de eerste tellen op God. Als gevolg daarvan waren we aanvankelijk onder de indruk van zijn preek over goed gedrag, strafmaatregelen en nog meer onzin. Maar naarmate we wenden aan het licht leek de preek steeds meer op de eindeloze standjes van alle mensen die er hun beroep van maken anderen de les te lezen. We knikten slaperig en braaf.

'Kunt u het kort houden, want ik moet ontzettend naar de wc,' onderbrak ik hem.

'Ga hier maar even,' wees hij naar de toiletten.

'Nee, ik kan alleen thuis,' zei ik, 'maar misschien kunt u deze verstandige adviezen op een bandje inspreken en dan luister ik het elke avond af voor het slapengaan?'

Sonja en Nouchka gniffelden achter hun hand. Femates.

Joyce viel me niet lastig met vragen. Ze gaf me de olie waar ik om vroeg, en in een mum van tijd had ik het medaillon en de ketting in een oude plastic pispot opgevangen. De deur van de badkamer op slot. Dimitri kwam twee keer kloppen, omdat hij er opeens zo nodig in moest, zoals altijd rook hij dat er iets was wat hij niet mocht weten.

Met chloor of wc-eend durfde ik het medaillon niet te reinigen, en ik heb Joyces doucheschuim gebruikt om het schoon te boenen. Ik hield het gesloten, wist niet of het van binnen intact zou zijn, maar als Judiths portret de fotowasmachineproef bij drie temperaturen kon weerstaan, waarom zou de Heilige Maagd Maria dan bij 37 graden bezwijken?

'Ik begrijp niet waarom je dat gedaan hebt, Zohra,' zei Joyce toen we al een tijd zwijgend naast elkaar in de keuken aan de afwas bezig waren.

'Jij begrijpt nooit iets...' katte ik, maar toen ik het droevig gezicht van Joyce gewaarwerd veranderde ik van toon. 'Het is mijn geheim... met mijn vader.'

Zo had ik haar nog nooit gezien. Ze smeet het ene na het andere bord op de vloer aan diggelen. 'Dat had ik niet gedacht van jou, dat je Rien erbij zou halen om jezelf vrij te pleiten.' Ze schreeuwde. Een moeder die ik niet kende.

Ik liet haar uitrazen, maar zag dat ze aan het tiende bord wilde beginnen, en toonde haar toen het medaillon dat ik met het kettinkje in mijn broekzak bewaarde, peuterde het open, poetste het schoon met de theedoek, mijn oma's foto, het verkreukelde prentje en alle andere stukjes troep die in het medaillon gepropt waren, en legde alles voorzichtig op een droge plek op het aanrecht neer.

Ik mompelde: 'Dat lag nog bij die dierenarts.'

Joyce kalmeerde meteen, zuchtte, en omarmde mij. Even

waren we verstild in een innige omhelzing waarbij het niet meer duidelijk was wie door wie werd getroost.

Ik repareerde het sluitinkje van het kettinkje met mijn tanden, en deed het kettinkje met medaillon om mijn nek. Ik keek naar buiten.

Nouchka en Sonja leken ergens heen te gaan. Ik opende het raam, en riep hun namen. Reageerden ze met tegenzin?

Ik had dagen op mijn kamer doorgebracht, wilde niemand zien, speelde met mijn stenen. Maakte polaroids alsof het hunebedden waren.

Toen ze kwamen zetten ze een plaatje op want ik had niks te zeggen. Kon er niks aan doen.

'Draag jij die poezenketting nu?' Nouchka keek kritisch.

'Is van mijn vader. Had ik van mijn vader gekregen.' Ik stapelde mijn stenen, stapelde ze op allerlei manieren, en maakte foto's. De ene na de andere. 'Van Rien?' zei Sonja ongelovig. 'Van mijn échte vader,' antwoordde ik.

HET PLACEBO-EFFECT

Namaakmedicijnen die dankzij suggestie ervoor kunnen zorgen dat je niet ziek wordt. Dertig procent of zo, mensen met welke ziekte ook, geneest dankzij een placebo. Gewoon op wilskracht. Zoiets had ik eens van Rob gehoord. Die had altijd het hoogste woord als we samen aten, alle gezinnen bij elkaar, maar soms stak je er iets van op. De vader in Hollywood was een soort placebopappie.

Ik sorteerde en poetste mijn kiezelstenen. De femates lagen verveeld op mijn bed. Nouchka tikte nerveus met haar voet tegen de kast. Ze maakte een seintje naar Sonja of ze wilde zeggen: zullen we gaan?

Ik zette de muziek harder. Weet niet waarom, want de nonverbale communicatie tussen hen beiden kon ik er niet mee stoppen.

'Waarom schrijf je je vader geen brief of hij ons kan helpen om in Hollywood filmster te worden?' zei Nouchka. Hoorde ik uitdaging in haar stem, om me te testen of ik alles uit mijn duim gezogen had?

'Ik weet niet waar hij woont,' zei ik, en maakte een polaroid van Sonja met haar benen recht omhoog, voeten tegen de muur, het begin van een nieuwe periode.

DE HERINNERING AAN EEN WOND

Vandaag liep er een uur lang een hert in de tuin van Zonnehof rond. Op haar gemak, van half twaalf tot half een 's middags, toen iedereen aan het lunchen was, maar ik, zoals gewoonlijk, op mijn computer zat te werken, met mijn gezicht gericht naar buiten, de schaduwkant van het gebouw.

Het grote, jonge vrouwelijke hert kwam dicht bij mijn raam van de struiken happen, en ik heb haar af en toe minutenlang in de ogen gekeken, van die grote bruine die ze – ik snap nu pas echt waarom – reebruine ogen noemen. Een uur lang heb ik telepathisch met het hertje gespeeld en mijn kostbare tijd zitten verkwanselen. Er is nog zoveel te doen voordat ik met mijn website on-line kan gaan.

Ook ben ik naar buiten gegaan om oog in oog met het beest te staan, zonder glas ertussen. Beiden onbeweeglijk. Ze werd bang toen ik haar net met een stap te veel naderde, begrijpelijk, want ik was al vrij dichtbij, en een ieder heeft recht op een cirkel alleen voor haarzelf. Ze rende weg, ik volgde haar, kon het niet laten, een angstig hert volgen in haar vlucht is ongepast, maar ik moest het doen, het was alsof het me zou helpen als ik meer over haar te weten kwam. Het hert had een lelijk litteken boven op haar rug, tamelijk vers maar wel dichtgegroeid, met wild vlees of een korst die voor een deel te vroeg was losgegaan, leek het, vanuit de verte. De herinnering aan een diepe snee.

Ik zocht in Joyces handtas naar haar sleutels, en verliet stiekem het huis.

Nog nooit eerder was ik in mijn eentje in het reisbureau geweest, laat staan na middernacht, zonder toestemming, als een inbreker.

Alles was voorradig, gemakkelijk te vinden, want ik mocht er ook mijn scripties voor school typen, en de fotovervalsingen van onze projecten Bando Verde en Pierre van Dongen had ik eveneens op Joyces kantoor bewerkt. Een beetje type-ex, een elektrische schrijfmachine en een kopieermachine doen wonderen.

SISTERS IN CRIME@XOHRA.NL

Nouchka's gezicht klaarde op. 'Drieduizend gulden inschrijfgeld cash... Wat briljant van je! Net echt!'

'En hoe moet het met rapporten en zo?' vroeg Sonja.

'Ze doen niet aan rapporten op een toneelschool,' zei ik ad rem.

Met onze vrolijkste gezichten, en zwaaiend met de brieven in de hand, overvielen we de ouders die in onze achtertuin koffiedronken. We juichten in koor: 'We worden beroemd!'

Judith, die al verhuisd was maar vaak op visite kwam, Els met haar zoveelste nieuwe vriend, en Rob die Joyce omarmde. Allen applaudisseerden ze blij, en lazen de brief hardop. Even bloosde ik, van trots dat de brief zo perfect geworden was, en ik draaide me snel om naar een van de katten.

(Kleintje kreeg de dag nadat ik uit de politiecel kwam een spuitje. Ik hield haar vast terwijl de dokter haar vermoordde. Daarna wachtte ik op bed op haar volgende levens. Ik luisterde of ze kwam, lokte haar met mijn stenen. Niemand gooide de stapeltjes van platte kiezels om.)

We schilderden de ruimte van ons appartement in Amsterdam met de muziek hard aan. Het plafond was hemelsblauw. Een gigantische palmboom reikte tot aan het plafond. Duinen van goudgeel zand, een turkooizen zee, wit schuim op de golven. Het was mijn ontwerp. Sonja en Nouchka vulden de kleuren in.

Grote ramen toonden uitzicht op een drukke straat en andere gebouwen. Het uitzicht vloekte met ons tropisch eiland. Daar moest ik iets aan doen. (Als de telefoon ging lieten we hem rinkelen.)

Ons geld was bijna op, maar toch kocht ik grote kostbare spiegels die in het kozijn pasten. De stad moest buiten blijven. Sonja stond op een ladder voor het laatste stukje palmboom toen de telefoon voor de zoveelste keer ging, en Nouchka en ik de spiegel met een laatste schroef voor het grote raam hadden vastgezet. We moesten lachen om de telefoon die het rinkelen niet opgaf. Sonja zei: 'En als het nou een filmproducent is die ons wil contracteren?' We schaterden.

(Als ik terugdenk aan die tijd herinner ik me vooral ons lachen, hoe we altijd maar lachten, en weet ik dat ik nooit meer zo uitbundig, zo helemaal vanuit het diepste van mijn hart, nog lachen zal.)

Van mijn kamertje had ik een kapelletje met zowel heiligenbeelden, kruisbeelden, als boeddha's en hindoetaferelen gemaakt. Al mijn kiezelstenen waren uitgestald. Het medaillon wilde ik een speciale plek tussen de beelden geven, maar waar ik het ook neerlegde, het zag er altijd misplaatst uit. Dus deed ik het kettinkje weer om mijn nek, met het medaillon onder mijn blouse geschoven.

In de prullenbak vond ik snippers van de foto van Nouchka's zogenaamde oma, geknipt uit een tijdschrift. Ze was haar verhuisdoos aan het leeghalen, en gaf alles een plekje. De deur van haar kamer had ze dicht. Ik kon het niet nalaten om, als ze op de wc zat, te zoeken naar het lijstje. Met de achterkant naar het glas had ze Barts foto erin.

Sonja was bezig met de wanden van onze wc. Haar kamer was nog leeg. Enkele dozen. Ze wilde bijna niks van thuis mee, zei ze, omdat ze opnieuw wilde beginnen. De wanden van de wc beplakte ze met landkaarten van de *National Geographic*, die ze van Rob had gekregen. De mijne kreeg ze niet. Je wist maar niet wat mensen deden als ze je toilet gebruikten. Hoewel ik niet dacht dat we bezoek zouden binnenlaten. Het was ons eigen privé-paradijs, en niet voor pottenkijkers.

Ik filmde met onze videocamera hoe Nouchka in onze keuken een striptease gaf. De telefoon ging voor de zoveelste keer sinds we het appartement waren in getrokken. Het gerinkel verstoorde de opzwepende dans.

'Sonja, pak jij hem,' riep ik terwijl ik Nouchka bleef filmen.

'Ach, laat toch,' zei Sonja, 'verwacht je iemand soms?'

Nouchka onderbrak haar striptease niet, maar begaf zich dansend naar de telefoon en trok de stekker eruit als onderdeel van haar dansje.

Met de stekker en de telefoon bracht ze haar act tot een seksueel dramatisch hoogtepunt. Ik kon niet meer filmen van het lachen. Sonja hing over mij heen. De slappe lach. We hadden steeds de slappe lach.

We waren volwassen kleuters, lagen de hele dag in bad, dronken zelfgemaakte cocktails die we in bad mixten, omringd door alle glazen die we hadden, en vele kleuren likeur, stalen onze voorraad in de supermarkt, de slijterij, op de markt, in warenhuizen.

We keken de krant na op advertenties waarin actrices en fotomodellen werden gevraagd, maar vonden er geen, behalve voor porno, dus goten we elkaars glas vol met vocht dat ons vrolijk hield.

De bel ging. Voor de eerste keer ging de voordeurbel. We zaten alledrie in bad, werden er even stil van, maar toen vervolgde Nouchka haar herinnering van vroeger, een avontuur uit de Cariben dat ze ons nog niet eerder had verteld omdat ze zich ervoor schaamde. Hoe ze geprobeerd had de nieuwe vriendin van Sherman te vergiftigen, door alles wat ze in haar oma's medicijnkastje kon vinden fijn te malen en in de cocktail van die dame te doen. We wilden weten hoe het afliep, maar de bel rinkelde opnieuw. Weer maakte niemand aanstalten, en de bel werd irritant en opdringerig.

Ik stapte uit bad, deed een handdoek om, liet een spoor van water achter op de vloer van de badkamer, bleef in de deuropening van de badkamer even staan met een wuivend handje, haalde de drie sloten van onze voordeur en ging de trap af naar de buitendeur, die ik met de hand moest opendoen.

Daar stond Bart. Hij droeg dezelfde broek als bij het toelatingsexamen. Nooit verteld natuurlijk, aan Nouchka, dat hij daar aanwezig was. Verbaasd hoe hij ons adres wist, en wat hij kwam doen, keek ik hem zwijgend aan.

'Kan ik Nouchka spreken?'

'Nouchka is aan het repeteren voor een grote show. Ik kan haar niet storen voor een troosteloze dorpeling,' zei ik, zo hautain mogelijk.

'Wil je vragen of ze me opbelt?' vroeg Bart kleintjes.

Hij overhandigde mij een brief maar die weigerde ik.

'Ga terug naar het oosten, boertje,' zei ik een beetje brallerig van al de cocktails die ik op de vroege dag gedronken had.

Ik sloot de deur voor zijn neus, draaide mij om, en liep terug naar boven, linea recta de badkamer in.

Hij had de brief door de brievenbus laten glijden, die in de dagen erna onder vele reclamefolders, andere gratis drukwerken, en nutteloze commerciële kranten bedolven raakte. Ik stapte terug in bad, en hoorde de anticlimax van het verhaal uit de Cariben. Shermans vriendin had haar glas keurig leeggedronken, maar kort daarop vertrok ze met Sherman, en de volgende dag zei haar oma dat die dame het met Sherman had uitgemaakt. Dus op de een of andere manier had het gif wel geholpen, alleen niet zoals het door Nouchka was bedoeld.

'Wie was dat?' vroeg Sonja.

'Een boertje uit het oosten,' zei ik.

Nouchka en Sonja proestten in lachen uit, en ik grinnikte mee. Nouchka reikte me een vol glas wodka aan. 'Je loopt achter,' zei ze, 'deze is voor jou en dan lopen we weer gelijk. En waar is de stakker nu?'

Ik nam eerst een grote slok wodka. 'Ik heb hem teruggestuurd naar de koeien.'

Eindelijk vond ik een advertentie in de krant waarin meisjes werden gevraagd voor reclamedoeleinden. We gingen eropaf, maar waren te oud volgens die man, want het ging om reclame van een of ander minimaandverband. Hij adviseerde ons een modellenbureau dat we meteen bezochten, en daar zeiden ze dat we zonder foto's niets begonnen. Als zij de foto's zouden maken werd het prijzig.

'Belachelijk dat je moet betalen om model te worden,' mopperde ik, want we waren door het geld van onze ouders heen. 'Zo komen we nooit aan de bak,' klaagde Nouchka.

Elke dag gingen we op pad. We hadden kleine, obscure, maar ook grote modellenbureaus benaderd. In de bar van telkens weer een ander duur hotel, dat we om een uur of drie 's middags binnengingen op zoek naar een sugardaddy, lieten we ons flink trakteren op drankjes. De zakenman die ons de meeste aandacht schonk vroegen we plompverloren, zodra hij redelijk aangeschoten leek, om cash geld zodat we een fotosessie voor onze inschrijving bij een modellenbureau konden betalen.

Een Duitse zakenman zei dat hij zelf ook aardig fotograferen kon, en hij deed het voor niets, beloofde hij. Het was zijn hobby. We gingen mee naar zijn kamer, die tegenviel voor zo'n chique hotel. Hij was klein, en de badkamer was proppig.

Hij had een lullig klein toestel, geen lampen, en een flits waar je rode ogen van kreeg. Ik liet hem even begaan, maar schoot ongeduldig uit mijn slof toen hij vreselijk stond te klungelen, en nooit eens een close-up maakte, maar telkens van een afstand ons drietjes tegelijk op bed fotografeerde.

'Zo kunnen we nog heel lang doorgaan, maar aan deze foto's hebben we uiteindelijk niets. Het moet wel een beetje een professionele indruk maken. Als je het zo nodig zelf wilt doen kun je beter een behoorlijk toestel aanschaffen, daar heb je altijd wel wat aan. Wat we nu doen is zonde van de tijd.'

Tot mijn verbazing stemde hij toe om bij een fotograaf in de buurt langs te gaan. Net voor sluitingstijd gingen we een fotozaak binnen, en ver na sluitingstijd waren we er nog. Ik koos de beste camera, en haalde hem over ook twee fotolampen en een paraplu aan te schaffen. 'Wat een ei van een man,' fluisterde Nouchka mij niet zonder enige triomf in mijn oor toen hij zonder aarzelen met zijn creditcard betaalde.

Het Duitse ei was erg in zijn sas met zijn nieuwe spullen. Die avond maakte hij de foto's op mijn commando, met betere lenzen, precies zoals ik het wilde. Voor afdrukken hadden we geen geld. Ook daar hadden we de sugardaddy voor nodig. Dus zei ik: 'Met een beetje cash komt alles voor elkaar.' Hij had geen cash, zei hij, alleen maar creditcards. En zijn vliegtuig ging de volgende ochtend vroeg terug naar München.

We overlegden. Hij beloofde de foto's naar ons op te sturen, maar dat vertrouwde ik niet.

Terwijl Sonja en ik een plan bedachten hoe we het filmpje gratis zouden kunnen laten ontwikkelen, deed de Duitser zijn best om Nouchka te versieren. Zijn hand lag op haar schouder, zijn vingers in haar nek, en hij fluisterde iets in haar oor, vermoedelijk een compliment want ze lachte nogal opgetogen.

Fel, in mijn beste Engels, viel ik tegen hem uit dat hij zijn handen thuis moest houden, en dat de regels van de sugardaddy's elk lichamelijk contact verboden.

Het vergrijp moest worden afgestraft, en daarom namen we zijn zojuist gekochte equipment, plus de filmrolletjes mee, en hij hoefde niet meer op enig contact met ons te rekenen.

De man liet ons begaan. Dit was het begin van een reeks

sugardaddy's die we in de diverse bars van de hotels om onze vinger wonden. Soms namen we een sugardaddy op sleeptouw. Een tochtje met de rondvaartboot en naar de musea. Hij betaalde alles, wij hadden een leuke dag, en als hij zich niet aan de regels hield straften wij hem af.

Het verliep wel eens niet helemaal soepel. We waren eens te gretig, en dachten twee tegelijk aan de haak te slaan, maar toen de ene handtastelijk werd, werd ook de ander iets te vrijmoedig, dus spraken we af dat het voortaan alleen nog maar één tegen drie mocht zijn.

Het afdrukken van de foto's werd door een van de vele sugardaddy's die wij bezighielden betaald. De foto's werden bij 't modellenbureau ingeleverd, en we maakten er nadien nog meer. Ook leverden we videobanden in van onze acteerprestaties. Het was alleen nog afwachten of we zouden worden opgebeld.

Altijd als de telefoon ging, of de deurbel klonk, hoopten we dat het deze keer de uitnodiging was voor een screentest of een opdracht van het modellenbureau. De enigen die bij ons aan de deur kwamen, echter, waren de moeders. Judith kwam nooit, die was bang voor de stad, en sinds ze zonder Rob in M. woonde hoorde Sonja nauwelijks iets van haar. Maar Joyce en Els kwamen af en toe met boodschappen. Tassen vol, alsof ze dachten dat we honger leden.

De deur ging steeds lastiger open door de toename van gratis bezorgd drukwerk op de vloer van de gang.

'Jullie moeten die reclametroep eens weggooien,' was het eerste dat Els zei, en beiden begonnen ze de stapels kranten en reclamefolders in de hoek te leggen. Ze vulden de ijskast en keukenkastjes met hun meegebrachte boodschappen en Nouchka verborg haastig de flessen drank onder haar bed.

'Wat komen jullie hier doen?' vroeg ik.

Ze hadden taart, kwark, suiker, koffie, thee, allemaal van die dingen die we niet gebruikten.

'We hebben gisteren de hele dag geprobeerd om jullie te bereiken,' zei Joyce.

'Gisteren was het sugardaddy's day,' reageerde Sonja.

Nouchka keek me verschrikt aan. Ik gaf Sonja een vernietigende blik. Dat kind was zo gek op Joyce dat het haar niet lukte om tegen haar toneel te spelen.

'Wat is dat, sugardaddy's day?' vroeg Joyce,

'O, dat is een nieuwe film waar we auditie voor moesten doen, die gaat zo heten.'

'Ik heb altijd geweten dat jullie naar de toneelschool zouden gaan,' glunderde Els. Ze was echt trots, en ze leek ervan te genieten bij ons in de grote stad op bezoek te zijn.

'Hebben jullie een zwaar rooster?' vroeg Joyce aan Sonja, die zowat bij Joyce op schoot gekropen was. Net een kat, dat kind. Ze kon mijn moeder niet zien, of ze kroop tegen d'r aan.

De thee schonken we in longdrinkglazen, want bekers of theeglazen hadden we niet. Els deelde de taart uit die ze hadden meegenomen. Sonja en Nouchka lieten het mij weer opknappen. Ze keken me hoopvol aan.

'We hebben ongelooflijk veel huiswerk,' zuchtte ik, 'zwaar dus.'

'Huiswerk?' vroeg Els verbaasd.

Het werd tijd dat ze weer vertrokken. Het was te moeilijk. Ik wilde ze opzettelijk kwetsen, zodat ze weer gauw terug naar hun dorp zouden gaan. 'Ik dacht, ik houd maar de terminologie aan die jullie in de provincie kunnen begrijpen. Ik bedoel natuurlijk audities, screentests en zo.' Arrogant. In de hoop dat ik ze hiermee voldoende vernederde om ze op te laten krassen voordat Sonja ons verried door een overdosis aan sentimentaliteit.

Sonja liep snel de kamer uit, en sloot zich op in de wc, om weer allerlei plekken op de wereld te omcirkelen. Dat deed ze altijd als ze het moeilijk had.

Ik ging naar mijn kamer, deed alsof ik iets belangrijks te

doen had, en Nouchka volgde me. Ze fluisterde: 'In het dorp dacht ik altijd dat mijn moeder een wereldse vrouw was, maar als ik haar hier met die tas met melk, kwark, zelfrijzend bakmeel en lange vingers binnen zie lopen denk ik, lieve help, wat een triestheid. Stuur jij ze gauw naar huis?'

Ze waren hun glas nog aan het leegdrinken toen ik zei: 'Wij moeten onze auditie van vanavond voorbereiden.'

Ze hadden het begrepen, dronken de thee in één teug op, maar Joyce zei nog: 'Eigenlijk moet ik je iets belangrijks vertellen.'

'Gaat nu niet,' zei ik streng, 'de volgende keer dan maar.' Ik nam de lege cocktailglazen van ze over voordat ik de gangdeur voor ze opende, en de twee moeders met hun lege boodschappentassen uitgeleide deed.

We waren op strooptocht. Ik had twee blikjes tonijn, en twee pakjes noten in mijn zakken, en een pakje boter in mijn decolleté, Nouchka had de binnenzakken van haar veel te ruime jas vol wijnflessen, en Sonja had haar platte buik wat aangevuld met pakken gerookte zalm. Ze leidde de caissière af door telkens een ander pakje sigaretten aan te wijzen, zodat Nouchka de zaak als eerste kon verlaten, en ik rekende schijnheilig een pakje tampons af. Ik was net voorbij de kassa toen ik een hand in mijn nek voelde, en van schrik de tampons, gelukkig alleen de tampons, liet vallen.

Ik versteende. Sonja was al buiten. Toen ik omkeek bleek het Pim te zijn.

'Wat is er met jullie gebeurd?'

'Hoezo?' vroeg ik, opgelucht, maar ook boos dat hij me zo had laten schrikken, en liep haastig door naar buiten.

'Jullie zouden toch ook naar de toneelschool gaan?'

'Zit jij er dan op?'

'Nee, ik doe rechten. Maar Bart wel.'

Ik stak mijn kin in de lucht: 'We wilden niet naar zo'n suf schooltje. We zijn uitgenodigd voor een screentest in Holly-

wood. Da's het echte werk. Maar zeg niks in het dorp, alsjeblieft, 't is nog geheim.'

'Wauw. Te gek. Hollywood. My lips are sealed.'

Ik rende weg, haalde Sonja in die naar Pim omkeek, en even
aarzelde, maar toen doorrende. We hadden hem niks te vertellen.

Een paar dagen later, toen ik terugkwam van een sollicitatie
bij een fotograaf, waarover ik de anderen niets vertelde, trof
ik Nouchka aan op de trap, snikkend, in een half opgeruimde
gang. De bezem lag er nog. Ze dronk demonstratief een groot
glas whisky leeg, en zat er te midden van stapels reclamefolders, en door vieze schoenen besmeurde kranten. Ze verslikte
zich. Ik sloeg op haar rug opdat ze niet stikte. Ze schonk het
glas opnieuw vol, en dronk ook dat leeg, hoestend en proes-
tend. Naast haar lag de met modder besmeurde brief van Bart,
opengescheurd.

Ze toonde de brief.

'Ja, die zit op de toneelschool. Huil je daarom?' vroeg ik
moederlijk. 'Maar ik zorg ervoor dat jij actrice wordt vóór dat
boertje van de toneelschool is afgetrapt!'

Nouchka begon opnieuw te snikken. Ze liet zich voorover-
vallen, maar ik hield haar net op tijd tegen.

'Wij... wij... worden het nooit...'

Naast haar op die smalle trap besloot ik dat ik mijn belofte
waar zou maken. Het was een peulenschil. Als zo'n sukkel toneel mocht spelen in ons landje, dan konden wij met ons talent
terecht in Hollywood. Zelfs Pim liet dat doorschemeren. Ik zag
ons in gedachten op de catwalk, en bij het in ontvangst nemen
van de Oscar. Het zou niet lang meer duren.

We hadden drie verschillende jurken in drie verschillende win-
kels buit gemaakt. De tactiek werkte voortreffelijk. Een van
ons paste de ene na de andere jurk, terwijl de andere twee de
verkopers aan de praat hielden.

Het werkte als je met tegenzin ging passen, als je deed of je alleen maar even in de rekken keek. Dan haalden ze je over om dit te passen en dat, en voordat ze er erg in hadden lag het hele pashokje vol. We gingen 's morgens, het was het beste als je de eerste klant van de dag was, want dan waren ze nog niet op hun hoede. We gingen elk met de mooiste jurk naar huis, en namen geen genoegen met een tweede keus.

De schoenen waren moeilijker te veroveren. Nouchka en Sonja hadden elk een paar achterovergedrukt, maar mij was het niet gelukt, dus ik liep nog op mijn oude.

We maakten ons op. Kin omhoog, schouders naar achteren, borst vooruit, zeiden we, en verlieten ons huis. Geld voor een taxi hadden we niet. We hadden net genoeg voor de trein. Het filmfestival was in een andere stad, en per trein gemakkelijk te bereiken. Nouchka vond het te weinig klasse hebben om in een avondjurk het station binnen te lopen, maar ik vond het belangrijkste dat we er op tijd zouden zijn.

Opeens stond Nouchka stil op de trap van het station, terwijl de andere reizigers ons van alle kanten passeerden, en zei: 'Ik word nooit actrice.'

'Er wordt nu niet gejankt,' zei ik geërgerd, 'kom op, tanden op elkaar', en ik duwde haar naar de trein die we nog maar net op tijd haalden.

In de trein keek ze sip, alsof ze niet geloofde in het plan dat ik zo perfect had uitgedacht. Sonja zag haar kans om mee te zeuren en zei: 'Eigenlijk ga ik net zo lief medicijnen studeren, en ontwikkelingshulp doen of zo, of bij Artsen zonder Grenzen.'

Ik deed of ik haar niet hoorde. We konden met het grootste gemak binnenkomen, dat moest lukken, we zagen er als filmsterren uit, maar dan moesten ze hun make-up niet verpesten door in de trein een potje te gaan grienen. Ik bedacht een spel. De rit zou niet langer dan dertig of veertig minuten zijn. 'Stel,' zei ik, 'je bent in een stad beland met slechts vijfentwintig gulden. Je hebt een...'

Het hield ze bezig, ze werden stil, raakten op hun gemak, we lachten tranen met tuiten wat de make-up niet ten goede kwam, maar de stemming was puik. Toen de trein stopte, en we uit moesten stappen, vroeg een oude dame: 'Worden jullie actrices, meisjes?' Triomfantelijk keek ik Nouchka aan. Tegen de dame zei ik: 'We zijn het al, maar we moeten alleen nog ontdekt worden.'

Bij de deur werden de kaartjes van elke bezoeker nauwkeurig bekeken. Ook van een oudere heer die eruitzag als een beroemde regisseur met zijn opgedofte dame. Ik fluisterde: 'Borst vooruit.'

Met opgeheven hoofd in ijltempo passeerden wij de jonge bewaker bij de deur, die ons slechts bewonderend aankeek, en geen van ons drietjes aanhield om kaartjes te controleren.

Volgens plan splitsten we ons op. Ieder van ons ging op zoek naar een sugardirector of sugarproducer. Om twee uur 's nachts verzamelden we ons op deze plek met onze aanwinst. Alle middelen moesten worden ingezet.

Aanvankelijk hoorde en zag ik Sonja en Nouchka nog. Ik hield ze in de gaten. Ik was kieskeuriger dan zij, wilde mijn kruit niet op de verkeerde verspillen, werd steeds kritischer, en dacht bij elke man die op het eerste gezicht iets had dat aan een grote producent of regisseur deed denken, naderhand toch weer dat hij niet meer was dan een zielig heet mannetje zonder kloten. Ik nam alle drankjes die ik aangeboden kreeg van harte aan. Het hielp me te ontspannen. Toen mijn ogen zochten naar Sonja en Nouchka ontwaarde ik Bart, en zelfs Pim. En toeval kwam inderdaad altijd ongelegen. Bart zag Nouchka staan, en hun romantische omhelzing werd door een of andere televisiecameraman vereeuwigd alsof Bart een bekend acteur zou zijn, en Nouchka een bekend actrice. Het licht dat fel op hen scheen, en dat de indruk wekte dat het hier om een wereldberoemd romantisch koppel ging, schitterde in mijn ogen.

Ik keek in het rond, wilde me werpen op de eerste de beste vent aan de bar, en hoorde een man lallen tegen de barkeeper: 'No, I am an entertainment lawyer, but I got fired for fraud... Haha... I only accepted a few gifts, but who wouldn't?'

'Nice to meet you. I am Zohra, I was involved in fraud too.' Dit was Mister Placebo, my real daddy, sugarsweet.

Nouchka hing nog steeds als een vaatdoek in Barts armen. Ze tongzoenden terwijl ze dansten op muziek waar alleen ouden van dagen voor op de vloer te krijgen zouden zijn. Sonja, dansend met Pim, los, terwijl ze praatten of met elkaar schreeuwden, pakte een drankje aan van een Japanner die ik een uur geleden ook al bij haar had gezien. Ze dronk het glas in één teug leeg.

Dave, zo heette de brandnew daddy die door stom toeval mijn pad kruiste, leek op de man van het fotootje dat ik maanden geleden uit een blad had geknipt om net te doen of hij mijn echte vader was. Ik zag ervan af omdat ik niet dezelfde slappe praktijken als Nouchka wilde gebruiken om mijn females te imponeren, maar de behoefte aan een placebovader is nooit meer weggegaan.

Dave dacht dat ik hem wilde versieren. Hij voelde zich lekker door mijn aandacht. Ik liet hem in mijn decolleté gluren maar als hij met zijn slechte adem te dicht bij mijn neusorgaan kwam moest hij het bezuren.

'I have the most exclusive suite in the hottest hotel in the city,' zei Dave. Elke keer als hij de barkeeper betaalde en geld uit zijn portefeuille nam staken er talrijke briefjes van duizend gulden en dollarbiljetten uit. Er dwarrelden een paar op de grond. Hij scheen het niet te merken. Ik raapte de briefjes voor hem op, en stopte ze demonstratief zorgzaam in zijn binnenzak.

'I'll come with you, but there is one condition,' zei ik.
'Any condition would work for me,' zei Dave.

Zonder pardon haalde ik Nouchka en Sonja bij Bart en Pim weg. Nouchka praatte opgewonden, hijgde erbij. Of ik het geen toeval vond dat zij hier nu ook waren. Dat Bart een klein rolletje in een Nederlandse film had gespeeld, dat hij vrijkaartjes had gekregen, en dat ze zo blij was dat ze hem weer terugzag. Ze was dronken. Er zat geen rem meer op.

Ik onderbrak haar: 'Over toeval gesproken, ik heb mijn vader zojuist ontmoet.'

De meisjes gaapten me aan. Het verhaal over mijn echte vader, de man die mij verwekt had bij Joyce maar voordat ik geboren was terug naar Californië ging en nooit meer iets van zich had laten horen, schreeuwde ik boven de discobeat uit. Joyce, snel getrouwd met Rien, had er nooit over willen praten, maar nu wilde het toeval dat mijn biologische vader in de filmbusiness zat en dat hij ervoor zou zorgen dat wij carrière konden maken.

Ze keken me glazig aan. Ondanks het spetterverhaal zag ik dat Nouchka het liefst terug zou rennen naar haar verloren Bart, en dat Sonja me niet geloofde.

Daarom voegde ik nog het een en ander toe. Hij zag meteen aan mij dat ik een beetje Indisch was, en zei dat hij bijna twintig jaar geleden erg verliefd was op een Indische vrouw met een Indonesische moeder. Er zijn veel vrouwen die Joyce heten, maar toen hij bekende dat hij ervandoor was gegaan omdat ze zwanger was, en dat ze bij een reisbureau in H. werkte... Hun monden vielen open. Ik trok ze hardhandig mee naar Dave. Het begin van het einde.

Nouchka giebelde. Ze keek telkens om of ze Bart nog zag staan, maar dat hele gedoe rond Dave begon haar te intrigeren.

'We want to play the leading characters in a romantic Hollywood movie,' zei ze, 'can you take care of that?' Het klonk als een eis, als een voorwaarde die ze stelde als hij niet wilde dat ze terug zou rennen naar Bart.

Sonja vroeg: 'Are you a filmproducer?'

'Do you think we are beautiful enough to become famous?' Nouchka, met een vleierig stemmetje, drong haar borsten vakkundig aan hem op.

'Girls,' zei ik met een krachtige stem. 'May I introduce you to my biological father?'

'Nice to meet you, Mister Placebo,' zei Sonja. Ik schrok van haar opmerking, wist niet of ik blij of bezorgd moest zijn. Was het toeval dat ze hem die naam gaf, of had ik hem in mijn enthousiasme dankzij een ongecontroleerde overdosis aan zelfspot misschien eerder al zo genoemd?

(Ik was allang niet nuchter meer, en zij waren het evenmin. Ik probeer me alles te herinneren door een zorgvuldige reconstructie.)

Nouchka bekeek hem van top tot teen. 'So,' zei ze met veel spot, 'what can you arrange for us and our near future?'

Op de vertrouwde articulerende wijze zei ik: 'Dave, I am very happy to introduce you to my best friends, Nouchka and Sonja. Let's go to your room.'

We volgden hem die wankelde.

Ons normale patroon met sugardaddy's week niet af van wat er nu gebeurde. Dat deze mijn placebovader moest voorstellen deed niet ter zake. Ik wist niet of ze me geloofden. Zoals de sugardaddy's in het verleden had ook Dave veel sterke drank en het volste vertrouwen dat het misschien nog wat werd, een lekker triootje, of op zijn minst een van de drie om zijn gerief bij te behalen. Hij haalde een pak wit poeder, in kranten gewikkeld, uit de kluis, gooide het op tafel en zette er het mes in. Zoals in films. We hadden al vaker gesnoven. Maar zoveel had ik nog nooit bij elkaar gezien. De whisky en wodka op zijn nachtkastje dronken we uit de fles die we elkaar om beurten overhandigden. Ik kon goed tegen alcohol, maar Nouchka minder, en ze begon zich uit te kleden, klagend dat ze het warm had en in bad wilde.

Hij had een jacuzzi. Dave zette zwoele muziek op en opende een fles champagne. Ik wilde geloven in hem als vader, mezelf overtuigen, denk ik, en in mijn lange avondjurk die ik optrok tot boven mijn knieën sprong ik op zijn kingsize bed. Hoger en hoger.

Ik testte de veren van het bed. Het zal de coke wel geweest zijn, maar ik voelde me super telkens als ik met mijn hoofd in de buurt van het plafond zweefde, dat gekke opwippen van mijn maag, dat gevoel of ik kon vliegen, en feitelijk vloog ik ook, ik kon zo het raam uit, vleugels uit. Ik ging er dermate in op dat ik niet doorhad wat zich intussen in dezelfde kamer af-speelde, totdat ik vanbinnen een sex-on-the-beach-cocktail werd, heftig moest braken, en net op tijd in de badkamer be-landde, waar Dave met Sonja en Nouchka in de jacuzzi was gestapt.

Ik was te ziek om te beginnen over de regels en te be-schaamd dat ik van ons drietjes de eerste was die kotste.

Nadat ik mijn gezicht met koud water had afgespoeld en gegorgeld, reikte Dave mij een glas champagne aan.

Mijn femates hadden hun ondergoed in bad aangehouden, waarschijnlijk vanwege de sugardaddy's rules die zij zorgvuldig in acht namen zolang als we ons met suikeroompjes hadden in-gelaten. Ik trok echter alles uit, hij was tenslotte mijn vader, dus als hij lastig zou worden zou het incest zijn geweest.

Ik weet me niet veel te herinneren, alleen momenten. Flar-den. De details vul ik nu, achteraf in.

De jacuzzi was eigenlijk te klein voor vier. We waren alle-maal lazarus, en de cocaïne maakte ons overmoedig. Ik weet dat Nouchka vroeg: 'Did you always know that you had a daughter?' en dat hij antwoordde: 'It was quite a pleasant sur-prise to me.'

'Why did you not contact her before?'

Dus Nouchka geloofde dat Dave Placebo mijn echte va-der was. Ik zag Sonja voor de tweede keer snuiven. Nouchka volgde. Ze hadden wat van dat spul mee naar de badkamer genomen, en het gewoon in de hoek op de marmervloer gelegd. Nouchka zat op haar knieën, met haar kont omhoog. Dave keek te lang, en van te dichtbij, maar kijken was niet verboden. Nouchka merkte het niet. Ze stapte terug in het bad.

Ik dacht, ik hoef niet meer, maar deed hetzelfde. Een klein snuifje maar.

'Are you still minors?' vroeg Dave.

We dansten, zoals we altijd op ons tropeneiland deden, rondom het bed, we omringden Dave, hij voelde zich God met engelen, en Dave volgde ons alsof we drie rattenvangers waren door de suite, cirkelde om ons heen als een lome vlieg rond een bord met stront. Dat er vertrouwen was weet ik, want Sonja en Nouchka werden onverschillig ondanks de regels dat je een sugardaddy nooit met een van ons alleen moest laten zijn, en dat je lichamelijk contact ten strengste moest vermijden.

Ik zag dat de kluis waaruit hij de zak met coke had genomen nog openstond. Er zaten pakketjes met geld in zijn kluis, gewoon voor het grijpen. Dave was terug in de badkamer met Sonja of Nouchka of allebei. De jacuzzi was verslavend. Ik griste er een pak biljetten uit, maar legde het weer terug, want ik was vergeten dat ik naakt liep, zelfs geen beha aan om een briefje in te stoppen. Ik zocht mijn handtas, had er een bij me gehad, maar waar had ik die neergelegd? Dan maar die avondjurk weer aan, en mijn ondergoed om het papiergeld onder mijn kleren te bewaren. Maar die lag op de grond in de badkamer, bij Dave.

In mijn haast struikelde ik over zijn schoenen. Mijn enkel verdorie. Kloteschoenen, wat een rare man en wat een domme schoenen. Je herkende het karakter van een man aan zijn schoenen. Maar hij was toch een goede keus geweest, met z'n fraude, want van dat geld konden we plenty tickets naar Hollywood betalen.

Ik zocht mijn tas, of die van Nouchka, Sonja was zonder tas de deur uit gegaan. Maar ook Nouchka's tas zag ik in de gauwigheid niet. In de kluis was een tweede zak met coke, ook in een krant, en veel papiergeld, vooral in dollars. Wat moest die man met al dat geld en dat poeder? Ik pakte het spul, legde het terug, pakte het, en legde alles weer terug.

Mijn enkel was erger bezeerd dan ik dacht.

Ik aarzelde wat ik zou doen, eerst het geld uit de kluis halen, of eerst mijn kleren aantrekken? Opeens stond Nouchka naast mij. 'Wat doe je daar?' vroeg ze. 'Je kan toch niet van je vader gaan lopen jatten?'

'Genoeg voor drie retourtickets naar Hollywood,' zei ik met enige triomf.

'Je kunt het hem toch netjes vragen, hij is je vader nota bene,' zei Nouchka, en ze meende wat ze zei.

'Als Sherman dat al niet deed, geloof je dan echt dat Dave het wel zal doen?' Georganiseerd afweergeschut vanuit duistere delen van de hersenen trad vlekkeloos in werking omdat ze kritiek uitte op een moment dat er snel daadkrachtige beslissingen genomen moesten worden. Nouchka reageerde gekwetst, draaide zich van me weg, en zocht naar zelfvertrouwen voor de grote spiegel.

'Heb geen medelijden met hem. Hij liet haar al in de steek voordat ze geboren was,' zei Sonja, die zich bij ons voegde, en alles scheen te hebben gehoord.

'Waar is Dave?' vroeg ik ongerust. Ik keek om mij heen, en zag mijn tas in een hoekje van de kamer.

'Op de wc,' zei Sonja koel en onverschillig. 'Ik vond het geen goed idee om toe te kijken hoe hij zijn blaas en darmen ledigt.'

'Ga ernaartoe. Houd hem daar bezig, zorg dat hij in de jacuzzi blijft,' beval ik, gedreven door de koorts van een toekomst over rozen.

'Doe jij het maar. Hij is jouw vader.'

'Wat ben je toch een spelbreekster soms. Wil jij hem dan even zoet houden, Nouchka?'

'Ja hoor,' lachte Nouchka, 'omdat hij je vader is, en omdat hij voor onze tickets naar beroemdheid zorgt.' Ze hikte van dronkenschap.

Sonja, bezorgd om haar, zei: 'Nee, laat mij maar.' Ze nam een snelle snuif, trok haastig haar jurk over haar hoofd, en begaf zich naar de badkamer die ze als protest tegen mijn bevel, met een klap achter zich dichtgooide.

Nouchka zette de televisie aan, een muziekzender die de draagbare cd-speler van Dave ruimschoots overstemde. Ik propte geld en coke in mijn zelfgemaakte handtas van oude lapjes batik uit mijn oma's tijd. De tas puilde uit, en spande te veel bij de naden. Daarom schreeuwde ik naar Nouchka, die erotische poses voor de spiegel deed, dat ik haar handtas nodig had om de laatste stapels dollars in te stoppen. Ze ging met tegenzin bij de spiegel weg, zocht onder het bed, onder de tafel, onder het bureau, en probeerde de badkamerdeur, die op slot bleek te zijn.

Ik zette de televisie uit. Nouchka legde haar oor tegen de badkamerdeur, die ze nu met meer kracht, en door te bonken en te trekken probeerde open te krijgen. Ze pakte Dave's glas met wodka van het nachtkastje, goot het op het tapijt leeg, en legde het tegen de deur om te luisteren. Toen gilde ze: 'Zohra, kom, Zohraaaa.'

Met duivels geweld sloegen we de deur in. Ze zijn niet zo sterk, gelukkig, badkamerdeuren, ook niet van een vijfsterren-hotel.

Sonja, haar jurk aan flarden, werd door de naakte Dave tegen de muur gedrukt en vocht als een wilde kat om los te komen. Sonja's hoofd was bebloed. Dave toonde sporen van Sonja's krabben.

'Stop playing games with me! You can't walk around here naked without getting whet you got coming...'

Ik sloeg met een lege wodkafles op zijn hoofd. Dave leek er niet door aangedaan, zag dat ik nogmaals wilde uithalen, en verdedigde zich door mij vast te grijpen.

'You promised to behave like a father!' schreeuwde ik mijn longen stuk.

Hij greep naar mijn ketting met het medaillon, alsof hij me

daarmee wilde wurgen, trok het stuk, en toen hij het tot zijn verbazing in zijn hand had, smeet hij het uit het open badkamerraam.

Ik sloeg nog eens met de fles op zijn hoofd, Dave zakte op de grond, en ik haalde opnieuw uit. ...Nog eens. Verloor mijn evenwicht. Sonja stond te trillen in de hoek van de badkamer waar Dave haar ingesloten had. Nouchka rukte de fles uit mijn handen.

'Stop, Zohra, je vermoordt je vader nog.'

'Onnozel wicht,' schold ik haar uit, en wilde de fles terug, maar Dave lag roerloos in de weg op de marmervloer. Mijn ketting. Mijn medaillon op straat. Waarschijnlijk in stukken uiteen. Platgereden door auto's. Ik hing voorover uit het raam, stapte naar buiten, mijn kettinkje achterna, dat wonder boven wonder, met medaillon en al, aan een rommeltje van elektriciteitsdraden was blijven hangen. De neonreclame van het hotel leek betrouwbaar, maar Fata Morgana bleek toch te zwak aan de muur bevestigd te zijn. De naam kon mijn gewicht niet houden. Ik reikte naar het medaillon, en met het kettinkje in mijn hand was er een moment dat ik kon kiezen of ik zou vallen, of dat ik me zou laten redden door hen die ik inmiddels veel verschuldigd was.

In een Europese film was dit de laatste scène geweest. Een triest maar open einde. Drie jonge vrouwen gaven hun drang naar succes en hun ambitie om beroemd te worden op en kozen voor de eenvoud van het leven, of liever gezegd, voor het leven zelf. Ik houd meer van Hollywoodproducties, ook al verafschuw ik dialogen als: 'I love you daddy, I love you, mom', zinnen die in werkelijkheid nooit worden uitgesproken. Het verhaal is echter nog niet verteld.

Door een foute beweging gleed ik weg, en dreigde te vallen. Ik zocht steun bij de bedrading, met het risico dat er stroom op stond, maar deze bezweek eveneens onder mijn wanhopig gewicht.

Nouchka reikte mij een hand. Inmiddels was Sonja ook gaan klimmen, en die had haar beide armen naar mij uitgestrekt. Het medaillon hield ik in mijn linkerhand geklemd. Dankzij mijn sterke rechterarm viel ik niet, en wat ik precies vasthield weet ik niet – ik wil geloven in een onzichtbare hand van iemand die overtuigd was van de noodzaak van de voortgang van mijn leven. Door steeds hogerop te gaan zwaaien wist ik mijn benen eindelijk veilig op het kozijn te leggen, en klom ik via hetzelfde raam de hotelkamer weer binnen. Dave lag als dood. We raapten gehaast onze kleren bij elkaar, kleedden ons aan terwijl we de kamer verlieten. Ik deed mijn volle handtas schuin, strak tegen mijn lichaam, over mijn schouder, het kapotte kettinkje in mijn vuist.

(De dagen erna zocht ik alle kranten na op berichten over een moord in een hotel in R. Er waren geen opsporingsberichten met zijn signalement, en het kon niet anders dan dat hij de lege whiskyfles had overleefd. Er was evenmin iets over diefstal en zoekgeraakte dollars.)

DETERIORATION

Op het verlaten perron, tussen daklozen en junkies zochten Nouchka en Sonja op de borden naar de eerste trein naar huis. Ik deelde het geld en de cocaïne uit om te voorkomen dat we als criminele moordenaars gearresteerd zouden worden, maar vooral omdat Hollywood me geen moer meer kon schelen. Last van mijn voet, alsof er geen gevoel zat in de onderkant. Liep een beetje mank, net als de meesten.

De trein reed het station binnen. Zwervers, alcoholisten, daklozen, junkies volgden mij de trein in. Misschien waren de femates teleurgesteld dat ik onze kans op Hollywood had weggegeven en gingen ze daarom meteen slapen, dicht tegen elkaar aan.

Ook ik snoof coke alsof er geen limiet was aan wat je van die troep kon verdragen.

'Ik heet Lucy,' zei een vrouw in zware lompen die zich telkens goedgemutst vastklampte aan de hand waarin ik mijn medaillon bewaarde. Ze lachte breeduit zodat ik alle gaten en zwarte tanden in haar mond kon tellen.

Mijn femates waren vreemden voor mij zoals zij sliepen met de videocamera op hun schoot, afgewend van mij en mijn nieuwe vrienden alsof we lepralijders waren.

Ik pakte de camera die ik ooit zelf eigenhandig had gestolen uit een kleine blauwe tent. De camera misstond in dat trekkerstentje, alsof ook die eigenaar hem niet rechtmatig had verkregen. Ik had nooit een seconde spijt van een verovering gehad. Ik filmde alles wat ik zag, de slapende meisjes, de mensen in de trein, vooral degenen die aan het swingen en zingen waren. Lucy, die op de treinbank stond, bewoog zich als een goedbetaalde nachtclubdanseres.

De stoptrein staat stil, wacht lang, voor de forenzen in hun nette kleren, met hun aureool van tandpasta en aftershave. Ik film hun angst en afkeer. Een paar van mijn nieuwe vrienden hossen tussen hen door. We drinken van dezelfde fles. Armoede is nog altijd niet besmettelijk.

De trein stopt opnieuw. Een man in een rolstoel. Ze helpen hem erin. Iemand heeft de volumeknop van deze vroege ochtend plotsklaps weggedraaid. Geluid sterft weg. Doof in mijn hoofd. De hulpeloze kwijlende man met de stralende lach is Rien. Zijn houding. De boterham in zijn hand. Hoe hij mij aankijkt.

De zwervers liggen tegen elkaar aan te slapen zoals de snurkende vrienden van mijn vader op onze toverzolder. Ze worden ruw wakker geschud. De controleur. 'Waar is uw kaartje?' Dollars worden niet geaccepteerd. Geen duizendjes. Die zijn vaak vals. Bankbiljetten van honderd kunnen voor iedereen betalen plus de boete, maar waar gaat de reis naartoe?

Rien is weg. Nergens te bekennen. Ik loop van coupé naar coupé, sleep met mijn been. Bang dat ik val. De trein lijkt haast te hebben, en mijn balans ben ik ergens voordat ik instapte al kwijtgeraakt. Heen en weer. Blauwe plekken op mijn dijen van de banken die wiegen. Lopen op het pad dat recht hoort te zijn maar het niet is. Ik denk dat ik ren. Hol heen en weer. Passeer steeds de meisjes. In diepe onschuldige slaap. Mijn vriendinnen, die mij zullen verachten als ze wakker worden in hun eigen bed.

Is hij uitgestapt terwijl de trein reed? Met rolstoel en al? Ik open de wc's. Overal zie ik zwervers van onze zolder. Waar hebben ze Rien verstopt?

Als de trein stilstaat spring ik eruit. Ik aarzel. Het laatste moment, als de forenzen zijn gaan zitten, net voordat hij gaat rijden. Een verlaten perron. De duivel zit mij op de hielen. De duivel is sterker dan de poging van een kind om niet meer stout te zijn. Op de vlucht voor het kwaad. Er is te veel radeloosheid in wat ik achterlaat. Ik ren over het perron, over het hekwerk, het weiland in, richting horizon, richting zon, naar het oosten.

Als de zon mij al heeft ingehaald word ik wakker in een sloot, of in een goot, ergens bij een veld waar koeien grazen. In de tas, plat en leeg, gekruist op mijn borst over de lange avondjurk zitten nog een paar briefjes, dollars, maar geen water, en ik heb dorst.

Ik loop in de richting van het geluid. Er is een telefooncel, maar ik heb geen muntgeld, en ik zoek tot ik iemand vind die dollars ruilt voor kwartjes. Het kettinkje met het medaillon krampachtig in mijn bezwete hand. Verder heb ik het koud. Ik ril. We waren onze jassen op het feest vergeten.

Een sneltrein passeert. En weer een, en weer een, en nog een. Passerende treinen worden een dwarsbalk in mijn hoofd. 'Help mij,' vraag ik Joyce, 'mama, help mij, kom mij halen.'

'Wat is er, Zohra, waar ben je?'

'Ik ben in mezelf, maar ik ben mezelf niet meer.'

Ik zocht op internet, zocht in boeken, vroeg mijn moeder naar de papieren over mijn vader, en werd niet wijzer dan wat ik als kind al wist. Je hoeft de betekenis van de woorden niet te kennen of te kunnen verwoorden om de betekenis van de woorden scherp te zien.

*PICK DISEASE *WHAT ARE THE SYMPTOMS OF PICK DIS-EASE? *AT WHAT AGE DOES SOMEONE DEVELOP PICK DIS-EASE? *WHAT CAUSES PICK DISEASE? *IS THERE ANY TREATMENT? *WHAT IS THE PROGNOSIS (THE OUTLOOK)? SYMPTOMS OF PICK DISEASE. AT WHAT AGE DOES SOMEONE DEVELOP PICK DISEASE? WHAT CAUSES PICK DISEASE? TREATMENT? WHAT IS THE PROGNOSIS (THE OUTLOOK)?

Pick disease is a form of dementia characterized by a slowly progressive deterioration of social skills and changes in personality leading to a l l e s w o r d t l i l a There is no cure or specific treatment. Its progression cannot be slowed a l l e s w o r d t p a a r s The course of Pick disease is one of inevitable progressive deterioration. The duration of this process varies, ranging from less than 2 years in some cases to more than 10 years in others. Death is usually caused by infection I s e r e c h t e e n g o d ? double amount of chance for women to get this hereditary disease. The age of onset may range from 20 to 80. A l l e s w o r d t l i l a Other symptoms include gradual emotional dullness, mood changes, loss of moral judgement, and progressive dementia.

Loss of moral judgment.
Loss of moral judgment.
Loss of moral judgment.

Ik trok mij terug als een poes die weet dat ze gaat sterven. Ik wilde niemand meer zien. Zelfs Joyce niet. Maar de dood – zelfs de ziekte – liet op zich wachten.

De belofte aan mijn twee vriendinnen, een kinderlijke wens koste wat kost te realiseren, was mijn gevecht om te leven en het lot, genetische bepaaldheid, ziekte, en dus ook dat wat we dood noemen, ostentatief te negeren, te bezweren, totdat mijn strijd om dankzij bundeling van onze kwaliteiten onze droom te verwezenlijken uitmondde in een gevecht dat zich tegen onszelf had gekeerd, en zelfs tegen onze vriendschap, en daarmee tegen het leven zelf.

Ik ben op Zonnehof gaan werken vanwege mijn vaders sfeer. Rien was mijn vader. Ik hield van hem.

(I love you, daddy.

I love you too, Zohra.)

Dimitri en ik maakten afspraken. Joyce lieten we erbuiten. Ik heb iets ondertekend, voor als mij wat overkomt, en hij ook, maar omdat de kans dat ik mijn vaders ziekte krijg zoveel groter is, draag ik veel taken aan hem over.

Ik kreeg vriendjes. De allereerste keer was zwaar omdat ik ertegen vocht, en verliefdheid zag als vallen, zoals ze er in het Engels eerlijk voor uitkomen, dat het gaat om 'falling in love', en je moet je maar afvragen of je nieuwe love je een beetje behoorlijk op wil vangen.

Keer op keer werd ik verliefd, ook al ging het steeds mis omdat ik niet kon praten. Ik wilde wel, maar ik kon het niet. Vaak wisten ze na maanden nog niet of ik nu wel of niet een vader had. Ze durfden niets te vragen. En om te voorkomen dat ze vragen stelden zei ik aan de een dat mijn ouders naar Australië waren geëmigreerd, aan de ander dat ze drukke zakenmensen waren en nooit tijd voor hun kinderen hadden, dat ik met ze gebrouilleerd was, of dat ik geadopteerd was en dat mijn adoptie ouders beiden in een gekkenhuis waren beland omdat ik als kind het bloed onder hun nagels vandaan had gehaald.

Ik zat altijd achter de computer, ontwierp mijn eigen spel, begon een eenvrouwsbedrijfje. Ze lieten me in het paviljoen van Zonnehof wonen in de periodes dat ik niet bij een geliefde ingetrokken was. Ik ben bezig met een eigen website. En als mijn spel af is zet ik de site on line.

Ik wil ze graag weer zien, mijn vriendinnen. Uit de brief van

Sonja, die ene die ik koester, maak ik op dat Rob gestorven is, Judith eenzaam, en haar broertje net zo'n etter als altijd die zich noch om haar noch om zijn moeder bekommert, en dat ze zelf lesbisch en tamelijk gelukkig is met een of andere Amerikaanse fotografe, woonachtig in het buitenland, altijd onderweg.

Via via heb ik gehoord dat Nouchka nog steeds met Bart is, en haar naam gleed na een of andere soap over het televisiescherm als zou ze cameravrouw geworden zijn. Ze heeft geen contact meer met haar moeder. En Joyce ziet Els evenmin.

Ik wil gevonden worden.

Mijn naam en mijn spel zal ze vertellen dat ik onze eed van trouw niet ben vergeten. Dimitri zegt dat hij bepaalde symptomen bij mij al meent te herkennen. Ik weet niet of het echt zo is. We hebben elkaar beloofd altijd eerlijk tegen elkaar te zijn, ook als het pijnlijk wordt. De angst, zowel bij hem als bij mij, kan verblinden en vertroebelen. Soms lijkt het of ik ben zoals Rien in mijn eerste kinderjaren, en er zijn geen medicijnen zonder bijwerking waar je niet weer iets anders rottigs van krijgt. Er is niets dat helpt behalve sterven.

Joyce wil er niets van weten, ze zegt dat ik precies als anders ben, en dat ik gewoon Zohra ben, haar Zohra, de Zohra van altijd.

Er komt een dag dat ik niet meer weet wat echt gebeurt en wat er is verzonnen, en dat ik niet meer voel, denk, of beweeg zoals ik als Xohra of Zohra zou willen zijn. Ik heb haast. Ik had altijd haast. Geleerd van mijn vader. Opschieten met leven, geen tijd om te zijn. Het lot op onze hielen. Dag en nacht aan het werk totdat de slaap mij overvalt en bijna buiten westen slaat, dagen- en nachtenlang, totdat ik uitgerust weer aan het werken ga, dag en nacht.

Joyce zegt dat ik die uitvalsverschijnselen heb gekregen van te weinig slaap. Van te veel achter de computer zitten. Dat ik altijd te veel van mezelf heb gevraagd.

Misschien. Er is geen remedie tegen de angst om bang te

zijn, behalve door te spelen. Ik droom niet vaak meer dat ik val sinds ik mezelf laat vallen in het spel dat ik ontwikkel. Ik zal mijn belofte houden, en blijf mijn femates trouw.

GAMES4GIRLS

Doel van het spel:
Aan de hand van onderdelen uit kasten en laden kan de speler een meisje samenstellen zoals zij zelf verkiest. Naar het model van zichzelf, van een vriendin, of als degene die ze een keertje zou willen zijn.
Met het karakter kies je een missie. Als je slaagt verschijnt er op het scherm:
DOWNLOAD YOUR BONUS. MORE LIVES TO LIVE.

Als de speler onderweg domme fouten maakt, te veel risico's neemt of te voorzichtig handelt, en daardoor in situaties terechtkomt waaruit de hij/zij ternauwernood kan ontsnappen, verschijnt er op het scherm:
U BENT AAN DE DOOD ONTSNAPT. U HEEFT MEER LE-VENS TE GAAN. ZOEKT EN GIJ ZULT VINDEN.
(Die tekst doe ik niet in het Engels, maar in het Latijn. Ik hou van dode talen. Geef de doden een nieuwe kans.)

Geheim.
Als je goed kijkt zie je minuscuul, het medaillon aan een ketting om de nek van de kat die de speler moet leiden. Klikken op het medaillon leidt tot een oorverdovend alarmsignaal.
PASSWORD PLEASE.
Type in the right sentence.
(Alleen mijn femates kunnen de juiste code weten.)
JE LOON WAADT GESCHIED.
Zohra van Dam verschijnt beeldvullend op het scherm. Ze knipoogt, glimlacht, en onder haar lezen we de tekst:
U HEEFT UW EXTRA LEVEN RUIM VERDIEND. KLIK EEN MISSIE.

>9lives2go
De speler moet een enkele missie kiezen. De tijd gaat in.
Een boottocht door de Amazone?
Een carrière in Hollywood?
Een reis door India?
Een huwelijk met de dichter Pierre van Dongen?
Het vinden van je biologische moeder?

Xohra's game.
Ik laat ze zweten. De laatste kans voor een spelletje met hun zelfgemaakte femate. Het drama voltrekt zich. De missies zijn moeilijk, opwindend, en lopen uiteindelijk bijna altijd slecht af. Zohra van Dam dreigt te sterven.
Natuurlijk verschijnt er op het scherm:
YOU HAVE NO MORE LIFE TO LIVE.
Zohra's gezicht lost op in lila. Alleen nog maar stipjes op het scherm. Een klein lila puntje wordt roze, wordt groter, wordt een baby. Ze wordt door de computervader Rien, die speciaal voor deze gelegenheid ontwikkeld is, in de lucht geworpen. De baby groeit in leeftijd, wordt acht, tien, twaalf, veertien, zeventien zoals ze door de lucht dwarrelt in slowmotion, en de sterke vader vangt haar telkens op. Ze is even groot als hijzelf. Hij gooit haar steeds hoger, en vangt haar toch altijd weer op.
Dan komen de alarmsignalen terug. De vader verstijft, maar de volwassen geworden baby roept: 'Save me. Save me. Save...'
De speler moet met de muis in de weer om de jonge, vallende vrouw niet te missen.
(Het stijgende adrenalinegehalte is voorwaarde voor de kick die leidt tot een bevredigend spelplezier.)
Het spel stopt nooit, ze moet telkens worden opgevangen, en als de speler moe wordt spat ze op de bodem van het scherm uiteen.

Even wordt het zwart, en dan klinkt de lievelingsmuziek van de femates, die elke vorm van muziek uit hun kinderjaren kan zijn.

(Ik heb nog niks uitgekozen, zit in over de rechten en de hoge kosten omdat onze smaak die van het grote publiek is geweest.) Op het beeldscherm verschijnt Xohra, de geanimeerde versie die erg veel gelijkenis vertoont met mijzelf, maar die vlekkelozer, mooier, zonder zonden en ziektes is, en gezegend met een eeuwig leven. Ze lacht stralend, en zegt (met een computerstemmetje): 'Grapje! Ik ga nooit meer weg. Installeer me op jullie harde schijf en speel met me wanneer het jullie uitkomt in jullie drukke leventjes. Dat hadden we beloofd: vriendinnen voor altijd, trouw in spel en in geheimen.'

XOHRA lijkt weer op te lossen, maar het is een warm rood waarin ze oplost, de pixels worden geanimeerde baby'tjes en vaders. Het wordt steeds drukker met meer baby's en vaders op het scherm, baby's die sneller vallen, en vaders die haastiger vangen. DON'T PANIC. Slechts een screensaver.

Een enkele klik met de muis en mijn femates hebben de beschikking over Xohra elke minuut van de dag en de nacht, voor welke missie ook.

Ik wilde er voor altijd zijn voor mijn vriendinnen en vond mijn vader. Misschien zijn zij op zoek naar mij, en vinden zij zichzelf. Mijn LIFE4U. Het is all4theGAME.girls.

Marion Bloem

1990 Jenny Smelik IBBY-prijs (voor *Matabia*)
1992 Mention Die Blaue Brillenschlange, Bazel
(voor *Matabia*)
1994 E. du Perronprijs (voor het gehele oeuvre)

ROMANS

1983 *Geen gewoon Indisch meisje*
1987 *Lange reizen korte liefdes*
1987 *Rio*
1989 *Vaders van betekenis*
1992 *De honden van Slipi*
1993 *De leugen van de kaketoe*
1997 *Mooie meisjesmond*
1999 *Ver van familie*
2001 *Games4Girls*

VERHALENBUNDELS

1990 *Vliegers onder het matras*
1995 *Muggen mensen olifanten*

NOVELLEN

1988 *Meisjes vechten niet*
1995 *De smaak van het onbekende*

JEUGDROMANS

1978 *Waar schuil je als het regent?*
1984 *Kermis achter de kerk*
1986 *Brieven van Souad*
1990 *Matabia*

1995 *De geheime plek*
1996 *De droom van de magere tijger*

BEELDENDE KUNST EN POËZIE

1992 *Schilderijen en gedichten*
1995 *Hoop op nieuwe woorden*

OVER MARION BLOEM

1993 Saskia van Rijnswou *Marion Bloem*

SITES

www.marionbloem.com
www.marionbloem.nl